S0-BDL-609

# Paris

Blay-Foldex

# sommaire

• Paris grands axes

## Paris

• index des rues
• légende
• plans par arrondissement
• bois de Boulogne
• bois de Vincennes
• La Défense
• renseignements pratiques

## transports

• autour de Paris
• RER
• bus dans Paris
• métro dans Paris

# Paris

liste alphabétique des rues •
street index •
lista alfabética de las calles •
strassenverzeichniss •
indice delle strade •

| carr. | arr. | rue / street | Métro Tramway |
|---|---|---|---|
| | | **A** | |
| M 10 | 6e | **Abbaye** (de l') *St-Germain-des-P.* | |
| O 12 | 5e | **Abbé-Basset** (pl.de l') *Cardinal-Lemoine* | |
| K 16 | 14e | **Abbé-Carton** (de l') *Plaisance* | |
| N 13 | 5e | **Abbé-de-l'Épée** (de l') *Luxembourg* | |
| B 14 | 16e | **Abbé-Franz-Stock** *Pte de St-Cloud* | |
| P 17 | 13e | **Abbé-Georges-Hénocque** (pl. de l') *Tolbiac* | |
| E 10 | 16e | **Abbé-Gillet** *Passy* | |
| L 12 | 6e | **Abbé-Grégoire** (de l') *St-Placide* | |
| H 14 | 15e | **Abbé-Groult** (de l') *Convention* | |
| K 14 | 14e | **Abbé-Jean-Lebeuf** (pl. de l') *Pernety* | |
| P 10 | 4e | **Abbé-Migne** (de l') *Rambuteau* | |
| N 3 | 18e | **Abbé-Patureau** (de l') *Lamarck-Caul.* | |
| H 11 | 15e | **Abbé-Roger-Derry** (de l') *La Motte-Picquet* | |
| C 11 | 16e | **Abbé-Roussel** (av. de l') *Egl. d'Auteuil* | |
| G 3 | 17e | **Abbé-Rousselot** (de l') *Pereire* | |
| K 14 | 14e | **Abbé-Soulange-Bodin** (de l') *Pernety* | |
| N 4 | 18e | **Abbesses** (pass. des) *Abbesses* | |
| N 4 | 18e | **Abbesses** (pl. des) *Abbesses* | |
| N 4 | 18e | **Abbesses** (des) *Abbesses* | |
| O 5 | 9/10e | **Abbeville** (d') *Poissonnière* | |
| S 12 | 12e | **Abel** *Gare de Lyon* | |
| B 14 | 16e | **Abel-Ferry** *Pte de St-Cloud* | |
| R 14 | 13e | **Abel-Gance** *Quai de la Gare* | |
| P 15 | 13e | **Abel-Hovelacque** *Pl. d'Italie* | |
| S 12 | 12e | **Abel-Leblanc** (pass.) *Reuilly-Diderot* | |
| R 7 | 11e | **Abel-Rabaud** *Goncourt* | |
| L 4 | 17e | **Abel-Truchet** *Pl. de Clichy* | |
| O 7 | 2e | **Aboukir** (d') *Sentier, Strasbourg-St-Denis* | |
| N 3 | 18e | **Abreuvoir** (de l') *Lamarck-Caul.* | |
| G 6 | 17e | **Acacias** (pass. des) *Ternes* | |
| F 6 | 17e | **Acacias** (des) *Argentine* | |
| M 11 | 6e | **Acadie** (pl. d') *Mabillon* | |
| V 9 | 20e | **Achille** *Gambetta* | |
| K 17 | 14e | **Achille-Luchaire** *Jean Moulin* | |
| M 3 | 18e | **Achille-Martinet** *Lamarck-Caul.* | |
| O 14 | 5e | **Adanson** (sq.) *Censier-Daubenton* | |
| W 8 | 20e | **Adjudant-Réau** (pl.) *Pelleport* | |
| W 7 | 20e | **Adjudant-Vincenot** (pl.) *St-Fargeau* | |
| O 10 | 4e | **Adolphe-Adam** *Châtelet* | |
| G 13 | 15e | **Adolphe-Chérioux** *Vaugirard* | |
| L 16 | 14e | **Adolphe-Focillon** *Alésia* | |
| N 9 | 1er | **Adolphe-Jullien** *Louvre* | |
| L 4 | 9e | **Adolphe-Max** (pl.) *Pl. de Clichy* | |
| T 3 | 19e | **Adolphe-Mille** *Ourcq* | |
| J 17 | 14e | **Adolphe-Pinard** (bd) *Pte de Vanves* | |
| C 8 | 16e | **Adolphe-Yvon** *Av. H.-Martin* | |
| T 6 | 19e | **Adour** (villa de l') *Jourdain* | |
| C 11 | 16e | **Adrien-Hébrard** (av.) *Jasmin* | |
| M 7 | 9e | **Adrien-Oudin** (pl.) *Chaussée-d'Antin* | |
| V 10 | 20e | **Adrienne** (cité) *A.-Dumas* | |
| M 15 | 14e | **Adrienne** (villa) *Mouton-Duvernet* | |
| H 10 | 7e | **Adrienne-Lecouvreur** (allée) *Ecole Militaire* | |
| L 14 | 14e | **Adrienne-Simon** (villa) *Denfert-Roch.* | |
| P 4 | 18e | **Affre** *La Chapelle* | |
| D 11 | 16e | **Agar** *Jasmin* | |
| N 5 | 9e | **Agent-Bailly** (de l') *Cadet* | |
| Q 11 | 4e | **Agrippa-d'Aubigné** *Sully-Morland* | |
| K 7 | 8e | **Aguesseau** (d') *Madeleine* | |
| L 15 | 14e | **Aide-Sociale** (sq. de l') *Gaîté* | |
| U 5 | 19e | **Aigrettes** (villa des) *Danube* | |
| O 2 | 18e | **Aimé-Lavy** *Jules-Joffrin* | |
| G 5 | 17e | **Aimé-Maillard** (pl.) *Ternes* | |
| O 18 | 13e | **Aimé-Morot** *Poterne des Peupliers* | |
| T 3 | 19e | **Aisne** (de l') *Crimée* | |
| R 7 | 10e | **Aix** (d') *Goncourt* | |
| J 10 | 7e | **Ajaccio** (sq. d') | |
| K 14 | 14e | **Alain** *Pernety* | |
| G 14 | 15e | **Alain-Chartier** *Convention* | |
| H 16 | 14e | **Alain-Fournier** (sq.) *Pte de Vanves* | |
| G 11 | 15e | **Alasseur** *La Motte-Picquet* | |
| P 6 | 10e | **Alban-Satragne** (sq.) *Gare de l'Est* | |
| D 9 | 16e | **Alberic-Magnard** *La Muette* | |
| R 17 | 13e | **Albert** *Olympiades* | |
| G 16 | 15e | **Albert-Bartholomé** (av.) *Brancion, Georges Brassens* | |
| G 16 | 15e | **Albert-Bartholomé** (sq.) *Georges Brassens* | |
| P 15 | 13e | **Albert-Bayet** *Pl. d'Italie* | |
| R 6 | 10e | **Albert-Camus** *Colonel Fabien* | |
| D 14 | 15e | **Albert-Cohen** (pl.) *Bd Victor* | |
| R 15 | 13e | **Albert-Cohen** *Bibliothèque François Mitterrand, Chevaleret* | |
| J 12 | 7e | **Albert-de-Lapparent** *Ségur* | |
| F 9 | 16e | **Albert-de-Mun** (av.) *Trocadéro* | |
| T 16 | 13e | **Albert-Einstein** *Bibliothèque François Mitterrand* | |
| O 2 | 18e | **Albert-Kahn** (pl.) *Simplon* | |
| Q 17 | 13e | **Albert-Londres** (pl.) *Maison-Blanche* | |
| X 13 | 12e | **Albert-Malet** *Bel-Air* | |
| W 10 | 20e | **Albert-Marquet** *Maraîchers* | |
| J 8 | 8e | **Albert-1er** (cours) *Alma-Marceau* | |
| F 9 | 16e | **Albert-1er-de-Monaco** (av.) *Trocadéro* | |
| U 5 | 19e | **Albert-Robida** (villa) *Botzaris* | |
| H 3 | 17e | **Albert-Roussel** *Pte de Champerret, Porte de Clichy* | |
| G 4 | 17e | **Albert-Samain** *Pte de Champerret* | |
| K 17 | 14e | **Albert-Sorel** *Jean Moulin* | |

# Albert-Thomas

| carr. | arr. | rue / street | Métro Tramway |
|---|---|---|---|
| Q 7 | 10e | **Albert-Thomas** *République* | |
| X 12 | 12e | **Albert-Willemetz** *St-Mandé* | |
| N 15 | 13e | **Albin-Cachot** (sq.) *Glacière* | |
| O 17 | 13e | **Albin-Haller** *Poterne des Peupliers* | |
| T 13 | 12e | **Albinoni** *Montgallet* | |
| E 10 | 16e | **Alboni** (d') *Passy* | |
| F 10 | 16e | **Alboni** (sq. de l') *Passy* | |
| M 16 | 14e | **Alembert** (d') *Mouton-Duvernet* | |
| K 12 | 15e | **Alençon** (d') *Montparnasse-B.* | |
| M 16 | 14e | **Alésia** (d') *Glacière, Alésia, Plaisance* | |
| L 16 | 14e | **Alésia** (villa d') *Alésia* | |
| W 5 | 19e | **Alexander-Fleming** *Pré-St-Gervais* | |
| K 13 | 19e | **Alexandre** (pass.) *Pasteur* | |
| H 12 | 15e | **Alexandre-Cabanel** *Cambronne* | |
| F 4 | 17e | **Alexandre-Charpentier** *Pte de Champerret* | |
| S 3 | 19e | **Alexandre-de-Humboldt** *Crimée* | |
| V 10 | 11/20e | **Alexandre-Dumas** *A.-Dumas, Rue des Boulets* | |
| N 1 | 18e | **Alexandre-Lécuyer** (imp.) *Pte de Clignancourt* | |
| Q 5 | 19e | **Alexandre-Parodi** *Louis-Blanc* | |
| U 5 | 19e | **Alexandre-Ribot** (villa) *Danube* | |
| C 13 | 16e | **Alexandre-Tansman** (villa) *Chardon-Lagache, Exelmans* | |
| P 17 | 13e | **Alexandre-Vialatte** (allée) *Maison-Blanche* | |
| J 9 | 7/8e | **Alexandre-III** (pt) *Invalides* | |
| O 8 | 2e | **Alexandrine** *Réaumur-Séb.* | |
| T 10 | 11e | **Alexandrine** (pass.) *Charonne* | |
| D 10 | 16e | **Alfred-Bruneau** *La Muette* | |
| B 11 | 16e | **Alfred-Capus** (sq.) *Pte d'Auteuil* | |
| C 9 | 16e | **Alfred-Dehodencq** *La Muette* | |
| C 9 | 16e | **Alfred-Dehodencq** (sq.) *La Muette* | |
| H 5 | 8/17e | **Alfred-de-Vigny** *Courcelles* | |
| F 12 | 15e | **Alfred-Dreyfus** (place) *Av. Emile Zola* | |
| H 16 | 14e | **Alfred-Durand-Claye** *Pte de Vanves* | |
| Q 18 | 13e | **Alfred-Fouillée** *Pte de Choisy* | |
| O 13 | 5e | **Alfred-Kastler** (pl.) *Place Monge* | |
| G 4 | 17e | **Alfred-Roll** *Pereire* | |
| F 11 | 15e | **Alfred-Sauvy** (pl.) *Dupleix* | |
| N 5 | 9e | **Alfred-Stevens** (pass.) *Pigalle* | |
| N 5 | 9e | **Alfred-Stevens** *Pigalle* | |
| R 12 | 12e | **Alger** (cour d') *Quai de la Rapée* | |
| L 8 | 1er | **Alger** (d') *Tuileries* | |
| V 5 | 19e | **Algérie** (bd d') *Pré-St-Gervais* | |
| R 7 | 10e | **Alibert** | |
| J 16 | 15e | **Alice** (sq.) *Didot* | |
| S 16 | 13e | **Alice-Domon-Léonie-Duquet** *Bibliothèque François Mitterrand* | |
| S 12 | 12e | **Aligre** (pl. d') *Ledru-Rollin* | |
| S 11 | 12e | **Aligre** (d') *Ledru-Rollin* | |
| B 11 | 16e | **Aliscamps** (sq. des) *Pte d'Auteuil* | |
| X 13 | 12e | **Allard** *St-Mandé-Tour.* | |
| M 10 | 7e | **Allent** *Rue du Bac* | |
| H 14 | 15e | **Alleray** (ham. d') *Vaugirard* | |
| H 14 | 15e | **Alleray** (pl. d') *Vaugirard* | |
| H 14 | 15e | **Alleray** (d') *Vaugirard* | |
| T 1 | 19e | **Allier** (q. de l') *Pte de la Villette* | |
| H 9 | 7e | **Alma** (cité de l') *Pont de l'Alma* | |
| H 8 | 8/16e | **Alma** (pl. de l') *Alma-Marceau* | |
| H 9 | 7/8/16e | **Alma** (pt de l') *Alma-Marceau* | |
| P 8 | 3e | **Alombert** (pass.) *Arts-et-Métiers* | |
| T 5 | 19e | **Alouettes** (des) *Botzaris* | |
| P 15 | 13e | **Alpes** (des) *Pte d'Italie* | |
| E 6 | 16e | **Alphand** (av.) *Pte Maillot* | |
| O 16 | 13e | **Alphand** *Corvisart* | |
| T 7 | 20e | **Alphonse-Allais** (pl.) *Couronnes* | |
| V 5 | 19e | **Alphonse-Aulard** *Pré-St-Gervais* | |
| R 9 | 11e | **Alphonse-Baudin** *Richard-Lenoir* | |
| J 14 | 15e | **Alphonse-Bertillon** *Plaisance* | |
| L 16 | 14e | **Alphonse-Daudet** *Alésia* | |
| H 4 | 17e | **Alphonse-de-Neuville** *Wagram* | |
| L 11 | 8e | **Alphonse-Deville** *Sèvres-Babylone* | |
| E 12 | 15e | **Alphonse-Humbert** (pl.) *Javel* | |
| S 2 | 19e | **Alphonse-Karr** *Corentin-Cariou* | |
| N 13 | 5e | **Alphonse-Laveran** (pl.) *Port-Royal* | |
| W 8 | 20e | **Alphonse-Penaud** *St-Fargeau* | |
| E 10 | 16e | **Alphonse-XIII** (av.) *Passy* | |
| W 9 | 20e | **Alquier-Debrousse** (pl.) *Pte de Bagnolet* | |
| P 5 | 19e | **Alsace** (d') *Gare de l'Est* | |
| U 5 | 19e | **Alsace** (villa d') *Botzaris* | |
| U 12 | 12e | **Alsace-Lorraine** (cour d') *Montgallet* | |
| U 4 | 19e | **Alsace-Lorraine** (d') *Danube* | |
| U 5 | 19e | **Amalia** (villa) *Danube* | |
| T 8 | 20e | **Amandiers** (des) *Père-Lachaise* | |
| N 7 | 2e | **Amboise** (d') *Richelieu-Drouot* | |
| L 17 | 14e | **Ambroise-Croizat** (pl.) *Pte d'Orléans* | |
| P 5 | 19e | **Ambroise-Paré** *Barbès-Roch.* | |
| U 4 | 19e | **Ambroise-Rendu** (av.) *Danube* | |
| O 6 | 9e | **Ambroise-Thomas** *Poissonnière* | |
| T 15 | 12e | **Ambroisie** (de l') *Cour St-Emilion* | |
| F 15 | 15e | **Amédée Gordini** (pl.) *Georges Brassens* | |
| H 10 | 7e | **Amélie** *Latour-Maubourg* | |
| V 7 | 20e | **Amélie** (villa) *Père-Lachaise* | |
| R 9 | 11e | **Amelot** *Chemin-Vert, St-Sébastien-Froissart, Filles-du-Calvaire* | |
| T 11 | 11e | **Ameublement** (cité de l') *Faidherbe-Chal.* | |
| V 8 | 20e | **Amicie Lebaudy** (square) *Pelleport* | |
| W 9 | 20e | **Amiens** (sq. d') *Pte de Bagnolet* | |
| E 6 | 16e | **Amiral-Bruix** (bd de l') *Pte Maillot, Pte Dauphine* | |
| D 12 | 16e | **Amiral-Cloué** (de l') *Mirabeau* | |
| E 7 | 16e | **Amiral-Courbet** (de l') *Victor-Hugo* | |
| F 8 | 16e | **Amiral-d'Estaing** (de l') *Boissière* | |
| N 9 | 1er | **Amiral-de-Coligny** (de l') *Louvre* | |
| G 8 | 16e | **Amiral-de-Grasse** (pl. de l') *Boissière* | |
| F 8 | 16e | **Amiral-Hamelin** (de l') *Boissière* | |
| W 14 | 12e | **Amiral-La Roncière-Le Noury** (de l') *Pte Dorée* | |
| N 17 | 13/14e | **Amiral-Mouchez** (de l') *Stade Charléty* | |
| G 13 | 15e | **Amiral-Roussin** (de l') *Zola, Vaugirard* | |
| O 2 | 18e | **Amiraux** (des) *Simplon* | |
| H 4 | 17e | **Ampère** *Wagram* | |
| K 14 | 14e | **Amphithéâtre** (pl. de l') *Gaîté* | |
| L 6 | 8e | **Amsterdam** (imp. d') *St-Lazare* | |
| L 5 | 8/9e | **Amsterdam** (d') *St-Lazare, Liège, Pl. de Clichy* | |
| O 13 | 5e | **Amyot** *Place Monge* | |
| F 6 | 17e | **Anatole-de-la-Forge** *Argentine* | |
| G 10 | 7e | **Anatole-France** (av.) *Ecole Militaire* | |
| L 9 | 7e | **Anatole-France** (quai) *Musée d'Orsay* | |
| N 11 | 6e | **Ancienne-Comédie** (de l') *Odéon* | |
| P 8 | 3e | **Ancre** (pass. de l') *Réaumur-Séb.* | |
| C 9 | 16e | **Andigné** (d') *La Muette* | |
| D 10 | 16e | **Andorre** (pl. d') *La Muette* | |
| M 4 | 18e | **André-Antoine** *Pigalle* | |
| N 4 | 18e | **André-Barsacq** *Abbesses* | |
| L 1 | 17e | **André-Bréchet** *Pte de St-Ouen* | |
| O 9 | 1er | **André-Breton** (all.) *Les Halles* | |
| M 5 | 9e | **André-Breton** (pl.) *Pigalle* | |
| D 13 | 15e | **André-Chamson** (esplanade) *Balard, Lourmel* | |
| E 12 | 15e | **André-Citroën** (quai) *Javel, Bd Victor* | |
| C 11 | 16e | **André-Colledebœuf** *Jasmin* | |
| T 4 | 19e | **André-Danjon** *Ourcq* | |
| O 4 | 18e | **Andre-del-Sarte** *Barbès-Roch.* | |
| W 13 | 12e | **André-Derain** *Bel-Air* | |
| N 16 | 13e | **André-Dreyer** (sq.) *Glacière* | |
| S 4 | 19e | **André-Dubois** *Laumière* | |
| J 14 | 15e | **André-Gide** *Volontaires* | |
| N 5 | 18e | **André-Gill** *Pigalle* | |
| M 12 | 6e | **André-Honnorat** (pl.) *Luxembourg* | |
| D 13 | 15e | **André-Lefebvre** *Javel* | |
| J 16 | 15e | **André-Lichtenberger** (sq.) *Didot* | |
| M 9 | 1er | **André-Malraux** (pl.) *Palais-Royal* | |
| P 16 | 13e | **André-Masson** (pl.) *Tolbiac* | |

| arr. | arr. | rue / street | Métro Tramway |
|---|---|---|---|
| E 6 | 16e | **André-Maurois** (bd.) | *Pte Maillot* |
| 11 | 6e | **André-Mazet** | *Odéon* |
| N 2 | 18e | **André-Messager** | *Jules-Joffrin* |
| C 9 | 16e | **André-Pascal** | *Av. H.-Martin* |
| 17 | 13e | **André-Pieyre-de-Mandiargues** | *Maison-Blanche* |
| 18 | 14e | **André-Rivoire** (av.) | *Montsouris* |
| J 2 | 17e | **André-Suarès** | *Pte de Clichy* |
| 11 | 7e | **André-Tardieu** (pl.) | *St-François-Xavier* |
| 16 | 15e | **André-Theuriet** | *Georges Brassens* |
| 16 | 13e | **André-Trannoy** (pl.) | *Corvisart* |
| 13 | 18e | **André-Voguet** | *Pte d'Ivry* |
| P 3 | 18e | **Andrézieux** (all. d') | *Marcadet-Pois.* |
| K 5 | 8e | **Andrieux** | *Rome* |
| N 4 | 18e | **Androuet** | *Abbesses* |
| M 2 | 18e | **Angélique-Compoint** | *Pte de St-Ouen* |
| M 2 | 18e | **Angers** (imp. d') | *Pte de St-Ouen* |
| S 3 | 19e | **Anglais** (imp. des) | *Riquet* |
| 8 | 5e | **Anglais** (des) | *Maubert-Mutualité* |
| S 8 | 11e | **Angoulême** (cité d') | *Parmentier* |
| K 6 | 4e | **Anjou** (d') | *Sully-M., Pont Marie* |
| 11 | 8e | **Anjou** (d') | *Madeleine, St-Lazare* |
| 7 | 16e | **Ankara** (d') | *Av. du Pdt-Kennedy* |
| U 8 | 20e | **Annam** (d') | *Gambetta* |
| R 5 | 19e | **Anne-de-Beaujeu** (allée) | *Bolivar* |
| T 6 | 19e | **Annelets** (des) | *Botzaris* |
| 16 | 14e | **Annibal** (cité) | *Alésia* |
| 10 | 16e | **Annonciation** (de l') | *La Muette* |
| 14 | 15e | **Anselme-Payen** | *Volontaires* |
| 12 | 11/20e | **Antilles** (pl. des) | *Nation* |
| M 6 | 9e | **Antin** (cité d') | *Chaussée-d'Antin* |
| J 8 | 8e | **Antin** (imp. d') | *Ch.-Élysées-C.* |
| M 7 | 2e | **Antin** (d') | *Opéra* |
| 16 | 16e | **Antoine-Arnault** | *Ranelagh* |
| 10 | 16e | **Antoine-Arnault** (sq.) | *Ranelagh* |
| 15 | 15e | **Antoine-Bourdelle** | *Montparnasse-B.* |
| O 9 | 1er | **Antoine-Carême** (pass.) | *Les Halles* |
| 12 | 15e | **Antoine-Chantin** | *Alésia* |
| 11 | 6e | **Antoine-Dubois** | *Odéon* |
| 14 | 12e | **Antoine-Furetière** (pl.) | *Porte Dorée* |
| 12 | 15e | **Antoine-Hajje** (imp.) | *Charles-Michels* |
| 13 | 12e | **Antoine-Julien-Hénard** | *Montgallet* |
| T 7 | 20e | **Antoine-Loubeyre** (cité) | *Jourdain* |
| 12 | 16e | **Antoine-Roucher** | *Égl. d'Auteuil* |
| 11 | 12e | **Antoine-Vollon** | *Ledru-Rollin* |
| 16 | 15e | **Antonin-Mercié** | *Brancion* |
| N 5 | 9e | **Anvers** (pl. d') | *Anvers* |
| K 3 | 17e | **Apennins** (des) | *Brochant* |
| Q 4 | 19e | **Aqueduc** (de l') | *Louis-Blanc* |
| U 4 | 19e | **Aquitaine** (sq. d') | *Pte de Pantin* |
| 14 | 14e | **Arago** (bd) | *Les Gobelins, St-Jacques, Denfert-Rochereau* |
| 14 | 13e | **Arago** (sq.) | *Glacière* |
| 13 | 5e | **Arbalète** (d') | *Censier-Daubenton* |
| N 9 | 1er | **Arbre-Sec** (de l') | *Pont-Neuf* |
| 16 | 14e | **Arbustes** (des) | *Pte de Vanves* |
| L 6 | 8e | **Arcade** (de l') | *Madeleine, St-Lazare* |
| G 6 | 17e | **Arc-de-Triomphe** (de l') | *Ch.-de-G.-Étoile* |
| O 9 | 1er | **Arc-en-Ciel** (de l') | *"Forum des Halles" Châtelet-Les Halles* |
| S 3 | 19e | **Archereau** | *Crimée* |
| 11 | 5e | **Archevêché** (pt de l') | *Maubert-Mutualité* |
| 11 | 5e | **Archevêché** (q. de l') | *Maubert-Mutualité* |
| P 9 | 3/4e | **Archives** (des) | *Hôtel-de-Ville, Rambuteau* |
| 10 | 4e | **Arcole** (pt d') | *Cité* |
| 10 | 4e | **Arcole** (d') | *Cité* |
| 17 | 13e | **Arcueil** (d') | *Stade Charléty* |
| T 3 | 19e | **Ardennes** (des) | *Ourcq* |
| 12 | 5e | **Arènes** (des) | *Jussieu* |
| K 6 | 8e | **Argenson** (d') | *Miromesnil* |
| M 8 | 1er | **Argenteuil** (d') | *Pyramides* |
| F 6 | 16e | **Argentine** (d') | *Argentine* |
| E 8 | 16e | **Argentine** (cité de l') | *Victor-Hugo* |
| T 2 | 19e | **Argonne** (pl. de l') | *Corentin-Cariou* |
| T 3 | 19e | **Argonne** (de l') | *Corentin-Cariou* |
| N 8 | 2e | **Argout** (d') | *Sentier* |
| A 13 | 16e | **Arioste** (de l') | *Pte de St-Cloud* |
| K 9 | 7e | **Aristide-Briand** | *Assemblée Nationale* |
| M 4 | 18e | **Aristide-Bruant** | *Blanche* |
| J 14 | 15e | **Aristide-Maillol** | *Volontaires* |
| F 6 | 17e | **Armaillé** (d') | *Argentine* |
| M 2 | 18e | **Armand** (villa) | *Guy-Môquet* |
| T 5 | 19e | **Armand-Carrel** (pl.) | *Laumière* |
| S 5 | 19e | **Armand-Carrel** | *Laumière* |
| U 5 | 19e | **Armand-Fallières** (villa) | *Botzaris* |
| M 3 | 18e | **Armand-Gauthier** | *Lamarck-Caul.* |
| K 13 | 15e | **Armand-Moisant** | *Montparnasse-B.* |
| W 14 | 12e | **Armand-Rousseau** (av.) | *Pte Dorée* |
| M 4 | 18e | **Armée-d'Orient** (de l') | *Blanche* |
| E 5 | 17e | **Armenonville** (d') | *Pte Maillot* |
| J 14 | 15e | **Armorique** (de l') | *Pasteur* |
| L 1 | 17e | **Arnault-Tzanck** (pl.) | *Pte de St-Ouen* |
| Q 9 | 3e | **Arquebusiers** (des) | *St-Sébastien-Froissart* |
| O 12 | 5e | **Arras** (d') | *Cardinal-Lemoine* |
| K 13 | 15e | **Arrivée** (de l') | *Montparnasse-B.* |
| Q 11 | 4e | **Arsenal** (de l') | *Bastille* |
| G 6 | 8e | **Arsène-Houssaye** | *Ch.-de-G.-Étoile* |
| J 13 | 17e | **Arsonval** (d') | *Pasteur* |
| T 12 | 12e | **Artagnan** (d') | *Reuilly-Diderot* |
| L 2 | 17e | **Arthur-Brière** | *Guy-Môquet* |
| R 7 | 10e | **Arthur-Groussier** | *Goncourt* |
| U 4 | 19e | **Arthur-Honegger** (allée) | *Pte de Pantin* |
| M 1 | 18e | **Arthur-Ranc** | *Pte de St-Ouen* |
| T 15 | 12e | **Arthur-Rimbaud** (allée) | *Quai Gare, Bibliothèque François Mitterrand* |
| U 5 | 19e | **Arthur-Rozier** | *Botzaris* |
| M 16 | 14e | **Artistes** (des) | *Alésia* |
| J 7 | 8e | **Artois** (d') | *St-Philippe-du-R.* |
| F 5 | 17e | **Arts** (av. des) | *Pte Maillot* |
| V 12 | 12e | **Arts** (imp. des) | *Nation* |
| K 14 | 14e | **Arts** (pass. des) | *Pernety* |
| M 10 | 1/6e | **Arts** (pont des) | *Pont-Neuf* |
| L 4 | 18e | **Arts** (villa des) | *La Fourche* |
| S 9 | 11e | **Asile** (pass. de l') | *St-Ambroise* |
| S 9 | 11e | **Asile-Popincourt** (de l') | *St-Ambroise* |
| M 13 | 6e | **Assas** (d') | *Rennes, N.-D. des Champs, Port-Royal* |
| K 14 | 14e | **Asseline** | *Pernety* |
| O 4 | 18e | **Assommoir** (pl. de l') | *Barbès-Roch.* |
| D 11 | 16e | **Assomption** (de l') | *Ranelagh* |
| K 6 | 8e | **Astorg** (d') | *St-Augustin* |
| K 13 | 15e | **Astrolabe** (Villa de l') | *Falguière* |
| L 6 | 9e | **Athènes** (d') | *Trinité* |
| S 6 | 19e | **Atlas** (pass. de l') | *Belleville* |
| S 6 | 19e | **Atlas** (de l') | *Belleville* |
| M 7 | 9e | **Auber** | *Auber* |
| R 3 | 18/19e | **Aubervilliers** (d') | *Stalingrad, Riquet, Crimée* |
| G 5 | 17e | **Aublet** (villa) | *Pereire* |
| K 1 | 17e | **Auboin** | *Pte de St-Ouen* |
| T 14 | 12e | **Aubrac** (de l') | *Cour St-Emilion* |
| P 10 | 4e | **Aubriot** | *Hôtel-de-Ville* |
| U 10 | 19e | **Aubry** (cité) | *A.-Dumas* |
| O 9 | 19e | **Aubry-le-Boucher** | *Châtelet* |
| M 16 | 14e | **Aude** (d') | *Alésia* |
| M 4 | 18e | **Audran** | *Abbesses* |
| R 12 | 12e | **Audubon** | *Gare de Lyon* |
| V 11 | 20e | **Auger** | *Avron* |
| H 10 | 7e | **Augereau** | *École Militaire* |
| R 14 | 18e | **Augusta-Holmes** (pl.) | *Quai de la Gare* |
| R 7 | 11e | **Auguste-Barbier** | *Goncourt* |
| T 1 | 19e | **Auguste-Baron** (pl.) | *Pte de La Villette* |

# Auguste-Bartholdi

| carr. | arr. | rue / street | Métro Tramway |
|---|---|---|---|
| G 11 | 15ᵉ | **Auguste-Bartholdi** *Dupleix* | |
| P 15 | 13ᵉ | **Auguste-Blanqui** (bd) *Pl. d'Italie, Corvisart, Glacière* | |
| R 15 | 13ᵉ | **Auguste-Blanqui** (villa) *Nationale* | |
| K 16 | 14ᵉ | **Auguste-Cain** *Jean Moulin* | |
| F 14 | 15ᵉ | **Auguste-Chabrières** (cité) *Pte de Versailles* | |
| F 14 | 15ᵉ | **Auguste-Chabrières** *Pte de Versailles* | |
| W 10 | 20ᵉ | **Auguste-Chapuis** *Pte de Montreuil* | |
| M 13 | 6ᵉ | **Auguste-Comte** *Luxembourg* | |
| G 12 | 15ᵉ | **Auguste-Dorchain** *Commerce* | |
| O 17 | 13ᵉ | **Auguste-Lançon** *Stade Charléty* | |
| T 10 | 11ᵉ | **Auguste-Laurent** *Voltaire* | |
| C 13 | 16ᵉ | **Auguste-Maquet** *Exelmans* | |
| T 9 | 20ᵉ | **Auguste-Métivier** (pl.) *Père-Lachaise* | |
| L 14 | 14ᵉ | **Auguste-Mie** *Gaîté* | |
| O 17 | 13ᵉ | **Auguste-Perret** *Tolbiac* | |
| J 16 | 14ᵉ | **Auguste-Renoir** (sq.) *Pte de Vanves* | |
| G 7 | 16ᵉ | **Auguste-Vacquerie** *Kléber* | |
| E 12 | 15ᵉ | **Auguste-Vitu** *Javel* | |
| O 17 | 13ᵉ | **Augustin-Mouchot** *Poterne des Peupliers* | |
| U 6 | 19ᵉ | **Augustin-Thierry** *Pl. des Fêtes* | |
| M 6 | 9ᵉ | **Aumale** (d') *St-Georges* | |
| Q 16 | 13ᵉ | **Aumont** *Tolbiac* | |
| F 4 | 17ᵉ | **Aumont-Thiéville** *Pte de Champerret* | |
| E 5 | 17ᵉ | **Aurelle-de-Paladines** (bd d') *Pte Maillot* | |
| Q 12 | 5/12/13ᵉ | **Austerlitz** (pt d') *Gare d'Austerlitz* | |
| R 13 | 13ᵉ | **Austerlitz** (port d') *Gare d'Austerlitz, Quai de la Gare* | |
| R 14 | 13ᵉ | **Austerlitz** (q. d') *Quai de la Gare, Gare d'Austerlitz* | |
| R 12 | 12ᵉ | **Austerlitz** (q. d') *Gare de Lyon* | |
| Q 13 | 5ᵉ | **Austerlitz** (cité d') *Austerlitz* | |
| F 10 | 15ᵉ | **Australie** (promenade d') *Champ de Mars* | |
| A 12 | 16ᵉ | **Auteuil** (bd d') *Pte d'Auteuil* | |
| C 12 | 16ᵉ | **Auteuil** (d') *Michel-A.-Auteuil* | |
| D 12 | 16ᵉ | **Auteuil** (port d') *Mirabeau* | |
| Q 11 | 4ᵉ | **Ave-Maria** (de l') *Pont-Marie* | |
| T 8 | 11ᵉ | **Avenir** (cité de l') *Ménilmontant* | |
| U 7 | 20ᵉ | **Avenir** (de l') *Pl. des Fêtes* | |
| F 6 | 16ᵉ | **Avenue-du-Bois** (sq. de l') *Argentine* | |
| D 7 | 16ᵉ | **Avenue-Foch** (sq.de l') *Pte Dauphine* | |
| G 3 | 17ᵉ | **Aveyron** (sq. de l') *Pereire* | |
| G 12 | 15ᵉ | **Avre** (de l') *La Motte-Picquet* | |
| V 11 | 20ᵉ | **Avron** (de l') *Avron, Buzenval, Maraîchers, Pte de Montreuil* | |
| N 4 | 18ᵉ | **Azaïs** *Abbesses* | |

## B

| L 11 | 7ᵉ | **Babylone** (de) *Sèvres-Babylone, St-François-Xavier* | |
|---|---|---|---|
| L 10 | 7ᵉ | **Bac** (du) *Rue du Bac, Sèvres-Babylone* | |
| O 8 | 2ᵉ | **Bachaumont** *Sentier* | |
| N 3 | 18ᵉ | **Bachelet** *Château-Rouge* | |
| V 10 | 20ᵉ | **Bagnolet** (de) *A.-Dumas, Pte de Bagnolet* | |
| N 3 | 18ᵉ | **Baigneur** (du) *Marcadet-Pois.* | |
| N 9 | 1ᵉʳ | **Baillet** *Louvre* | |
| N 9 | 1ᵉʳ | **Bailleul** *Louvre* | |
| K 16 | 14ᵉ | **Baillou** *Alésia* | |
| P 8 | 3ᵉ | **Bailly** *Arts-et-Métiers* | |
| D 14 | 15ᵉ | **Balard** (pl.) *Balard* | |
| D 14 | 15ᵉ | **Balard** *Javel, Balard* | |
| S 8 | 11ᵉ | **Baleine** (imp. de la) *Couronnes* | |
| W 9 | 20ᵉ | **Balkans** (des) *Pte de Bagnolet* | |
| L 5 | 9ᵉ | **Ballu** *Pl. de Clichy* | |
| L 5 | 9ᵉ | **Ballu** (villa) *Pl. de Clichy* | |
| G 4 | 17ᵉ | **Balny-d'Avricourt** *Pereire* | |
| O 9 | 1ᵉʳ | **Baltard** (all.) *Les Halles* | |
| H 6 | 8ᵉ | **Balzac** *Georges-V* | |
| N 8 | 2ᵉ | **Banque** (de la) *Bourse* | |
| P 14 | 13ᵉ | **Banquier** (du) *Campo-F., les Gobelins* | |
| Q 16 | 13ᵉ | **Baptiste-Renard** *Nationale* | |
| T 3 | 19ᵉ | **Barbanègre** *Corentin-Cariou* | |
| K 4 | 17ᵉ | **Barbara** (all.) *Brochant* | |
| O 3 | 18ᵉ | **Barbès** (bd) *Barbès-Roch., Château-Rouge, Marcadet-Pois.* | |
| K 11 | 7ᵉ | **Barbet-de-Jouy** *Varenne* | |
| Q 9 | 3ᵉ | **Barbette** *St-Paul* | |
| G 10 | 7ᵉ | **Barbey-d'Aurevilly** (av.) *École Militaire* | |
| D 12 | 16ᵉ | **Barcelone** (pl. de) *Mirabeau* | |
| K 15 | 14ᵉ | **Bardinet** *Plaisance* | |
| J 14 | 15ᵉ | **Bargue** *Volontaires* | |
| L 2 | 17ᵉ | **Baron** *Guy-Môquet* | |
| U 15 | 12ᵉ | **Baron-Le-Roy** *Cour St-Emilion* | |
| O 16 | 13ᵉ | **Barrault** (pass.) *Corvisart* | |
| O 16 | 13ᵉ | **Barrault** *Corvisart* | |
| S 6 | 19ᵉ | **Barrelet-de-Ricou** *Bolivar* | |
| P 10 | 4ᵉ | **Barres** (des) *Hôtel-de-Ville* | |
| G 12 | 18ᵉ | **Barrier** (imp.) *Reuilly-Diderot* | |
| L 3 | 18ᵉ | **Barrière-Blanche** (cité) *La Fourche, Guy-Môquet* | |
| P 8 | 3ᵉ | **Barrois** (pass.) *Arts-et-Métiers* | |
| R 4 | 15ᵉ | **Barthélemy** (pass.) *Stalingrad* | |
| J 12 | 15ᵉ | **Barthélemy** *Sèvres-Lecourbe* | |
| H 5 | 17ᵉ | **Barye** *Courcelles* | |
| O 8 | 2ᵉ | **Basfour** (pass.) *Réaumur-Séb.* | |
| S 10 | 11ᵉ | **Basfroi** (pass.) *Voltaire* | |
| S 10 | 11ᵉ | **Basfroi** *Voltaire* | |
| V 7 | 20ᵉ | **Basilide-Fossard** (imp.) *Pelleport* | |
| G 7 | 8/16ᵉ | **Bassano** (de) *George-V* | |
| O 9 | 1ᵉʳ | **Basse** (pl.) "Forum des Halles" *Châtelet-Les Halles* | |
| O 9 | 1ᵉʳ | **Basse** "Forum des Halles" *Châtelet-Les Halles* | |
| O 11 | 5ᵉ | **Basse-des-Carmes** *Maubert-Mutualité* | |
| Q 11 | 4ᵉ | **Bassompierre** *Bastille* | |
| R 5 | 19ᵉ | **Baste** *Bolivar* | |
| C 12 | 16ᵉ | **Bastien-Lepage** *Michel-A.-Auteuil* | |
| R 11 | 12ᵉ | **Bastille** (bd de la) *Quai de la Rapée, Bastille* | |
| R 11 | 4/11/12ᵉ | **Bastille** (pl. de la) *Bastille* | |
| R 11 | 4ᵉ | **Bastille** (de la) *Bastille* | |
| R 5 | 10/19ᵉ | **Bataille-de-Stalingrad** (pl. de la) *Stalingrad* | |
| S 13 | 12ᵉ | **Bataillon-du-Pacifique** (pl. du) *Bercy* | |
| P 11 | 7ᵉ | **Bataillon-Français-de-l'ONU-en-Corée** (pl. du) *Pont-Marie* | |
| L 5 | 8/17ᵉ | **Batignolles** (bd des) *Pl. de Clichy, Rome, Ville* | |
| K 4 | 17ᵉ | **Batignolles** (des) *Rome* | |
| D 10 | 16ᵉ | **Bauches** (des) *Ranelagh* | |
| O 3 | 18ᵉ | **Baudelique** *Simplon* | |
| R 15 | 13ᵉ | **Baudoin** *Chevaleret* | |
| P 10 | 4ᵉ | **Baudoyer** (pl.) *Hôtel-de-Ville* | |
| P 17 | 13ᵉ | **Baudran** (imp.) *Tolbiac* | |
| Q 16 | 13ᵉ | **Baudricourt** (imp.) *Olympiades* | |
| Q 16 | 13ᵉ | **Baudricourt** *Olympiades* | |
| K 15 | 14ᵉ | **Bauer** (cité) *Pernety* | |
| T 13 | 12ᵉ | **Baulant** *Dugommier* | |
| W 8 | 20ᵉ | **Baumann** (villa) *Pelleport* | |
| G 13 | 15ᵉ | **Bausset** *Vaugirard* | |
| H 8 | 8ᵉ | **Bayard** *F.-D.-Roosevelt* | |
| G 5 | 17ᵉ | **Bayen** *Ternes, Pte de Champerret* | |
| O 14 | 5ᵉ | **Bazeilles** (de) *Censier-Daubenton* | |
| Q 10 | 3ᵉ | **Béarn** (de) *Chemin-Vert* | |
| F 11 | 15ᵉ | **Béatrix-Dussane** *Dupleix* | |
| P 9 | 3ᵉ | **Beaubourg** (imp.) *Rambuteau* | |
| P 8 | 3/4ᵉ | **Beaubourg** *Rambuteau, Arts-et-M.* | |
| Q 9 | 3ᵉ | **Beauce** (de) *Arts-et-Métiers* | |
| H 6 | 8ᵉ | **Beaucour** (av.) *Ternes* | |
| W 11 | 20ᵉ | **Beaufils** (pass.) *Maraîchers* | |
| E 12 | 15ᵉ | **Beaugrenelle** *Charles-Michels* | |
| U 11 | 11ᵉ | **Beauharnais** (cité) *Rue des Boulets* | |
| N 8 | 1ᵉʳ | **Beaujolais** (galerie de) *Bourse* | |

| carr. | arr. | rue / street | Métro Tramway |
|---|---|---|---|
| M 8 | 1er | Beaujolais (pass. de) *Bourse* |
| N 8 | 1er | Beaujolais (de) *Bourse* |
| G 6 | 8e | Beaujon *Ch.-de-G.-Étoile* |
| J 6 | 8e | Beaujon (sq.) *Miromesnil* |
| R 10 | 3/4/11e | Beaumarchais (bd) |
|  |  | *Bastille, Chemin Vert, St-Sébastien-Froissart* |
| L 10 | 7e | Beaune (de) *Rue du Bac* |
| L 17 | 14e | Beaunier *Pte d'Orléans* |
| O 7 | 2e | Beauregard *Bonne-Nouvelle* |
| O 8 | 2e | Beaurepaire (cité) *Étienne-Marcel* |
| Q 7 | 10e | Beaurepaire *République* |
| C 10 | 16e | Beauséjour (bd de) *Ranelagh* |
| D 10 | 16e | Beauséjour (villa de) *La Muette* |
| Q 11 | 4e | Beautreillis *Sully-Morland* |
| J 7 | 8e | Beauvau (pl.) *Ch.-Elysées-C.* |
| M 10 | 6e | Beaux-Arts (des) *St-Germain-des-P.* |
| S 12 | 12e | Beccaria *Gare de Lyon* |
| N 3 | 18e | Becquerel *Lamarck Caul.* |
| F 10 | 16e | Beethoven *Passy* |
| V 12 | 12e | Bel-Air (av. du) *Nation* |
| R 11 | 12e | Bel-Air (cour du) *Ledru-Rollin* |
| W 13 | 12e | Bel-Air (villa du) *Pte de Vincennes* |
| T 10 | 11e | Belfort (de) *Charonne* |
| H 10 | 7e | Belgrade (de) *École Militaire* |
| W 8 | 20e | Belgrand *Gambetta, Pte de Bagnolet* |
| O 4 | 18e | Belhomme *Barbès-Roch.* |
| E 5 | 17e | Belidor *Pte Maillot* |
| J 12 | 15e | Bellart *Sèvres-Lecourbe* |
| L 9 | 7e | Bellechasse (de) *Solférino* |
| O 6 | 9e | Bellefond (de) *Poissonnière* |
| E 7 | 16e | Belles-Feuilles (imp. des) *Pte Dauphine* |
| E 8 | 16e | Belles-Feuilles (des) *Pte Dauphine* |
| S 7 | 11/20e | Belleville (bd de) |
|  |  | *Ménilmontant, Couronnes, Belleville* |
| T 6 | 19/20e | Belleville (de) *Belleville, Pyrénées, Jourdain, Télégraphe, Porte des Lilas* |
| U 5 | 19e | Bellevue (de) *Pl.des Fêtes* |
| U 5 | 19e | Bellevue (villa de) *Danube* |
| N 2 | 18e | Belliard (de) *Pte de Clignancourt, Pte de St-Ouen* |
| L 2 | 18e | Belliard (villa) *Pte St-Ouen* |
| O 17 | 13e | Bellier-Dedouvre *Tolbiac* |
| R 14 | 13e | Bellièvre (de) *Quai de la Gare* |
| E 9 | 16e | Bellini *Passy* |
| R 4 | 19e | Bellot *Stalingrad* |
| F 7 | 16e | Belloy (de) *Boissière* |
| W 5 | 19e | Belvédère (av. du) *Pré-St-Gervais* |
| U 2 | 19e | Belvédère (all. du) *Pte-de-Pantin, Pte-de-la-Villette* |
| O 5 | 10e | Belzunce (de) *Gare du Nord* |
| O 8 | 2e | Ben-Aïad (pass.) *Sentier* |
| L 15 | 14e | Bénard *Mouton-Duvernet* |
| T 2 | 19e | Benjamin-Constant *Corentin-Cariou* |
| O 12 | 5e | Benjamin-Fondane |
|  |  | (pl.) *Place Monge, Cardinal-Lemoine* |
| F 9 | 16e | Benjamin-Franklin *Passy, Trocadéro* |
| D 8 | 16e | Benjamin-Godard *Rue de la Pompe* |
| X 11 | 20e | Benoît-Frachon (av.) *Porte de Montreuil* |
| D 7 | 16e | Benouville *Pte Dauphine* |
| D 11 | 16e | Béranger (ham.) *Av. du Pdt-Kennedy* |
| Q 8 | 3e | Béranger *République* |
| Q 10 | 4e | Bérard (cour) *Bastille* |
| O 14 | 13e | Berbier-du-Mets *Les Gobelins* |
| S 13 | 12e | Bercy (allée de) *Gare de Lyon* |
| T 14 | 12e | Bercy (bd de) *Bercy, Dugommier* |
| S 14 | 12/13e | Bercy (pont de) *Quai de la Gare* |
| T 15 | 12e | Bercy (port de) *Cour St-Émilion* |
| T 15 | 12e | Bercy (q. de) *Bercy, Cour St-Émilion* |
| S 13 | 12e | Bercy (de) *Cour St-Émilion, Bercy, Gare de Lyon, Quai de la Rapée* |
| V 11 | 20e | Bergame (imp. de) *Avron* |
| O 9 | 1er | Berger (porte) "Forum des Halles" *Châtelet-Les Halles* |
| O 9 | 1er | Berger *Les Halles* |
| N 7 | 9e | Bergère (cité) *Grands-Boulevards* |
| O 7 | 9e | Bergère *Grands-Boulevards* |
| O 15 | 13e | Bergère d'Ivry (pl. de la) *Corvisart* |
| E 12 | 15e | Bergers (des) *Charles-Michels* |
| N 16 | 14e | Berges-Hennequines (des) *Cité Universitaire* |
| L 12 | 6e | Bérite *St-Placide* |
| E 6 | 16e | Berlioz *Pte Maillot* |
| P 2 | 3e | Bernard-de-Clairvaux *Rambuteau* |
| J 14 | 14e | Bernard-de-Ventadour *Pernety* |
| M 2 | 18e | Bernard-Dimey *Pte de St-Ouen* |
| F 9 | 16e | Bernard-Duperier (esplanade) *Trocadéro* |
| O 13 | 5e | Bernard-Halpern (pl.) *Censier-Daubenton* |
| G 3 | 17e | Bernard-Lafay (prom.) *Pte de Champerret* |
| P 8 | 3e | Bernard-Lazare (pl.) *Arts-et-Métiers* |
| X 12 | 12e | Bernard-Lecaché *St-Mandé* |
| M 11 | 6e | Bernard-Palissy *St-Germain-des-P.* |
| S 2 | 19e | Bernard-Tétu *Corentin-Cariou* |
| O 11 | 5e | Bernardins (des) *Maubert-Mutualité* |
| L 5 | 8e | Berne (de) *Rome* |
| K 5 | 8e | Bernouilli *Rome* |
| H 6 | 8e | Berri (de) *George-V* |
| K 7 | 8e | Berryer (cité) *Madeleine* |
| H 6 | 8e | Berryer *George-V* |
| D 15 | 15e | Bertelotte (all. de la) *Balard* |
| P 9 | 3e | Berthaud (imp.) *Rambuteau* |
| N 4 | 18e | Berthe *Abbesses* |
| J 2 | 17e | Berthier (bd) *Pte de Clichy, Pte de Champerret* |
| F 4 | 17e | Berthier (villa) *Pte Champerret* |
| O 14 | 13e | Berthollet *Censier-Daubenton* |
| H 6 | 8e | Bertie-Albrecht *Ch.-de-G.-Étoile* |
| N 10 | 1er | Bertin-Poirée *Châtelet* |
| E 10 | 16e | Berton *Av. du Pdt-Kennedy* |
| T 8 | 11e | Bertrand (cité) *Rue St-Maur* |
| O 4 | 18e | Bervic *Barbès-Roch.* |
| K 2 | 17e | Berzélius (pass.) *Brochant* |
| K 2 | 17e | Berzélius *Brochant* |
| R 9 | 11e | Beslay (pass.) *Parmentier* |
| L 2 | 17e | Bessières (bd) *Pte de St-Ouen, Pte de Clichy* |
| K 2 | 17e | Bessières *Pte de Clichy* |
| H 15 | 15e | Bessin (du) *Brancion* |
| P 11 | 4e | Béthune (q. de) *Sully-Morland* |
| K 5 | 17e | Beudant *Rome* |
| G 8 | 8/16e | Beyrouth (pl. de) *Alma-Marceau* |
| M 16 | 14e | Bezout *Alésia* |
| R 7 | 10e | Bichat *Goncourt* |
| U 8 | 20e | Bidassoa (de la) *Gambetta* |
| S 12 | 12e | Bidault (ruelle) *Reuilly-Diderot* |
| K 6 | 8e | Bienfaisance (de la) *St-Augustin* |
| K 13 | 15e | Bienvenüe (pl.) *Montparnasse-B.* |
| O 11 | 5e | Bièvre (de) *Maubert-Mutualité* |
| T 13 | 12e | Bignon *Dugommier* |
| M 16 | 14e | Bigorre (de) *Alésia* |
| T 1 | 19e | Bigot (sente à) *Pte de la Villette* |
| T 4 | 19e | Binder (pass.) *Laumière* |
| L 4 | 17e | Biot *Pl. de Clichy* |
| Q 10 | 4e | Birague (de) *Bastille* |
| F 10 | 15/16e | Bir-Hakeim (pt de) *Bir-Hakeim* |
| R 11 | 12e | Biscornet *Bastille* |
| T 7 | 20e | Bisson *Couronnes* |
| S 3 | 19e | Bitche (pl. de) *Crimée* |
| J 11 | 7e | Bixio *École Militaire* |
| L 4 | 17e | Bizerte (de) *Pl. de Clichy* |
| O 12 | 5e | Blainville *Place Monge* |
| L 12 | 6e | Blaise-Desgoffe *St-Placide* |
| N 9 | 1er | Blaise-Cendrars (all.) *Les Halles* |
| W 10 | 20e | Blanchard *Pte Montreuil* |
| H 16 | 14e | Blanche (cité) *Pte de Vanves* |

# Blanche

| carr. | arr. | rue / street | Métro Tramway |
|---|---|---|---|
| M 4 | 9/18e | **Blanche** (pl.) Blanche | |
| M 5 | 9e | **Blanche** Trinité, Blanche | |
| U 5 | 19e | **Blanche-Antoinette** Danube | |
| P 9 | 4e | **Blancs-Manteaux** (des) Rambuteau | |
| O 6 | 9e | **Bleue** Cadet | |
| J 10 | 7e | **Bleuet-de-France** (rd-pt du) La Tour Maubourg | |
| H 13 | 15e | **Blomet** Volontaires, Vaugirard, Convention | |
| P 8 | 2/3e | **Blondel** Strasbourg-St-Denis | |
| T 8 | 11e | **Bluets** (des) Rue St-Maur | |
| P 15 | 13e | **Bobillot** Pl. d'Italie, Tolbiac | |
| H 15 | 15e | **Bocage** (du) Brancion | |
| H 8 | 8e | **Boccador** (du) Alma-Marceau | |
| N 5 | 9e | **Bochart-de-Saron** Anvers | |
| U 5 | 19e | **Boers** (villa des) Danube | |
| P 9 | 4e | **Bœuf** (imp. du) Rambuteau | |
| O 12 | 5e | **Bœufs** (imp. des) Maubert-Mutualité | |
| N 7 | 2e | **Boieldieu** (pl.) Richelieu-Drouot | |
| C 12 | 16e | **Boileau** Michel-A.-Molitor | |
| B 12 | 16e | **Boileau** (villa) Michel-A.-Molitor | |
| O 2 | 18e | **Boinod** Simplon | |
| V 5 | 19e | **Bois** (des) Pl. des Fêtes | |
| V 6 | 20e | **Bois-d'Orme** (villa du) Télégraphe | |
| V 6 | 16e | **Bois-de-Boulogne** (du) Argentine | |
| K 1 | 17e | **Bois-le-Prêtre** (bd du) Pte St-Ouen | |
| D 10 | 16e | **Bois-le-Vent** La Muette | |
| F 8 | 16e | **Boissière** Iéna, Boissière, V.-Hugo | |
| F 8 | 16e | **Boissière** (villa) Boissière | |
| O 4 | 18e | **Boissieu** Barbès-Roch. | |
| M 14 | 14e | **Boissonade** Raspail | |
| K 8 | 8e | **Boissy-d'Anglas** Concorde | |
| O 16 | 13e | **Boiton** (pass.) Corvisart | |
| B 5 | 19e | **Boléro** (villa) Ourcq | |
| T 6 | 19e | **Bolivar** (sq.) Pyrénées | |
| E 10 | 16e | **Bolivie** (pl. de) Av. du Pdt-Kennedy | |
| M 10 | 6e | **Bonaparte** St-Germain-des-P., St-Sulpice | |
| N 3 | 18e | **Bonne** (de la) Lamarck-Caul. | |
| S 11 | 11e | **Bonne-Graine** (pass. de la) Ledru-Rollin | |
| O 7 | 2e | **Bonne-Nouvelle** (bd de) Strasbourg-St-Denis, Bonne-Nouvelle | |
| O 7 | 10e | **Bonne-Nouvelle** (imp. de) Bonne-Nouvelle | |
| M 2 | 18e | **Bonnet** St-Ouen | |
| T 10 | 11e | **Bon-Secours** (imp.) Charonne | |
| N 9 | 1er | **Bons-Enfants** (des) Palais-Royal | |
| O 9 | 1er | **Bons-Vivants** (des) "Forum des Halles" Châtelet-Les Halles | |
| P 8 | 3e | **Borda** Arts-et-Métiers | |
| L 9 | 1er | **Bord de l'Eau** (terrasse du) Tuileries | |
| P 4 | 18e | **Boris-Vian** Barbès-Roch. | |
| V 6 | 20e | **Borrégo** (du) St-Fargeau | |
| V 6 | 20e | **Borrégo** (villa du) St-Fargeau | |
| H 13 | 15e | **Borromée** Volontaires | |
| C 12 | 16e | **Bosio** Michel-A.-Auteuil | |
| H 10 | 7e | **Bosquet** (av.) Pont de l'Alma, École Militaire | |
| H 10 | 7e | **Bosquet** École Militaire | |
| H 9 | 7e | **Bosquet** (villa) Pte de l'Alma | |
| P 5 | 10e | **Bossuet** Gare du Nord | |
| T 7 | 20e | **Botha** Pyrénées | |
| T 5 | 19e | **Botzaris** Buttes Chaumont, Botzaris | |
| P 7 | 18e | **Bouchardon** Strasbourg St-Denis | |
| N 9 | 1er | **Boucher** Châtelet | |
| J 12 | 15e | **Bouchut** Sèvres-Lecourbe | |
| E 13 | 15e | **Boucicaut** Boucicaut | |
| O 9 | 1er | **Boucle** (de la) "Forum des Halles" Châtelet-Les Halles | |
| Q 2 | 18e | **Boucry** Pte de la Chapelle | |
| W 7 | 20e | **Boudin** (pass.) St-Fargeau | |
| C 11 | 16e | **Boudon** (av.) Égl. d'Auteuil | |
| L 7 | 9e | **Boudreau** Auber | |
| B 11 | 16e | **Boufflers** (av. de) Michel-A.-Auteuil | |
| J 10 | 7e | **Bougainville** École Militaire | |
| E 14 | 15e | **Bouilloux-Lafont** Balard | |
| D 11 | 16e | **Boulainvilliers** (h. de) Ranelagh | |
| D 11 | 16e | **Boulainvilliers** (de) Av. du Pdt-Kennedy, La Muette | |
| P 12 | 5e | **Boulangers** (des) Jussieu | |
| L 5 | 14e | **Boulard** Denfert-Roch. | |
| K 2 | 17e | **Boulay** (pass.) Pte de Clichy | |
| K 2 | 17e | **Boulay** Pte de Clichy | |
| S 5 | 19e | **Bouleaux** (sq. des) Bolivar | |
| R 11 | 12e | **Boule-Blanche** (pass. de la) Ledru-Rollin | |
| N 6 | 9e | **Boule-Rouge** (imp. de la) Grands-Boulevards | |
| N 6 | 9e | **Boule-Rouge** (de la) Grands-Boulevards | |
| U 11 | 11e | **Boulets** (des) Rue des Boulets | |
| K 16 | 14e | **Boulitte** Plaisance | |
| R 10 | 11e | **Boulle** Bréguet-Sabin | |
| G 5 | 17e | **Boulnois** (pl.) Ternes | |
| N 8 | 1er | **Bouloi** (du) Louvre | |
| F 8 | 16e | **Bouquet-de-Longchamp** (du) Boissière | |
| P 11 | 4e | **Bourbon** (q. de) Pont-Marie | |
| M 11 | 6e | **Bourbon-le-Château** (de) Mabillon | |
| N 6 | 9e | **Bourdaloue** N.-D.-de-Lorette | |
| H 8 | 8e | **Bourdon** (imp.) F.-D.-Roosevelt | |
| R 11 | 4e | **Bourdon** (bd) Quai de la Rapée, Bastille | |
| O 9 | 1er | **Bourdonnais** (des) Châtelet | |
| S 5 | 19e | **Bourdonnais** (des) Châtelet | |
| O 8 | 2e | **Bourg-l'Abbé** (pass. du) Étienne-Marcel | |
| O 8 | 3e | **Bourg-l'Abbé** (du) Étienne-Marcel | |
| K 9 | 7e | **Bourgogne** (de) Varenne | |
| R 17 | 13e | **Bourgoin** (imp.) Pte d'Ivry | |
| R 17 | 13e | **Bourgoin** (pass.) Pte d'Ivry | |
| P 17 | 13e | **Bourgon** Maison-Blanche | |
| P 10 | 4e | **Bourg-Tibourg** (pl. du) Hôtel-de-Ville | |
| K 4 | 17e | **Boursault** (imp.) Rome | |
| K 5 | 17e | **Boursault** Rome | |
| N 7 | 2e | **Bourse** (pl. de la) Bourse | |
| N 7 | 2e | **Bourse** (de la) Bourse | |
| H 14 | 15e | **Bourseul** Vaugirard | |
| N 17 | 13e | **Boussingault** Stade Charléty | |
| P 11 | 4e | **Boutarel** Pont-Marie | |
| N 11 | 5e | **Boutebrie** Cluny-La Sorbonne | |
| N 16 | 13e | **Boutin** Glacière | |
| Q 6 | 10e | **Boutron** Gare de l'Est | |
| S 17 | 13e | **Boutroux** (av.) Pte d'Ivry | |
| O 12 | 5e | **Bouvart** (imp.) Maubert-Mutualité | |
| T 11 | 11e | **Bouvier** Rue des Boulets | |
| V 11 | 11e | **Bouvines** (av. de) Nation | |
| U 11 | 11e | **Bouvines** Nation | |
| U 8 | 20e | **Boyer** Gambetta | |
| K 15 | 14e | **Boyer-Barret** Pernety | |
| R 6 | 10e | **Boy-Zelenski** Colonel-Fabien | |
| P 7 | 10e | **Brady** (pass.) Château-d'Eau | |
| U 13 | 12e | **Brahms** Daumesnil | |
| H 14 | 15e | **Brancion** Brancion, Convention | |
| G 16 | 15e | **Brancion** (sq.) Brancion | |
| G 9 | 7/15e | **Branly** (q.) Pt de l'Alma, Champ de Mars | |
| P 9 | 3e | **Brantôme** (pass.) Rambuteau | |
| P 9 | 3e | **Brantôme** Rambuteau | |
| P 9 | 3e | **Braque** (de) Rambuteau | |
| E 11 | 15e | **Brazzaville** (pl. de) Dupleix | |
| L 13 | 6e | **Bréa** Vavin | |
| U 14 | 12e | **Brèche-aux-Loups** (de la) Daumesnil | |
| S 10 | 11e | **Bréguet** Bréguet-Sabin | |
| H 4 | 17e | **Brémontier** Wagram | |
| H 4 | 17e | **Brésil** (pl. du) Wagram | |
| B 14 | 16e | **Bresse** (sq. de la) Pte de St-Cloud | |
| Q 9 | 3e | **Bretagne** (de) Filles-du-Calv., Arts-et-Métiers | |
| J 11 | 7/15e | **Breteuil** (av. de) St-François-Xavier, Sèvres-Lecourbe | |
| J 12 | 7/15e | **Breteuil** (pl. de) Sèvres-Lecourbe | |

| carr. | arr. | rue / street | Métro Tramway |
|---|---|---|---|
| V 8 | 20e | **Bretonneau** Pelleport | |
| X 7 | 10e | **Bretons** (cour des) Goncourt | |
| M 11 | 4e | **Bretonvilliers** (de) Sully-Morland | |
| K 9 | 1er | **Brève** "Forum des Halles" Châtelet-Les Halles | |
| E 6 | 17e | **Brey** Ch.-de-G.-Étoile | |
| U 6 | 18e | **Brézin** Mouton-Duvernet | |
| N 6 | 9e | **Briare** (pass.) Cadet | |
| K 7 | 6e | **Bridaine** Rome | |
| N 5 | 19e | **Brie** (pass. de la) Jaurès | |
| R 13 | 12e | **Briens** (sentier) Picpus | |
| F 8 | 16e | **Brignole** Iéna | |
| M 17 | 13e | **Brillat-Savarin** | |
| | | Poterne des Peupliers, Stade Charléty | |
| S 4 | 19e | **Brindeau** (all. du) Laumière | |
| N 4 | 18e | **Briquet** (pass.) Anvers | |
| N 4 | 18e | **Briquet** Anvers | |
| N 16 | 14e | **Briqueterie** (de la) Pte de Vanves | |
| L 9 | 4e | **Brisemiche** Hôtel-de-Ville | |
| M 12 | 4e | **Brissac** (de) Sully-Morland | |
| W 7 | 20e | **Brizeux** (sq.) Pelleport | |
| L 14 | 5/13e | **Broca** Censier-Daubenton, Les Gobelins | |
| K 3 | 17e | **Brochant** Brochant | |
| L 7 | 2e | **Brongniart** Bourse | |
| L 10 | 4e | **Brosse** (de) Hôtel-de-Ville | |
| R 13 | 18e | **Brouillards** (all. des) Lamarck-Caul. | |
| L 13 | 5e | **Broussais** St-Jacques | |
| L 13 | 15e | **Brown-Séquard** Pasteur | |
| M 16 | 14e | **Bruant** Chevaleret | |
| K 16 | 14e | **Bruller** St-Jacques | |
| L 12 | 12e | **Brulon** (pass.) Faidherbe-Chal. | |
| L 17 | 14e | **Brune** (bd) Pte de Vanves, Pte d'Orléans | |
| J 17 | 14e | **Brune** (villa) Jean Moulin | |
| F 6 | 17e | **Brunel** Argentine | |
| K 7 | 17e | **Bruneseau** Bibliothèque François Mitterrand | |
| H 3 | 17e | **Brunetière** (av.) Pte de Champerret | |
| L 7 | 9e | **Bruno-Coquatrix** Auber | |
| L 12 | 12e | **Brunoy** (pass.) Gare de Lyon | |
| J 4 | 9e | **Bruxelles** (de) Pl. de Clichy | |
| L 11 | 5e | **Bucarest** (de) Liège | |
| L 11 | 5e | **Bûcherie** (de la) Maubert-Mutualité | |
| L 11 | 6e | **Buci** (carr. de) Odéon | |
| L 11 | 6e | **Buci** (de) Mabillon | |
| L 6 | 9e | **Budapest** (pl. de) St-Lazare | |
| L 6 | 9e | **Budapest** (de) St-Lazare | |
| L 11 | 4e | **Budé** Pont-Marie | |
| N 10 | 7e | **Buenos-Aires** (de) Champ de Mars | |
| N 6 | 9e | **Buffault** Cadet | |
| S 13 | 5e | **Buffon** Austerlitz | |
| E 7 | 16e | **Bugeaud** (av.) V.-Hugo, Pte Dauphine | |
| R 9 | 18e | **Buis** (du) Égl. d'Auteuil | |
| R 7 | 10e | **Buisson-St-Louis** (pass. du) Belleville | |
| R 10 | 10e | **Buisson-St-Louis** (du) Belleville | |
| R 10 | 11e | **Bullourde** (pass.) Voltaire | |
| M 16 | 13e | **Buot** Corvisart | |
| N 11 | 11e | **Bureau** (imp. du) A.-Dumas | |
| N 11 | 11e | **Bureau** (du) A.-Dumas | |
| S 6 | 18e | **Burnouf** Colonel-Fabien | |
| N 4 | 18e | **Burq** Abbesses | |
| T 15 | 19e | **Butte-aux-Cailles** (de la) Corvisart | |
| T 5 | 19e | **Buttes-Chaumont** (villa des) Botzaris | |
| Q 3 | 18e | **Buzelin** Marx-Dormoy | |
| N 11 | 20e | **Buzenval** (de) Buzenval | |

**C**

| carr. | arr. | rue / street | Métro Tramway |
|---|---|---|---|
| N 15 | 14e | **Cabanis** Glacière | |
| M 17 | 13e | **Cacheux** Stade Charléty | |
| N 6 | 9e | **Cadet** Cadet | |
| S 16 | 13e | **Cadets de la France Libre** (des) Bibliothèque François Mitterrand | |
| F 15 | 15e | **Cadix** (de) Pte de Versailles | |
| O 4 | 18e | **Cadran** (imp. du) Anvers | |
| Q 8 | 3e | **Caffarelli** Temple | |
| O 18 | 13e | **Caffieri** (av.) Poterne des Peupliers | |
| U 4 | 19e | **Cahors** (du) Danube | |
| Q 5 | 10e | **Cail** La Chapelle | |
| Q 17 | 13e | **Caillaux** Maison-Blanche | |
| X 13 | 12e | **Cailletet** St-Mandé-Tour. | |
| Q 4 | 18e | **Caillié** Stalingrad | |
| O 8 | 2e | **Caire** (pass. du) Sentier | |
| O 8 | 2e | **Caire** (pl. du) Sentier | |
| O 8 | 2e | **Caire** (du) Réaumur-Séb. | |
| O 8 | 2e | **Caire** (galerie du) Sentier | |
| M 5 | 9e | **Calais** (de) Blanche | |
| N 2 | 18e | **Calmels** (imp.) Jules-Joffrin | |
| N 2 | 18e | **Calmels** Jules-Joffrin | |
| N 2 | 18e | **Calmels-Prolongée** Jules-Joffrin | |
| N 4 | 18e | **Calvaire** (de) Abbesses | |
| N 4 | 18e | **Calvaire** (du) Abbesses | |
| K 7 | 8e | **Cambacérès** Miromesnil | |
| V 6 | 19e | **Cambo** (de) Pl. des Fêtes | |
| V 8 | 20e | **Cambodge** (du) Gambetta | |
| M 18 | 13e | **Cambodge** (passerelle du) Gentilly | |
| L 8 | 1er | **Cambon** Concorde, Madeleine | |
| T 2 | 19e | **Cambrai** (de) Corentin-Cariou | |
| H 12 | 15e | **Cambronne** (pl.) Cambronne | |
| H 13 | 15e | **Cambronne** Cambronne, Vaugirard | |
| J 16 | 14e | **Camélias** (des) Pte de Vanves | |
| L 1 | 17e | **Camille-Blaisot** Pte de St-Ouen | |
| W 8 | 20e | **Camille-Bombois** Pte de Bagnolet | |
| K 12 | 15e | **Camille-Claudel** (pl.) Falguière | |
| S 9 | 1er | **Camille-Desmoulins** Voltaire | |
| N 1 | 18e | **Camille-Flammarion** Pte Clignancourt | |
| M 13 | 6e | **Camille-Jullian** (pl.) Port-Royal | |
| H 3 | 17e | **Camille-Pissaro** Pereire | |
| L 4 | 18e | **Camille-Tahan** Pl. de Clichy | |
| E 9 | 16e | **Camoëns** (av. de) Passy | |
| M 13 | 14e | **Campagne-Première** Raspail | |
| P 14 | 13e | **Campo-Formio** (de) Campo-Formio | |
| H 16 | 15e | **Camulogène** Brancion | |
| J 8 | 8e | **Canada** (pl. du) F.-D.-Roosevelt | |
| Q 3 | 18e | **Canada** (du) Marx-Dormoy | |
| Q 6 | 10e | **Canal** (all. du) Gare de l'Est | |
| W 12 | 12e | **Canart** (imp.) Vincennes | |
| S 11 | 11e | **Candie** (de) Ledru-Rollin | |
| O 13 | 5e | **Candolle** (de) Censier-Daubenton | |
| M 11 | 6e | **Canettes** (des) Mabillon | |
| J 15 | 14e | **Cange** (du) Pernety | |
| M 11 | 6e | **Canivet** (du) St-Sulpice | |
| V 14 | 12e | **Cannebière** Daumesnil | |
| S 16 | 13e | **Cantagrel** Bibliothèque François Mitterrand | |
| R 11 | 11e | **Cantal** (cour du) Bastille | |
| T 3 | 19e | **Cantate** (villa) Ourcq | |
| K 13 | 15e | **Capitaine-Dronne** (all. du) Montparnasse- B. | |
| W 8 | 20e | **Capitaine-Ferber** (du) Pte de Bagnolet | |
| L 3 | 17e | **Capitaine-Lagache** (du) Guy-Môquet | |
| L 3 | 17e | **Capitaine-Madon** (du) Guy-Môquet | |
| W 8 | 20e | **Capitaine-Marchal** (du) Pelleport | |
| E 12 | 15e | **Capitaine-Ménard** (du) Javel | |
| C 11 | 16e | **Capitaine-Olchanski** (du) Michel-A.-Auteuil | |
| F 10 | 15e | **Capitaine-Scott** (du) Dupleix | |
| W 8 | 20e | **Capitaine-Tarron** (du) Pte de Bagnolet | |
| P 4 | 18e | **Caplat** Barbès-Roch. | |
| F 4 | 17e | **Caporal-Peugeot** (du) Louise-Michel | |
| V 14 | 12e | **Capri** (du) Michel-Bizot | |
| L 4 | 18e | **Capron** Pl. de Clichy | |
| M 7 | 2/9e | **Capucines** (bd des) Opéra | |
| L 7 | 1/2e | **Capucines** (des) Opéra | |

| carr. | arr. | rue / street | Métro Tramway | carr. | arr. | rue / street | Métro Tramway |
|---|---|---|---|---|---|---|---|
| G 13 | 15e | **Carcel** Vaugirard | | K 6 | 8e | **César-Caire** (av.) St-Augustin | |
| K 2 | 17e | **Cardan** Pte de Clichy | | J 12 | 15e | **César-Franck** Ségur | |
| W 10 | 20e | **Cardeurs** (sq. des) Pte de Bagnolet | | T 11 | 11e | **Cesselin** Faidherbe-Chal. | |
| G 11 | 15e | **Cardinal-Amette** (pl. du) Dupleix | | E 13 | 15e | **Cévennes** (des) Javel | |
| N 4 | 18e | **Cardinal-Dubois** (du) Anvers | | M 8 | 2e | **Chabanais** Pyramides | |
| M 10 | 6e | **Cardinale** Mabillon | | T 14 | 12e | **Chablis** (de) Cour St-Emilion | |
| N 4 | 18e | **Cardinal-Guibert** (du) Abbesses | | P 6 | 10e | **Chabrol** (cité de) Gare de l'Est | |
| V 15 | 12e | **Cardinal-Lavigerie** (pl. du) Pte Dorée | | P 6 | 10e | **Chabrol** (de) Gare de l'Est, Poissonnière | |
| P 12 | 5e | **Cardinal-Lemoine** (cité du) Cardinal-Lemoine | | X 12 | 12e | **Chaffault** (du) St-Mandé-Tour. | |
| P 12 | 5e | **Cardinal-Lemoine** (du) Cardinal-Lemoine | | G 8 | 16e | **Chaillot** (de) Iéna | |
| L 5 | 9e | **Cardinal-Mercier** (du) Pl. de Clichy | | G 8 | 16e | **Chaillot** (sq. de) Alma-Marceau | |
| J 4 | 17e | **Cardinet** (pass.) Malesherbes | | L 11 | 7e | **Chaise** (de la) Sèvres-Babylone | |
| J 4 | 17e | **Cardinet** Wagram, Malesherbes, Brochant | | K 3 | 17e | **Chalabre** (imp.) Brochant | |
| R 1 | 19e | **Cardinoux** (all. des) Pte de la Chapelle | | R 6 | 10e | **Chalet** (du) Belleville | |
| T 6 | 19e | **Carducci** Botzaris | | C 10 | 16e | **Chalets** (av. des) Ranelagh | |
| O 11 | 5e | **Carmes** (des) Maubert-Mutualité | | F 6 | 16e | **Chalgrin** Argentine | |
| G 6 | 17e | **Carnot** (av.) Ch.-de-G.-Étoile | | T 12 | 12e | **Chaligny** Reuilly-Diderot, Faidherbe-Chal. | |
| X 13 | 12e | **Carnot** (bd) Pte de Vincennes | | S 12 | 12e | **Chalon** (cour de) Gare de Lyon | |
| L 4 | 17e | **Caroline** Pl. de Clichy | | S 13 | 12e | **Chalon** (de) Gare de Lyon | |
| V 6 | 19e | **Carolus-Duran** Pré-St-Gervais | | S 13 | 12e | **Chambertin** (de) Bercy | |
| Q 10 | 4e | **Caron** St-Paul | | H 15 | 15e | **Chambéry** (de) Brancion | |
| M 3 | 18e | **Carpeaux** Guy-Môquet | | H 8 | 8e | **Chambiges** Alma-Marceau | |
| H 7 | 8e | **Carré-d'Or** (gal.) George-V | | C 11 | 16e | **Chamfort** Jasmin | |
| O 9 | 1er | **Carrée** (pl.) | | W 11 | 20e | **Champagne** (cité) Maraîchers | |
| | | "Forum des Halles" Châtelet-Les Halles | | K 10 | 7e | **Champagny** (de) Varenne | |
| H 12 | 15e | **Carrier-Belleuse** Cambronne | | M 12 | 18e | **Champ-à-Loup** (pass. du) Pte St-Ouen | |
| U 10 | 11e | **Carrière-Mainguet** (imp.) Charonne | | G 11 | 15e | **Champaubert** (av. de) La Motte-Picquet | |
| T 10 | 11e | **Carrière-Mainguet** Charonne | | O 15 | 13e | **Champ-de-l'Alouette** (du) Glacière | |
| E 10 | 16e | **Carrières** (imp. des) Passy | | G 10 | 7e | **Champ-de-Mars** (du) École Militaire | |
| U 4 | 19e | **Carrières d'Amérique** (des) Danube | | G 10 | 7e | **Champfleury** Dupleix | |
| M 9 | 1er | **Carrousel** (pl. du) Palais-Royal | | O 2 | 18e | **Championnet** (pass.) Simplon | |
| M 9 | 1/6/7e | **Carrousel** (pt du) Palais-Royal | | N 2 | 18e | **Championnet** Simplon, Guy-Môquet | |
| X 8 | 20e | **Cartellier** Pte de Bagnolet | | M 2 | 18e | **Championnet** (villa) Guy-Môquet | |
| F 14 | 15e | **Casablanca** (de) Boucicaut | | N 2 | 18e | **Champ-Marie** (pass. du) Pte de Clignancourt | |
| M 3 | 18e | **Casadesus** Lamarck-Caul. | | N 11 | 5e | **Champollion** Cluny-La Sorbonne | |
| U 7 | 20e | **Cascades** (des) Pyrénées | | H 7 | 8e | **Champs** (galerie des) George-V | |
| N 11 | 6e | **Casimir-Delavigne** Odéon | | K 8 | 8e | **Champs-Élysées** (av. des) Champs-Élysées, F.-D.-Roosevelt, George-V, Ch.-de-Gaulle | |
| K 10 | 7e | **Casimir-Périer** Solferino | | | | | |
| M 11 | 6e | **Cassette** St-Sulpice | | | | | |
| M 14 | 14e | **Cassini** Port-Royal | | J 8 | 8e | **Champs-Élysées** (port des) Invalides | |
| J 14 | 15e | **Castagnary** Plaisance | | J 7 | 8e | **Champs-Élysées-Marcel-Dassault** (rd-pt des) F.-D.-Roosevelt | |
| V 10 | 20e | **Casteggio** (imp. de) Avron | | | | | |
| T 7 | 20e | **Castel** (villa) Pyrénées | | K 11 | 7e | **Chanaleilles** (de) St-François-Xavier | |
| L 7 | 8e | **Castellane** (de) Madeleine | | D 7 | 16e | **Chancelier-Adenauer** (pl. du) Pte Dauphine | |
| Q 11 | 4e | **Castex** Bastille | | F 14 | 15e | **Chandon** (imp.) Boucicaut | |
| L 8 | 1er | **Castiglione** (de) Tuileries | | B 12 | 16e | **Chanez** Pte d'Auteuil | |
| K 14 | 14e | **Catalogne** (pl. de) Gaîté | | B 12 | 16e | **Chanez** (villa) Pte d'Auteuil | |
| N 8 | 1er | **Catinat** Bourse | | X 12 | 12e | **Changarnier** Pte de Vincennes | |
| F 4 | 17e | **Catulle-Mendès** Pte de Champerret | | O 10 | 1/4e | **Change** (pt au) Châtelet | |
| M 4 | 18e | **Cauchois** Blanche | | O 11 | 4e | **Chanoinesse** Cité | |
| E 13 | 15e | **Cauchy** Javel | | C 8 | 18e | **Chantemesse** (av.) Av. H.-Martin | |
| M 3 | 18e | **Caulaincourt** Pl. de Clichy, Lamarck-Caul. | | R 11 | 12e | **Chantier** (pass. du) Ledru-Rollin | |
| M 3 | 18e | **Caulaincourt** (sq.) Lamarck-Caul. | | P 12 | 5e | **Chantiers** (des) Cardinal-Lemoine | |
| L 6 | 9e | **Caumartin** (de) Havre-Caum. | | O 5 | 9e | **Chantilly** (de) Poissonnière | |
| G 11 | 15e | **Cavalerie** (de la) La Motte-Picquet | | O 11 | 4e | **Chantres** (des) Cité | |
| L 4 | 18e | **Cavallotti** Pl. de Clichy | | R 15 | 13e | **Chanvin** (pass.) Chevaleret | |
| P 4 | 18e | **Cavé** Château-Rouge | | T 11 | 11e | **Chanzy** Charonne | |
| S 5 | 19e | **Cavendish** Laumière | | F 5 | 17e | **Chapelle** (av. de la) Pte Maillot | |
| N 4 | 18e | **Cazotte** Anvers | | Q 4 | 10/18e | **Chapelle** (bd de la) Stalingrad, La Chapelle, Barbès-Rochechouart | |
| O 2 | 18e | **Cécile-Brunschvicg** (pl.) Simplon | | | | | |
| O 10 | 4e | **Célestin-Hennion** (all.) Cité | | P 4 | 18e | **Chapelle** (cité de la) La Chapelle | |
| Q 11 | 4e | **Célestins** (q. des) Sully-M., Pont Marie | | P 3 | 18e | **Chapelle** (imp. de la) Marx-Dormoy | |
| L 14 | 14e | **Cels** (imp.) Gaîté | | P 4 | 18e | **Chapelle** (pl. de la) La Chapelle | |
| L 14 | 14e | **Cels** Gaîté | | P 3 | 18e | **Chapelle** (de la) Marx-Dormoy, Pte de la Chape[lle] | |
| T 8 | 20e | **Cendriers** (des) Ménilmontant | | P 9 | 3e | **Chapon** Arts-et-Métiers | |
| P 13 | 5e | **Censier** Censier-Daubenton | | N 4 | 18e | **Chappe** Abbesses | |
| H 12 | 15e | **Cépré** Cambronne | | M 5 | 9e | **Chaptal** (cité) Blanche | |
| Q 11 | 4e | **Cerisaie** (de la) Bastille | | M 5 | 9e | **Chaptal** Pigalle | |
| H 7 | 8e | **Cérisoles** (de) F.-D.-Roosevelt | | C 13 | 16e | **Chapu** Exelmans | |
| H 4 | 17e | **Cernuschi** Wagram | | N 17 | 13e | **Charbonnel** Stade Charléty | |
| | | | | P 4 | 18e | **Charbonnière** (de la) Barbès-Roch. | |

| r. | arr. | rue / street | Métro Tramway |
|---|---|---|---|
| 12 | 15e | **Charbonniers** (pass. des) | Sèvres-Lecourbe |
| 15 | 13e | **Charcot** | Bibliothèque François Mitterrand |
| 10 | 16e | **Chardin** | Passy |
| 12 | 19e | **Chardon-Lagache** | Chardon-Lagache |
| 2 | 19e | **Charente** (q. de la) | Pte de la Villette |
| 12 | 12e | **Charenton** (de) | Bastille, Ledru-Rollin, Gare de Lyon, Reuilly-Diderot, Montgallet, Dugommier, Pte de Charenton |
| 10 | 4e | **Charlemagne** | St-Paul |
| 2 | 18e | **Charles-Albert** (pass.) | Pte de St-Ouen |
| 13 | 12e | **Charles-Baudelaire** | Ledru-Rollin |
| 13 | 12e | **Charles-Bénard** (villa) | Picpus |
| 2 | 18e | **Charles-Bernard** (pl.) | Jules-Joffrin |
| 17 | 13e | **Charles-Bertheau** | Maison-Blanche |
| 12 | 12e | **Charles-Bossut** | Reuilly-Diderot |
| 11 | 4e | **Charles-V** | Sully-Morland |
| 6 | 20e | **Charles-Cros** | Pte des Lilas |
| 10 | 11e | **Charles-Dallery** (pass.) | Voltaire |
| 11 | 12e | **Charles-de-Foucauld** (av.) | Pte Dorée |
| 7 | 8/16/17e | **Charles-de-Gaulle** (pl.) | Ch.-de-Gaulle-Étoile |
| 13 | 12/13e | **Charles-de-Gaulle** (pont) | Gare d'Austerlitz |
| 11 | 11e | **Charles-Delescluze** | Ledru-Rollin |
| 10 | 16e | **Charles-Dickens** | Passy |
| 10 | 16e | **Charles-Dickens** (sq.) | Passy |
| 15 | 14e | **Charles-Divry** | Denfert-Roch. |
| 1 | 18e | **Charles-Dullin** (pl.) | Anvers |
| 11 | 20e | **Charles-et-Robert** | Pte de Montreuil |
| 4 | 17e | **Charles-Fillion** (pl.) | Brochant |
| 11 | 7e | **Charles-Floquet** (av.) | Dupleix |
| 2 | 13e | **Charles-Fourier** | Tolbiac |
| 8 | 3e | **Charles-François-Dupuis** | République |
| 7 | 20e | **Charles-Friedel** | Télégraphe |
| 7 | 9e | **Charles-Garnier** (pl.) | Opéra |
| 4 | 17e | **Charles-Gerhardt** | Wagram |
| 8 | 8e | **Charles-Girault** (av.) | Ch.-Élysées-C. |
| 5 | 9e | **Charles-Godon** (cité) | St-Georges |
| 1 | 18e | **Charles-Hermite** (de la) | Pte de la Chapelle |
| 8 | 16e | **Charles-Lamoureux** | Pte Dauphine |
| 1 | 15e | **Charles-Laurent** (sq.) | Volontaires |
| 1 | 18e | **Charles-Lauth** | Pte la Chapelle |
| 13 | 12e | **Charles-Lecocq** | Convention |
| 17 | 14e | **Charles-Le-Goffic** | Jean Moulin |
| 13 | 12e | **Charles-Leroy** | Pte de Choisy |
| 9 | 11e | **Charles-Luizet** | St-Sébastien-Froissart |
| 13 | 16e | **Charles-Marie-Widor** | Exelmans |
| 16 | 13e | **Charles-Monselet** | Pré-St-Gervais |
| 13 | 12e | **Charles-Moureu** | Tolbiac |
| 13 | 12e | **Charles-Nicolle** | Montgallet |
| | 18e | **Charles-Nodier** | Anvers |
| 11 | 11e | **Charles-Petit** (imp.) | Faidherbe-Chal. |
| 9 | 20e | **Charles-Renouvier** | Gambetta |
| 10 | 7e | **Charles-Risler** (av.) | Ecole-Militaire |
| | 16e | **Charles-Robin** | Colonel-Fabien |
| | 16e | **Charles-Tellier** | Pte de St-Cloud |
| 1 | 19e | **Charles-Tillon** (pl.) | Pte de la Chapelle |
| 4 | 17e | **Charles-Tournemire** | Louise-Michel |
| | 15e | **Charles-Vallin** (pl.) | Convention |
| | 15e | **Charles-Weiss** | Plaisance |
| 8 | 3e | **Charlot** | Filles-du-Calv. |
| 10 | 7e | **Charlotte-Perriand** (all.) | Rue du Bac |
| | 15e | **Charmilles** (villa des) | Plaisance |
| 13 | 12e | **Charolais** (pass. du) | Dugommier |
| 3 | 12e | **Charolais** (pl. du) | Pte de Pantin, Porte de la Villette |
| | 12e | **Charolais** (du) | Dugommier |
| 11 | 11/20e | **Charonne** (bd de) | Nation, Avron, A.-Dumas, Philippe-Auguste |
| 11 | 11e | **Charonne** (de) | Ledru-Rollin, Charonne, A.-Dumas |
| 6 | 9e | **Charras** | Havre-Caum. |
| 11 | 11e | **Charrière** | Charonne |

| carr. | arr. | rue / street | Métro Tramway |
|---|---|---|---|
| O 12 | 5e | **Chartière** (imp.) | Maubert-Mutualité |
| P 4 | 18e | **Chartres** (de) | Barbès-Roch. |
| M 13 | 6e | **Chartreux** (des) | Port-Royal |
| J 7 | 8e | **Chassaigne-Goyon** (pl.) | St-Philippe-du-R. |
| H 12 | 15e | **Chasseloup-Laubat** | Ségur |
| H 4 | 17e | **Chasseurs** (av. des) | Wagram |
| L 15 | 14e | **Château** (du) | Pernety |
| H 7 | 8e | **Chateaubriand** | George-V |
| P 7 | 10e | **Château-d'Eau** (du) | J.-Bonsergent, Château-d'Eau |
| Q 16 | 13e | **Château-des-Rentiers** (du) | Pte d'Ivry, Olympiades, Nationale |
| K 15 | 14e | **Château-Ouvrier** (all. du) | Pernety |
| N 6 | 9e | **Châteaudun** (de) | Cadet, N.-D.-de-Lorette, Trinité |
| Q 5 | 10e | **Château-Landon** (du) | Château-Landon |
| O 4 | 18e | **Château-Rouge** (pl. du) | Château-Rouge |
| L 2 | 17e | **Châtelet** (pass.) | Pte de St-Ouen |
| O 10 | 1/4e | **Châtelet** (pl. du) | Châtelet |
| L 16 | 14e | **Châtillon** (de) | Alésia |
| K 16 | 14e | **Châtillon** (sq. de) | Jean Moulin |
| O 11 | 5e | **Chat-qui-Pêche** (du) | St-Michel |
| N 6 | 9e | **Chauchat** | Richelieu-Drouot |
| Q 4 | 19e | **Chaudron** | Stalingrad |
| R 6 | 19e | **Chaufourniers** (des) | Colonel-Fabien |
| R 5 | 19e | **Chaumont** (de) | Jaurès |
| W 8 | 20e | **Chauré** (sq.) | Pelleport |
| M 6 | 9e | **Chaussée-d'Antin** (de la) | Ch.-d'Antin, Trinité |
| V 14 | 12e | **Chaussin** (pass.) | Bel-Air |
| Q 6 | 10e | **Chausson** (imp.) | Colonel-Fabien |
| L 7 | 8e | **Chauveau-Lagarde** | Madeleine |
| H 16 | 15e | **Chauvelot** | Brancion |
| O 6 | 19e | **Chavarche-Missakian** (pl.) | Poissonnière |
| H 5 | 17e | **Chazelles** (de) | Courcelles |
| K 14 | 14e | **Chef d'Escadron-de-Guillebon** (allée du) | Montparnasse-B. |
| U 1 | 19e | **Chemin-de-Fer** (du) | Pte de la Villette |
| V 4 | 19e | **Cheminets** (des) | Pte de Pantin |
| S 9 | 11e | **Chemin-Vert** (pass. du) | Richard-Lenoir |
| S 9 | 11e | **Chemin-Vert** (du) | Chemin-Vert, Richard-Lenoir, St-Ambroise, Père-Lachaise |
| R 11 | 12e | **Chêne-Vert** (cour du) | Ledru-Rollin |
| O 7 | 2e | **Chénier** | Strasbourg-St-Denis |
| V 8 | 20e | **Cher** (du) | Gambetta |
| H 15 | 15e | **Cherbourg** (de) | Brancion |
| L 12 | 6e | **Cherche-Midi** (du) | Sèvres-Babylone, Vaneau, Falguière |
| O 16 | 13e | **Chéreau** | Corvisart |
| E 10 | 16e | **Chernoviz** | Passy |
| K 5 | 17e | **Chéroy** (de) | Rome |
| M 8 | 2e | **Chérubini** | Quatre septembre |
| R 11 | 11e | **Cheval-Blanc** (pass. du) | Bastille |
| R 15 | 13e | **Chevaleret** (du) | Bd Massena, Bibliothèque François Mitterrand, Chevaleret |
| N 4 | 18e | **Chevalier-de-la-Barre** (du) | Abbesses |
| L 7 | 1/8e | **Chevalier-de-Saint-George** (du) | Madeleine |
| U 7 | 20e | **Chevaliers** (imp. des) | Télégraphe |
| J 10 | 7e | **Chevert** | Ecole Militaire |
| M 6 | 9e | **Cheverus** (de) | Trinité |
| R 7 | 11e | **Chevet** (du) | Goncourt |
| U 11 | 11e | **Chevreul** | Nation |
| M 13 | 12e | **Chevreuse** (de) | Vavin |
| B 13 | 16e | **Cheysson** (villa) | Exelmans |
| V 8 | 20e | **Chine** (de la) | Gambetta |
| S 15 | 13e | **Choderlos-de-Laclos** | Bibliothèque François Mitterrand |
| M 8 | 2e | **Choiseul** (pass.) | Quatre septembre |
| M 7 | 2e | **Choiseul** (cour de) | Quatre septembre |
| Q 17 | 13e | **Choisy** (av. de) | Pte de Choisy, Maison-Blanche, Tolbiac, Pl. d'Italie |
| L 11 | 7e | **Chomel** | Sèvres-Babylone |

# Chopin

| carr. | arr. | rue / street | Métro Tramway |
|---|---|---|---|
| D 10 | 16e | **Chopin** (pl.) *La Muette* | |
| N 6 | 9e | **Choron** *N.-D.-de-Lorette* | |
| S 13 | 12e | **Chrétien-de-Troyes** *Gare de Lyon* | |
| U 12 | 12e | **Christian-Dewet** *Nation* | |
| L 10 | 7e | **Christian-Pineau** (allée) *Rue du Bac* | |
| O 4 | 18e | **Christiani** *Barbès-Roch.* | |
| N 10 | 6e | **Christine** *Odéon* | |
| J 3 | 17e | **Christine-de-Pisan** *Wagram* | |
| G 7 | 8e | **Christophe-Colomb** *George-V* | |
| L 13 | 6e | **Cicé** (de) *N.-D.-des-Champs* | |
| F 8 | 16e | **Cimarosa** *Boissière* | |
| J 2 | 17e | **Cimetière-des-Batignolles** | |
| | | (av. du) *Pte de Clichy* | |
| O 12 | 5e | **Cimetière-St-Benoist** (du) *Maubert-Mutualité* | |
| E 4 | 18e | **Cino-del-Duca** *Louise-Michel* | |
| O 16 | 13e | **Cinq-Diamants** (des) *Corvisart* | |
| K 14 | 14/15e | **Cinq-Martyrs-du-Lycée-Buffon** | |
| | | (pl. des) *Montparnasse-B.* | |
| J 7 | 8e | **Cirque** (du) *Ch.-Élysées-C.* | |
| M 11 | 6e | **Ciseaux** (des) *St-Germain-des-P.* | |
| O 10 | 4e | **Cité** (de la) *Cité* | |
| N 17 | 14e | **Cité-Universitaire** (de la) *Cité Universitaire* | |
| S 11 | 12e | **Citeaux** (de) *Faidherbe-Chal.* | |
| S 7 | 10e | **Civiale** *Belleville* | |
| B 13 | 16e | **Civry** (de) *Exelmans* | |
| K 3 | 17e | **Clairaut** *Brochant* | |
| L 5 | 8e | **Clapeyron** *Rome* | |
| H 7 | 8e | **Claridge** (galerie du) *F.-D.-Roosevelt* | |
| O 14 | 5e | **Claude-Bernard** *Censier-Daubenton* | |
| O 15 | 13e | **Claude-Bourdet** (pl.) *Corvisart* | |
| E 10 | 16e | **Claude-Chahu** *Passy* | |
| F 4 | 17e | **Claude-Debussy** *Pte de Champerret* | |
| J 4 | 17e | **Claude-Debussy** (sq.) *Villiers* | |
| V 15 | 12e | **Claude-Decaen** | |
| | | *Pte Dorée, Michel-Bizot, Daumesnil* | |
| A 13 | 16e | **Claude-Farrère** *Michel-A.-Mollitor* | |
| C 13 | 16e | **Claude-François** (pl.) *Exelmans* | |
| H 16 | 15e | **Claude-Garamond** *Pte de Vanves* | |
| B 13 | 16e | **Claude-Lorrain** *Exelmans* | |
| B 13 | 16e | **Claude-Lorrain** (villa) *Exelmans* | |
| U 5 | 19e | **Claude-Monet** (villa) *Danube* | |
| J 4 | 17e | **Claude-Pouillet** *Villiers* | |
| R 17 | 13e | **Claude-Regaud** (av.) *Pte d'Ivry* | |
| B 14 | 16e | **Claude-Terrasse** *Pte de St-Cloud* | |
| T 12 | 12e | **Claude-Tillier** *Reuilly-Diderot* | |
| R 6 | 10e | **Claude-Vellefaux** (av.) *Colonel-Fabien* | |
| N 5 | 9e | **Clauzel** *St-Georges* | |
| T 6 | 19e | **Clavel** *Pyrénées* | |
| P 13 | 5e | **Clef** (de la) *Place Monge* | |
| J 8 | 8e | **Clemenceau** (pl.) *Ch.-Élysées-C.* | |
| N 9 | 1er | **Clémence-Royer** *Halles* | |
| M 11 | 6e | **Clément** *Mabillon* | |
| D 11 | 16e | **Clément-Ader** (pl.) *Av. du Pdt-Kennedy* | |
| H 8 | 8e | **Clément-Marot** *Alma-Marceau* | |
| D 13 | 15e | **Clément-Myionnet** *Javel* | |
| H 10 | 7e | **Cler** *École Militaire* | |
| O 7 | 2e | **Cléry** (pass. de) *Bonne-Nouvelle* | |
| O 7 | 2e | **Cléry** (de) *Sentier, Strasbourg-St-Denis* | |
| L 4 | 17/18e | **Clichy** (av. de) *Pl. de Clichy, La Fourche, Brochant,* | |
| | | *Pte de Clichy* | |
| N 5 | 9/18e | **Clichy** (bd de) *Pigalle, Blanche, Pl. de Clichy* | |
| L 4 | 18e<br>8/9e | **Clichy** (pass. de) *Pl. de Clichy* | |
| L 4 | 17/18e | **Clichy** (pl. de) *Pl. de Clichy* | |
| M 6 | 9e | **Clichy** (de) *Trinité, Liège, Pl. de Clichy* | |
| O 3 | 18e | **Clignancourt** (de) *Barbès-Roch., Château-Rouge,* | |
| | | *Marcadet-Pois., Simplon* | |
| O 2 | 18e | **Clignancourt** (sq. de) *Simplon* | |
| R 15 | 13e | **Clisson** (imp.) *Nationale* | |
| R 15 | 13e | **Clisson** *Chevaleret, Nationale* | |
| U 8 | 20e | **Cloche** (de la) *Gambetta* | |
| P 10 | 4e | **Cloche-Perce** *St-Paul* | |
| F 11 | 15e | **Clodion** *Dupleix* | |
| O 11 | 4e | **Cloître-Notre-Dame** (du) *Cité* | |
| O 9 | 4e | **Cloître-St-Merri** (du) *Hôtel-de-Ville* | |
| W 10 | 20e | **Clos** (du) *Maraîchers* | |
| O 12 | 5e | **Clos-Bruneau** (pass. du) *Maubert-Mutualité* | |
| F 14 | 15e | **Clos-Feuquières** (du) *Convention* | |
| R 7 | 11e | **Clos-de-Malevart** (villa du) *Goncourt* | |
| N 12 | 5e | **Clotaire** *Luxembourg* | |
| O 12 | 5e | **Clotilde** *Cardinal-Lemoine* | |
| R 10 | 11e | **Clotilde-de-Vaux** *Chemin-Vert* | |
| H 12 | 15e | **Clouet** *Cambronne* | |
| O 12 | 5e | **Clovis** *Cardinal-Lemoine* | |
| R 5 | 19e | **Clovis-Hugues** *Bolivar* | |
| N 3 | 18e | **Cloÿs** (imp. des) *Jules-Joffrin* | |
| M 3 | 18e | **Cloÿs** (pass. des) *Lamarck-Caul.* | |
| N 3 | 18e | **Cloÿs** (des) *Jules-Joffrin* | |
| N 11 | 5e | **Cluny** (de) *Cluny-La Sorbonne* | |
| P 11 | 5e | **Cochin** *Maubert Mutualité* | |
| L 11 | 6e | **Coëtlogon** *St-Sulpice* | |
| L 15 | 14e | **Cœur-de-Vey** (villa) *Mouton-Duvernet* | |
| H 9 | 7e | **Cognacq-Jay** *Pt de l'Alma* | |
| N 8 | 2e | **Colbert** (gal.) *Bourse* | |
| N 8 | 2e | **Colbert** *Bourse* | |
| M 9 | 1er | **Colette** (pl.) *Palais-Royal* | |
| S 2 | 19e | **Colette-Magny** *Corentin-Cariou* | |
| J 7 | 8e | **Colisée** (du) *St Philippe-du-R.* | |
| O 14 | 5e | **Collégiale** (de la) *Les Gobelins* | |
| J 16 | 14e | **Collet** (villa) *Didot* | |
| L 2 | 17e | **Collette** *Guy Môquet* | |
| M 5 | 9e | **Collin** (pass.) *Pigalle* | |
| S 3 | 19e | **Colmar** (de) *Crimée* | |
| O 10 | 4e | **Colombe** (de la) *Cité* | |
| C 9 | 16e | **Colombie** (pl. de) *Av. H.-Martin* | |
| D 10 | 16e | **Colonel-Bonnet** (av. du) *Av. du Pdt-Kennedy* | |
| T 12 | 12e | **Colonel-Bourgoin** (pl. du) *Reuilly-Diderot* | |
| H 12 | 15e | **Colonel-Colonna-d'Ornano** (du) *Volontaires* | |
| H 9 | 7e | **Colonel-Combes** (du) *Pt de l'Alma* | |
| P 17 | 13e | **Colonel-Dominé** (du) *Pte d'Italie* | |
| N 9 | 1er | **Colonel-Driant** (du) *Palais-Royal* | |
| R 6 | 10/19e | **Colonel-Fabien** (pl. du) *Colonel-Fabien* | |
| M 15 | 14e | **Colonel-Henri-Rol-Tanguy** | |
| | | (av.) *Denfert-Roch.* | |
| K 2 | 17e | **Colonel-Manhès** (du) *Pte de Clichy* | |
| F 6 | 17e | **Colonel-Moll** (du) *Argentine* | |
| J 16 | 14e | **Colonel-Monteil** (du) *Didot* | |
| W 14 | 12e | **Colonel-Oudot** (du) *Pte Dorée* | |
| D 15 | 15e | **Colonel-Pierre-Avia** (du) *Pte d'Issy* | |
| T 12 | 12e | **Colonel-Rozanoff** (du) *Reuilly-Diderot* | |
| F 6 | 17e | **Colonels-Renard** (des) *Argentine* | |
| O 17 | 13e | **Colonie** | |
| | | (de la) *Stade Charléty, Poterne des Peupliers* | |
| N 7 | 2e | **Colonnes** (des) *Bourse* | |
| V 12 | 12e | **Colonnes-du-Trône** (des) *Nation* | |
| N 16 | 13/14e | **Coluche** (pl.) *Glacière, Alésia, Plaisance* | |
| R 12 | 12e | **Combattants-en-Afrique-du-Nord** | |
| | | (pl. des) *Gare de Lyon* | |
| J 10 | 7e | **Comète** (de la) *Latour-Maub.* | |
| L 11 | 7e | **Commaille** (de) *Sèvres-Babylone* | |
| K 4 | 17e | **Commandant-Charles-Martel** | |
| | | (pass. du) *Rome* | |
| A 13 | 16e | **Commandant-Guilbaud** (du) *Pte de St-Cloud* | |
| R 10 | 11e | **Commandant-Lamy** (du) *Bréguet-Sabin* | |
| E 14 | 15e | **Commandant-Léandri** (du) *Convention* | |
| X 12 | 20e | **Commandant-L'Herminier** | |
| | | (du) *Pte de Vincennes* | |
| E 6 | 16e | **Commandant-Marchand** (du) *Pte Maillot* | |
| Q 6 | 10e | **Commandant-Mortenol** (du) *Gare de l'Est* | |
| D 13 | 15e | **Commandant-Raynal** (all. du) *Javel-A.-Citroën* | |

| carr. | arr. | rue / street — *Métro Tramway* |
|---|---|---|
| K 14 | 14/15e | **Commandant-René-Mouchotte** *Montparnasse-B.* |
| J 7 | 8e | **Commandant-Rivière** (du) *St-Philippe-du-R.* |
| E 9 | 16e | **Commandant-Schloesing** (du) *Trocadéro* |
| T 1 | 19e | **Commanderie** (bd de la) *Pte la Villette* |
| M 16 | 14e | **Commandeur** (du) *Alésia* |
| J 12 | 15e | **Commerce** (imp. du) *Commerce* |
| J 12 | 15e | **Commerce** (pl. du) *Commerce* |
| J 12 | 15e | **Commerce** (du) *La Motte-Picquet, Émile-Zola, Commerce* |
| H 11 | 6e | **Commerce-St-André** (cour) *Odéon* |
| P 9 | 3e | **Commerce-St-Martin** (pass. du) *Rambuteau* |
| Q 9 | 3e | **Commines** *Filles-du-Calv.* |
| M 16 | 13e | **Commune de Paris** (pl. de la) *Corvisart* |
| U 5 | 19e | **Compans** *Pl. des Fêtes* |
| P 5 | 19e | **Compiègne** (de) *Gare du Nord* |
| L 3 | 17e | **Compoint** (villa) *Guy-Môquet* |
| F 13 | 15e | **Comtat-Venaissin** (pl. du) *Félix-Faure* |
| J 5 | 8e | **Comtesse de Ségur** (all. de la) *Monceau* |
| K 8 | 8e | **Concorde** (pl. de la) *Concorde* |
| K 9 | 7/8e | **Concorde** (pt) *Concorde* |
| H 11 | 6e | **Condé** (de) *Odéon* |
| T 8 | 11e | **Condillac** *Père-Lachaise* |
| N 5 | 9e | **Condorcet** (cité) *Anvers* |
| O 5 | 9e | **Condorcet** *Anvers* |
| H 8 | 8e | **Conférence** (port de la) *Alma-Marceau* |
| V 11 | 20e | **Confiance** (imp. de la) *Buzenval* |
| T 13 | 12e | **Congo** (du) *Dugommier* |
| D 9 | 16e | **Conseiller-Collignon** (du) *La Muette* |
| M 4 | 18e | **Conservatoire** (du) *Grands-Boulevards* |
| M 4 | 18e | **Constance** *Blanche* |
| T 6 | 20e | **Constant-Berthaut** *Jourdain* |
| K 14 | 14e | **Constant-Coquelin** (av.) *Duroc* |
| J 9 | 7e | **Constantine** (de) *Invalides* |
| K 5 | 8e | **Constantinople** *Europe, Villiers* |
| N 3 | 18e | **Constantin-Pecqueur** (pl.) *Lamarck Caul.* |
| P 8 | 3e | **Conté** *Arts-et-Métiers* |
| N 10 | 6e | **Conti** (imp. de) *Pont-Neuf* |
| N 10 | 6e | **Conti** (q. de) *Pont-Neuf* |
| J 12 | 5e | **Contrescarpe** (pl. de la) *Place Monge* |
| F 13 | 15e | **Convention** (de) *Javel, Boucicaut, Convention* |
| J 13 | 13e | **Conventionnel-Chiappe** (du) *Pte de Choisy* |
| K 5 | 8e | **Copenhague** (de) *Rome* |
| F 7 | 16e | **Copernic** *Boissière, Victor-Hugo* |
| F 7 | 16e | **Copernic** (villa) *Victor-Hugo* |
| H 13 | 15e | **Copreaux** *Volontaires* |
| L 6 | 9e | **Coq** (av. du) *Trinité* |
| R 9 | 11e | **Coq** (cour du) *Richard-Lenoir* |
| N 8 | 1er | **Coq-Héron** *Les Halles* |
| N 8 | 1er | **Coquillière** *Les Halles* |
| S 12 | 12e | **Corbera** (av. de) *Reuilly-Diderot* |
| T 14 | 12e | **Corbineau** *Bercy* |
| H 14 | 15e | **Corbon** *Vaugirard* |
| J 14 | 15e | **Cordelières** (des) *Gobelins* |
| Q 8 | 3e | **Corderie** (de la) *République* |
| V 8 | 20e | **Cordon-Boussard** (imp.) *Gambetta* |
| T 2 | 19e | **Corentin-Cariou** (av.) *Corentin-Cariou* |
| J 14 | 12e | **Coriolis** *Dugommier* |
| B 12 | 16e | **Corneille** (imp.) *Michel-A.-Molitor* |
| N 11 | 6e | **Corneille** *Odéon* |
| C 12 | 16e | **Corot** *Égl. d'Auteuil* |
| N 17 | 14e | **Corot** (villa) *Stade Charléty* |
| U 4 | 19e | **Corrèze** (de la) *Danube* |
| D 10 | 4e | **Corse** (q. de la) *Cité* |
| E 9 | 16e | **Cortambert** *La Muette* |
| N 4 | 18e | **Cortot** *Lamarck Caul.* |
| J 6 | 8e | **Corvetto** *Villiers* |
| D 15 | 13e | **Corvisart** *Corvisart* |
| O 9 | 1er | **Cossonnerie** (de la) *Les Halles* |

| carr. | arr. | rue / street — *Métro Tramway* |
|---|---|---|
| E 10 | 16e | **Costa-Rica** (pl. de) *Passy* |
| J 14 | 15e | **Cotentin** (du) *Pasteur* |
| M 3 | 18e | **Cottages** (des) *Lamarck-Caul.* |
| S 11 | 12e | **Cotte** (de) *Ledru-Rollin* |
| O 4 | 18e | **Cottin** (pass.) *Château-Rouge* |
| M 16 | 14e | **Couche** *Alésia* |
| L 17 | 14e | **Coulmiers** (de) *Pte d'Orléans* |
| W 10 | 20e | **Courat** *Maraîchers* |
| J 5 | 8/17e | **Courcelles** (bd de) *Villiers, Monceau, Courcelles, Ternes* |
| J 6 | 8/17e | **Courcelles** (de) *St-Philippe-du-R., Courcelles, Pereire* |
| V 8 | 20e | **Cour-des-Noues** (de la) *Gambetta* |
| F 13 | 15e | **Cournot** *Convention* |
| T 7 | 20e | **Couronnes** (des) *Couronnes* |
| O 9 | 1er | **Courtalon** *Châtelet* |
| X 13 | 12e | **Courteline** (pass.) *St-Mandé-Tour.* |
| T 10 | 11e | **Courtois** (pass.) *Charonne* |
| K 9 | 7e | **Courty** (de) *Ass. Nationale* |
| M 4 | 18e | **Coustou** *Blanche* |
| O 10 | 4e | **Coutellerie** (de la) *Hôtel-de-Ville* |
| O 9 | 3e | **Coutures-St-Gervais** (des) *St-Sébastien-Froissart* |
| T 10 | 11e | **Couvent** (cité du) *Charonne* |
| P 15 | 13e | **Coypel** *Pl. d'Italie* |
| L 3 | 18e | **Coysevox** *Guy-Môquet* |
| R 15 | 13e | **Crayons** (passage des) *Biblioth. Fr. Mitterrand* |
| N 11 | 6e | **Crébillon** *Odéon* |
| H 3 | 17e | **Crèche** (de la) *Wagram* |
| N 18 | 13e | **Crédit-Lyonnais** (imp. du) *Stade Charléty* |
| R 12 | 12e | **Crémieux** *Gare de Lyon* |
| S 8 | 11e | **Crespin-du-Gast** *Ménilmontant* |
| N 5 | 9e | **Cretet** *Anvers* |
| E 7 | 16e | **Crevaux** *Victor-Hugo* |
| O 11 | 4e | **Crillon** *Sully-Morland* |
| R 3 | 19e | **Crimée** (pass. de) *Crimée* |
| S 4 | 19e | **Crimée** (de) *Pl. des Fêtes, Botzaris, Laumière, Crimée* |
| V 10 | 20e | **Crins** (imp. des) *Avron* |
| X 11 | 20e | **Cristino-Garcia** *Pte de Vincennes* |
| K 14 | 14e | **Crocé-Spinelli** *Pernety* |
| K 12 | 15e | **Croisic** (sq. du) *Duroc* |
| N 7 | 2e | **Croissant** (du) *Sentier* |
| N 8 | 1er | **Croix-des-Petits-Champs** *Palais-Royal* |
| T 10 | 11e | **Croix-Faubin** (de la) *Voltaire* |
| S 16 | 13e | **Croix-Jarry** (de la) *Biblioth. François Mitterrand* |
| Q 2 | 18e | **Croix-Moreau** (de la) *Pte de la Chapelle* |
| G 12 | 15e | **Croix-Nivert** (de la) *Cambronne, Av. Émile-Zola, Commerce, Félix-Faure, Boucicaut, Pte de Versailles* |
| H 12 | 15e | **Croix-Nivert** (villa) *Cambronne* |
| W 10 | 20e | **Croix-St-Simon** (de la) *Maraîchers* |
| H 15 | 15e | **Cronstadt** (de) *Convention* |
| U 5 | 19e | **Cronstadt** (villa de) *Danube* |
| O 15 | 13e | **Croulebarbe** *Gobelins, Corvisart* |
| S 12 | 12e | **Crozatier** (imp.) *Reuilly-Diderot* |
| T 12 | 12e | **Crozatier** *Reuilly-Did., Ledru-R.* |
| R 8 | 11e | **Crussol** (cité de) *Filles-du-Calvaire* |
| R 8 | 11e | **Crussol** (de) *Filles-du-Calvaire, Oberkampf* |
| Q 3 | 18e | **Cugnot** *Marx-Dormoy* |
| N 12 | 5e | **Cujas** *Luxembourg* |
| P 8 | 3e | **Cunin-Gridaine** *Arts-et-Métiers* |
| C 11 | 16e | **Cure** (de la) *Jasmin* |
| P 3 | 18e | **Curé** (imp. du) *Marx-Dormoy* |
| S 2 | 19e | **Curial** *Riquet, Cor-Cariou* |
| R 3 | 19e | **Curial** (villa) *Crimée* |
| G 3 | 17e | **Curnonsky** *Pte de Champerret* |
| O 4 | 18e | **Custine** *Château-Rouge* |
| P 12 | 5e | **Cuvier** *Jussieu* |
| O 9 | 1er | **Cygne** (du) *Étienne-Marcel* |
| F 10 | 15e | **Cygnes** (all. des) *Bir-Hakeim* |
| N 3 | 18e | **Cyrano-de-Bergerac** *Lamarck-Caul.* |

# Dagorno

| carr. | arr. | rue / street | Métro Tramway |
|-------|------|--------------|---------------|
| | | **D** | |
| W 10 | 20e | **Dagorno** (pass.) *Maraîchers* | |
| V 13 | 12e | **Dagorno** *Bel-Air* | |
| L 15 | 14e | **Daguerre** *Denfert-Roch.* | |
| T 11 | 11e | **Dahomey** (du) *Faidherbe-Chal.* | |
| M 8 | 2e | **Dalayrac** *Pyramides* | |
| N 3 | 18e | **Dalida** (pl.) *Lamarck-Caul.* | |
| R 17 | 13e | **Dalloz** *Pte d'Ivry* | |
| J 13 | 15e | **Dalou** *Pasteur* | |
| L 4 | 17e | **Dames** (des) *Pl. de Clichy.* | |
| P 17 | 13e | **Damesme** (imp.) *Maison-Blanche* | |
| P 16 | 13e | **Damesme** *Tolbiac, Maison-Bl.* | |
| O 8 | 2e | **Damiette** (de) *Sentier* | |
| R 10 | 11e | **Damoye** (cour) *Bastille* | |
| T 2 | 19e | **Dampierre** *Corentin-Cariou* | |
| M 2 | 18e | **Damrémont** *Lamarck-Caul., Pte de Clignancourt* | |
| M 2 | 18e | **Damrémont** (villa) *Lamarck-Caul.* | |
| N 5 | 18e | **Dancourt** *Anvers* | |
| N 5 | 18e | **Dancourt** (villa) *Anvers* | |
| C 11 | 16e | **Dangeau**, *Jasmin* | |
| M 8 | 1/2e | **Danielle-Casanova** *Pyramides* | |
| K 12 | 15e | **Daniel-Lesueur** (av.) *Duroc* | |
| G 11 | 15e | **Daniel-Stern** *Dupleix* | |
| K 14 | 14e | **Daniel-Templier** (parvis) *Gaîté* | |
| O 11 | 5e | **Dante** *Maubert-Mutualité* | |
| N 11 | 6e | **Danton** *Odéon* | |
| G 15 | 15e | **Dantzig** (pass. de) *Georges Brassens* | |
| G 15 | 15e | **Dantzig** (de) *Georges Brassens* | |
| U 5 | 19e | **Danube** (hameau du) *Danube* | |
| U 5 | 19e | **Danube** (villa du) *Danube* | |
| L 15 | 14e | **Danville** *Denfert-Roch.* | |
| K 6 | 8e | **Dany** (imp.) *Europe* | |
| R 7 | 11e | **Darboy** *Goncourt* | |
| L 4 | 17e | **Darcet** *Pl. de Clichy* | |
| W 7 | 20e | **Darcy** *St-Fargeau* | |
| E 5 | 17e | **Dardanelles** (des) *Pte Maillot* | |
| M 15 | 14e | **Dareau** (pass.) *St-Jacques* | |
| N 15 | 14e | **Dareau** *St-Jacques* | |
| U 4 | 19e | **Darius-Milhaud** (allée) *Danube* | |
| S 17 | 13e | **Darmesteter** *Pte d'Ivry* | |
| H 5 | 8e | **Daru** *Courcelles* | |
| N 3 | 18e | **Darwin** *Lamarck-Caul.* | |
| O 13 | 5e | **Daubenton** *Censier-Daubenton* | |
| J 4 | 17e | **Daubigny** *Malesherbes* | |
| T 13 | 12e | **Daumesnil** (av.) *Gare de Lyon, Reuilly-Diderot, Dugommier, Daumesnil, Michel-Bizot, Porte Dorée* | |
| V 14 | 12e | **Daumesnil** (villa) *Michel-Bizot* | |
| C 14 | 16e | **Daumier** *Pte de St-Cloud* | |
| T 9 | 11e | **Daunay** (imp.) *Père-Lachaise* | |
| L 2 | 18e | **Daunay** (pass.) *Pte de St-Ouen* | |
| M 7 | 2e | **Daunou** *Opéra* | |
| N 10 | 6e | **Dauphine** (pass.) *Odéon* | |
| N 10 | 1er | **Dauphine** (pl.) *Pont-Neuf* | |
| N 10 | 6e | **Dauphine** *Odéon* | |
| L 3 | 17e | **Dautancourt** *La Fourche* | |
| R 10 | 11e | **Daval** *Bréguet-Sabin* | |
| C 10 | 16e | **Davia** (all.) *La Muette* | |
| G 9 | 7e | **David-Ben-Gourion** (esplanade) *Pont de l'Alma* | |
| U 5 | 19e | **David-d'Angers** *Danube* | |
| M 17 | 14e | **David-Weill** (av.) *Montsouris* | |
| O 16 | 13e | **Daviel** *Glacière* | |
| O 16 | 13e | **Daviel** (villa) *Glacière* | |
| C 10 | 16e | **Davioud** *Ranelagh* | |
| X 12 | 20e | **Davout** (bd) *Pte de Vincennes, Pte de Montreuil, Pte de Bagnolet* | |
| L 3 | 17e | **Davy** *Guy-Môquet* | |
| F 6 | 17e | **Débarcadère** (du) *Pte Maillot* | |
| Q 9 | 3e | **Debelleyme** *St Sébastien-Froissart* | |
| W 12 | 12e | **Debergue** (cité) *Picpus* | |
| V 5 | 19e | **Debidour** (av.) *Pré-St-Gervais* | |
| S 10 | 11e | **Debille** (cour) *Voltaire* | |
| G 9 | 7/16e | **Debilly** (passerelle) *Iéna* | |
| G 9 | 16e | **Debilly** (port) *Iéna* | |
| G 8 | 16e | **Debrousse** *Alma-Marceau.* | |
| E 8 | 16e | **Decamps** *Rue de la Pompe* | |
| O 9 | 1er | **Déchargeurs** (des) *Châtelet* | |
| J 15 | 14e | **Decrès** *Plaisance* | |
| L 4 | 18e | **Défense** (imp. de la) *Pl. de Clichy* | |
| D 12 | 16e | **Degas** *Mirabeau* | |
| O 7 | 2e | **Degrés** (des) *Strasbourg-St-Denis* | |
| R 7 | 11e | **Deguerry** *Goncourt* | |
| O 4 | 18e | **Dejean** *Château Rouge* | |
| T 8 | 20e | **Delaître** *Ménilmontant* | |
| E 4 | 17e | **Delaizement** *Pte de Champerret* | |
| L 13 | 14e | **Delambre** *Edgar-Q., Vavin* | |
| L 13 | 14e | **Delambre** (sq.) *Edgar-Q., Vavin* | |
| P 6 | 10e | **Delanos** *Gare de l'Est* | |
| T 10 | 11e | **Delaunay** (imp.) *Charonne* | |
| K 15 | 14e | **Delbet** *Alésia* | |
| J 7 | 8e | **Delcassé** (av.) *Miromesnil* | |
| F 12 | 15e | **Delcourt** (av.) *Commerce* | |
| S 11 | 11e | **Delépine** (cour) *Ledru-Rollin* | |
| U 11 | 11e | **Delépine** (imp.) *Rue des Boulets* | |
| F 9 | 16e | **Dessert** (bd) *Passy* | |
| Q 5 | 10e | **Delessert** (pass.) *Château-Landon* | |
| T 3 | 19e | **Delesseux** *Ourcq* | |
| L 2 | 17e | **Deligny** (imp.) *Pte de St-Ouen* | |
| Q 17 | 13e | **Deloder** (villa) *Maison-Blanche* | |
| T 6 | 19e | **Delouvain** *Jourdain* | |
| V 2 | 19e | **Delphine-Seyrig** *Danube* | |
| O 5 | 9e | **Delta** (du) *Barbès-Roch.* | |
| P 5 | 10e | **Demarquay** *Gare du Nord* | |
| P 5 | 10e | **Denain** (bd de) *Gare du Nord* | |
| M 14 | 14e | **Denfert-Rochereau** (av.) *Port-Royal, Denfert-Roch.* | |
| M 15 | 14e | **Denfert-Rochereau** (pl.) *Denfert-Roch.* | |
| F 6 | 17e | **Denis-Poisson** *Argentine* | |
| S 7 | 20e | **Dénoyez** *Belleville* | |
| J 11 | 7e | **Denys-Cochin** (pl.) *École-Militaire* | |
| J 4 | 17e | **Déodat-de-Séverac** *Malesherbes* | |
| M 4 | 18e | **Depaquit** (pass.) *Lamarck-Caul.* | |
| L 14 | 14e | **Deparcieux** *Denfert-Roch.* | |
| L 13 | 14/15e | **Départ** (du) *Montparnasse-B.* | |
| Q 4 | 18/19e | **Département** (du) *Stalingrad, La Chapelle* | |
| G 10 | 15e | **Desaix** *Dupleix* | |
| F 11 | 15e | **Desaix** (sq.) *Dupleix* | |
| S 7 | 11e | **Desargues** *Belleville* | |
| C 12 | 16e | **Désaugiers** *Égl. d'Auteuil* | |
| D 9 | 16e | **Desbordes-Valmore** *La Muette* | |
| O 12 | 5e | **Descartes** *Cardinal-Lemoine* | |
| F 4 | 17e | **Descombes** *Pte de Champerret* | |
| T 13 | 12e | **Descos** *Dugommier* | |
| J 9 | 7e | **Desgenettes** *Invalides* | |
| R 3 | 19e | **Desgrais** (pass.) *Crimée* | |
| K 16 | 14e | **Deshayes** (villa) *Didot* | |
| P 7 | 10e | **Désir** (pass. du) *Château d'Eau* | |
| U 8 | 20e | **Désirée** *Gambetta* | |
| M 2 | 18e | **Désiré-Ruggieri** *Guy-Môquet* | |
| F 14 | 15e | **Desnouettes** *Convention* | |
| E 14 | 15e | **Desnouettes** (sq.) *Convention* | |
| B 13 | 16e | **Despréaux** (av.) *Michel-A.-Molitor* | |
| J 14 | 14e | **Desprez** *Pernety* | |
| R 16 | 13e | **Dessous-des-Berges** (du) *Bibliothèque François Mitterrand* | |
| M 10 | 6e | **Deux-Anges** (des) *St-Germain-des-P.* | |
| P 16 | 13e | **Deux-Avenues** (des) *Tolbiac* | |
| O 9 | 1er | **Deux-Boules** (des) *Châtelet* | |
| G 4 | 17e | **Deux-Cousins** (imp. des) *Pte de Champerret* | |

| carr. | arr. | rue / street | Métro Tramway | carr. | arr. | rue / street | Métro Tramway |
|---|---|---|---|---|---|---|---|
| N 9 | 1er | **Deux-Écus** (pl. des) *Louvre* | | X 10 | 20e | **Drs-Dejerine** (des) *Pte de Montreuil* | |
| P 5 | 10e | **Deux-Gares** (des) *Gare de l'Est* | | B 14 | 18e | **Dode-de-la-Brunerie** (av.) *Pte de St-Cloud* | |
| K 13 | 15e | **Deuxième-D.-B.** (all. de la) *Montparnasse-B.* | | F 5 | 17e | **Doisy** (pass.) *Ternes* | |
| L 4 | 18e | **Deux-Nèthes** (imp. des) *Pl. de Clichy* | | P 13 | 5e | **Dolomieu** *Place Monge* | |
| N 8 | 2e | **Deux-Pavillons** (pass. des) *Bourse* | | O 11 | 5e | **Domat** *Maubert-Mutualité* | |
| P 11 | 4e | **Deux-Ponts** (des) *Pont-Marie* | | H 14 | 15e | **Dombasle** (imp.) *Convention* | |
| W 9 | 20e | **Deux-Portes** (pass. des) *Maraîchers* | | G 14 | 15e | **Dombasle** *Convention* | |
| N 6 | 9e | **Deux-Sœurs** (pass. des) *Cadet* | | G 14 | 15e | **Dombasle** *Convention* | |
| V 7 | 20e | **Devéria** *Télégraphe* | | F 7 | 16e | **Dôme** (du) *Ch.-de-G.-Étoile* | |
| M 4 | 18e | **Dhuis** (de la) *Pelleport* | | F 14 | 15e | **Dominique-Pado** *Pte de Versailles* | |
| M 7 | 9e | **Diaghilev** (pl.) *Chaussée-d'Antin* | | R 13 | 13e | **Domrémy** (de) *Bibliothèque François Mitterrand* | |
| S 7 | 19e | **Diane-de-Poitiers** (all.) *Belleville* | | C 12 | 16e | **Donizetti** *Michel-A.-Auteuil* | |
| V 2 | 19e | **Diapason** (sq. du) *Pte de Pantin* | | G 3 | 17e | **Dordogne** (de) *Pereire* | |
| N 3 | 18e | **Diard** *Lamarck-Caul.* | | U 4 | 19e | **Dorées** (sente des) *Pte de Pantin* | |
| K 13 | 12e | **Diderot** (bd) *Gare de Lyon, Reuilly-Diderot, Nation* | | U 12 | 12e | **Dorian** (av.) *Nation* | |
| P 12 | 12e | **Diderot** (cour) *Gare de Lyon* | | U 12 | 12e | **Dorian** *Nation* | |
| K 5 | 18e | **Didot** *Pernety, Didot* | | E 7 | 16e | **Dosne** *Victor-Hugo* | |
| J 13 | 14e | **Dietz-Monnin** (villa) *Exelmans* | | M 5 | 9e | **Douai** (de) *Pigalle, Blanche, Pte de Clichy* | |
| W 10 | 20e | **Dieu** (pass.) *Maraîchers* | | M 16 | 14e | **Douanier-Rousseau** (du) *Alésia* | |
| Q 7 | 10e | **Dieu** *République* | | J 2 | 17e | **Douaumont** (bd) *Pte de Clichy* | |
| P 17 | 13e | **Dieudonné-Costes** *Pte d'Ivry* | | O 11 | 4/5e | **Double** (pt au) *Cité* | |
| P 17 | 13e | **Dieulafoy** *Tolbiac* | | P 3 | 18e | **Doudeauville** *Marx-Dormoy, Château-Rouge* | |
| K 12 | 12e | **Dijon** (de) *Cour St-Émilion* | | M 11 | 6e | **Dragon** (du) *St-Germain-des-P.* | |
| N 17 | 13e | **Disque** (du) *Pte d'Ivry* | | S 8 | 11e | **Dranem** *Ménilmontant* | |
| K 13 | 6/14/15e | **Dix-huit-Juin-1940** (pl. du) *Montparnasse-B.* | | E 5 | 17e | **Dreux** (de) *Pte Maillot* | |
| S 12 | 12e | **Dix-neuf-mars-1962** (pl. du) *Gare de Lyon* | | N 4 | 18e | **Drevet** *Abbesses* | |
| E 4 | 17e | **Dixmude** (bd de) *Pte Maillot* | | S 11 | 12e | **Driancourt** (pass.) *Faidherbe-Chal.* | |
| M 15 | 13e | **Django-Reinhardt** (all.) *Nationale* | | M 16 | 14e | **Droits de l'Enfant** (pl. des) *Alésia* | |
| N 1 | 19e | **Django-Reinhardt** (pl.) | | F 9 | 16e | **Droits de l'Homme et des Libertés** | |
| E 5 | 17e | **Dobropol** (du) *Pte Maillot* | | | | (parvis des) *Trocadéro* | |
| R 7 | 19e | **Dr-Alfred-Fournier** (pl. du) *Goncourt* | | N 6 | 9e | **Drouot** *Richelieu-Drouot, Le Peletier* | |
| T 11 | 12e | **Dr-Antoine-Béclère** (pl. du) *Faidherbe-Chaligny* | | S 11 | 12e | **Druinot** (imp.) *Faidherbe-Chal.* | |
| V 12 | 12e | **Dr-Arnold-Netter** (av. du) | | Q 6 | 10e | **Dubail** (pass.) *Gare de l'Est* | |
| | | *Bel-Air, Picpus, Pte de Vincennes* | | D 10 | 16e | **Duban** *La Muette* | |
| M 1 | 18e | **Dr-Babinski** (du) *Pte de St-Ouen* | | L 5 | 8e | **Dublin** (de) *Liège* | |
| C 10 | 16e | **Dr-Blanche** (du) *Jasmin* | | T 4 | 19e | **Dubois** (pass.) *Laumière* | |
| C 11 | 16e | **Dr-Blanche** (sq. du) *Jasmin* | | V 9 | 20e | **Dubourg** (cité) *Gambetta* | |
| O 18 | 13e | **Dr-Bourneville** (du) *Pte d'Italie* | | U 13 | 12e | **Dubrunfaut** *Dugommier* | |
| K 6 | 7e | **Dr-Brouardel** (av. du) *Champ-de-Mars* | | T 15 | 12e | **Dubuffet** (pass.) *Cour St-Émilion* | |
| M 15 | 13e | **Dr-Charles-Richet** (du) *Nationale* | | N 13 | 18e | **Duc** *Jules-Joffrin* | |
| K 4 | 17e | **Dr-Félix-Lobligeois** (pl. du) *Brochant* | | R 15 | 13e | **Duchefdelaville** *Chevaleret* | |
| F 11 | 13e | **Dr-Finlay** (du) *Dupleix* | | M 15 | 14e | **Du-Couédic** *Mouton-Duvernet* | |
| K 3 | 18e | **Dr-Germain-Sée** (du) *Av. du Pdt-Kennedy* | | S 9 | 11e | **Dudouy** (pass.) *Rue St-Maur* | |
| W 6 | 20e | **Dr-Gley** (av. du) *Ptes des Lilas* | | U 7 | 20e | **Duée** (pass. de la) *Télégraphe* | |
| V 13 | 12e | **Dr-Goujon** (du) *Daumesnil* | | V 7 | 20e | **Duée** (de la) *Télégraphe* | |
| J 11 | 13e | **Dr-Hayem** (pl. du) *Av. du Pdt-Kennedy* | | D 8 | 17e | **Dufrénoy** *Av. H.-Martin* | |
| L 3 | 17e | **Dr-Heulin** (du) *La Fourche* | | B 14 | 16e | **Dufresne** (villa) *Pte de St-Cloud* | |
| J 13 | 15e | **Dr-Jacquemaire-** | | U 13 | 12e | **Dugommier** *Dugommier* | |
| | | **Clémenceau** (du) *Commerce* | | L 12 | 6e | **Duguay-Trouin.** *N.-D.-des-Champs* | |
| G 8 | 8e | **Dr-Jacques-Bertillon** (imp. du) *Alma-Marceau* | | G 11 | 15e | **Du-Guesclin** (pass.) *Dupleix* | |
| W 7 | 20e | **Dr-Labbé** (du) *St-Fargeau* | | G 11 | 15e | **Du-Guesclin** *Dupleix* | |
| R 3 | 19e | **Dr-Lamaze** (du) *Riquet* | | O 2 | 18e | **Duhesme** (pass.) *Pte de Clignancourt* | |
| J 6 | 8e | **Dr-Lancereaux** (du) *Miromesnil* | | N 2 | 18e | **Duhesme** *Lamarck-Caul., J.-Joffrin, Simplon* | |
| H 17 | 14e | **Dr-Landouzy** (du) *Maison-Blanche* | | K 13 | 15e | **Dulac** *Falguière* | |
| K 18 | 14e | **Dr-Lannelongue** (av. du) *Pte d'Orléans* | | W 8 | 20e | **Dulaure** *Pte de Bagnolet* | |
| N 17 | 13e | **Dr-Laurent** (du) *Tolbiac* | | Q 5 | 10e | **Dulcie-September** (pl.) *Château-Landon* | |
| P 17 | 13e | **Dr-Lecène** (du) *Maison-Blanche* | | K 4 | 17e | **Dulong** *Rome* | |
| P 17 | 13e | **Dr-Leray** (du) *Maison-Blanche* | | U 11 | 11e | **Dumas** (pass.) *Rue des Boulets* | |
| P 17 | 13e | **Dr-Lucas-Championnière** | | P 14 | 15e | **Duméril** *Campo-Formio* | |
| | | (du) *Maison-Blanche* | | G 7 | 16e | **Dumont-d'Urville** *Kléber* | |
| P 16 | 13e | **Dr-Magnan** (du) *Tolbiac* | | S 6 | 19e | **Dunes** (des) *Belleville* | |
| N 16 | 13e | **Dr-Navarre** (pl. du) *Olympiades* | | P 5 | 9/10e | **Dunkerque** (de) *Gare du Nord, Anvers* | |
| V 7 | 20e | **Dr-Paquelin** (du) *Pelleport* | | R 15 | 13e | **Dunois** *Chevaleret* | |
| K 2 | 17e | **Dr-Paul-Brousse** (du) *Pte de Clichy* | | R 15 | 13e | **Dunois** (sq.) *Chevaleret* | |
| A 14 | 16e | **Dr-Paul-Michaux** (pl. du) *Pte de St-Cloud* | | M 5 | 9e | **Duperré** *Pigalle* | |
| V 6 | 19e | **Dr-Potain** (du) *Télégraphe* | | Q 8 | 3e | **Dupetit-Thouars** (cité) *Temple* | |
| P 13 | 15e | **Dr-Roux** (du) *Pasteur* | | Q 8 | 3e | **Dupetit-Thouars** *Temple* | |
| P 17 | 13e | **Dr-Tuffier** (du) *Maison-Blanche* | | L 8 | 1/8e | **Duphot** *Madeleine* | |
| M 15 | 13e | **Dr-Victor-Hutinel** (du) *Nationale* | | L 11 | 6e | **Dupin** *Sèvres-Babylone* | |
| O 18 | 13e | **Dr-Yersin** (pl. du) *Pte d'Ivry* | | E 6 | 16e | **Duplan** (cité) *Pte Maillot* | |

# Dupleix

| carr. | arr. | rue / street | Métro Tramway |
|---|---|---|---|
| G 11 | 15e | **Dupleix** (pl.) *Dupleix* |
| G 11 | 15e | **Dupleix** *Dupleix* |
| S 9 | 11e | **Dupont** (cité) *Rue St-Maur* |
| E 6 | 16e | **Dupont** (villa) *Pte Maillot* |
| V 8 | 20e | **Dupont-de-l'Eure** *Pelleport* |
| H 9 | 7e | **Dupont-des-Loges** *Pt de l'Alma* |
| Q 3 | 18e | **Dupuy** (imp.) *Marx-Dormoy* |
| R 17 | 13e | **Dupuy-de-Lôme** *Pte d'Ivry* |
| N 11 | 6e | **Dupuytren** *Odéon* |
| J 11 | 7e | **Duquesne** (av.) *École-Militaire, St-François-Xavier* |
| U 14 | 12e | **Durance** (de la) *Daumesnil* |
| T 9 | 11e | **Duranti** *Père-Lachaise* |
| M 4 | 18e | **Durantin** *Abbesses* |
| F 14 | 15e | **Duranton** *Boucicaut* |
| K 7 | 8e | **Duras** (de) *Ch.-Élysées-C.* |
| F 6 | 16e | **Duret** *Argentine* |
| T 8 | 20e | **Duris** (pass.) *Père-Lachaise* |
| T 8 | 20e | **Duris** *Père-Lachaise* |
| T 8 | 11e | **Durmar** (cité) *Ménilmontant* |
| J 12 | 11e | **Duroc** *Duroc* |
| L 15 | 14e | **Durouchoux (rue Pierre-Castagnou)** *Mouton-Duvernet* |
| V 6 | 20e | **Dury-Vasselon** (villa) *Pte des Lilas* |
| O 8 | 2e | **Dussoubs** *É.-Marcel, Réaumur-S.* |
| K 16 | 14e | **Duthy** (villa) *Didot* |
| J 14 | 15e | **Dutot** *Volontaires* |
| K 8 | 8e | **Dutuit** (av.) *Ch.-Élysées-C.* |
| S 3 | 19e | **Duvergier** *Crimée* |
| H 10 | 7e | **Duvivier** *École-Militaire* |

## E

| carr. | arr. | rue / street | Métro Tramway |
|---|---|---|---|
| E 10 | 16e | **Eaux** (pass. des) *Passy* |
| E 10 | 16e | **Eaux** (des) *Passy* |
| T 13 | 12e | **Ébelmen** *Montgallet* |
| J 11 | 7e | **Éblé** *Duroc* |
| M 10 | 6e | **Échaudé** (de l') *Mabillon* |
| M 8 | 1er | **Échelle** (de l') *Palais-Royal* |
| O 7 | 10e | **Échiquier** (de l') *Strasbourg-St-Denis* |
| R 6 | 10e | **Écluses-St-Martin** (des) *Colonel-Fabien* |
| N 6 | 9e | **École** (imp. de l') *Cadet* |
| N 10 | 1er | **École** (pl. de l') *Pont-Neuf* |
| N 11 | 6e | **École-de-Médecine** (de l') *Odéon* |
| H 10 | 7e | **École-Militaire** (pl. de l') *École-Militaire* |
| O 12 | 5e | **École-Polytechnique** (de l') *Maubert-Mutualité* |
| U 8 | 20e | **Écoles** (cité des) *Gambetta* |
| O 12 | 5e | **Écoles** (des) *Cardinal-Lemoine, Maubert-Mutualité, Cluny* |
| F 12 | 15e | **Écoliers** (pass. des) *Commerce* |
| O 12 | 5e | **Écosse** (d') *Maubert-Mutualité* |
| P 10 | 4e | **Écouffes** (des) *St-Paul* |
| C 9 | 16e | **Écrivains Combattants Morts pour la France** (sq. des) *La Muette* |
| W 10 | 20e | **Écuyers** (sentier des) *Maraîchers* |
| G 11 | 15e | **Edgar-Faure** *Dupleix* |
| S 6 | 19e | **Edgar-Poë** *Bolivar* |
| L 13 | 14e | **Edgar-Quinet** (bd) *Raspail, Edgar-Quinet* |
| U 3 | 19e | **Edgar-Varèse** *Pte de Pantin* |
| K 5 | 8e | **Édimbourg** (d') *Europe* |
| Q 16 | 13e | **Edison** (av.) *Pl. d'Italie* |
| S 3 | 19e | **Édit de Nantes** (pl. de l') *Crimée* |
| W 8 | 20e | **Édith Piaf** (pl.) *Pte de Bagnolet* |
| D 9 | 16e | **Edmond-About** *Av. H.-Martin* |
| R 14 | 13e | **Edmond-Flamand** *Quai de la Gare* |
| O 15 | 13e | **Edmond-Gondinet** *Corvisart* |
| J 13 | 15e | **Edmond-Guillout** *Pasteur* |
| O 9 | 4e | **Edmond-Michelet** (pl.) *Rambuteau* |
| F 12 | 15e | **Edmond-Roger** *Charles-Michels* |
| N 12 | 6e | **Edmond-Rostand** (pl.) *Luxembourg* |

| carr. | arr. | rue / street | Métro Tramway |
|---|---|---|---|
| L 17 | 14e | **Edmond-Rousse** *Pte d'Orléans* |
| H 9 | 7e | **Edmond-Valentin** *Pt de l'Alma* |
| O 10 | 1er | **Édouard-Colonne** *Châtelet* |
| H 5 | 17e | **Édouard-Detaille** *Wagram* |
| C 9 | 16e | **Édouard-Fournier** *Av. H.-Martin* |
| X 14 | 12e | **Édouard-Jacques** *Pernety* |
| X 14 | 12e | **Édouard-Lartet** *Pte Dorée* |
| S 8 | 11e | **Édouard-Lockroy** *Parmentier* |
| P 15 | 13e | **Édouard-Manet** *Pl. d'Italie* |
| S 5 | 19e | **Édouard-Pailleron** *Bolivar* |
| O 14 | 5e | **Édouard-Quénu** *Censier-Daubenton* |
| W 14 | 12e | **Édouard-Renard** (pl.) *Pte Dorée* |
| V 14 | 12e | **Édouard-Robert** *Michel-Bizot* |
| L 7 | 9e | **Édouard-VII** (pl.) *Auber* |
| L 7 | 9e | **Édouard-VII** *Auber* |
| L 7 | 9e | **Édouard-VII** (sq.) *Auber* |
| A 14 | 16e | **Édouard-Vaillant** (av.) *Pte de St-Cloud* |
| K 8 | 8e | **Edward-Tuck** (av.) *Ch.-Élysées-C.* |
| G 9 | 7e | **Edwige-Feuillère** (pl.) *Pt de l'Alma* |
| U 5 | 19e | **Égalité** (de l') *Danube* |
| Q 10 | 4e | **Éginhard** *St-Paul* |
| F 13 | 16e | **Église** (imp. de l') *Félix-Faure* |
| F 13 | 15e | **Église** (de l') *Félix-Faure* |
| C 12 | 16e | **Église d'Auteuil** (pl. de l') *Égl. d'Auteuil* |
| C 10 | 16e | **Église de l'Assomption** (pl. de l') *Ranelagh* |
| S 2 | 19e | **Eiders** (all. des) *C.-Cariou, Crimée* |
| X 12 | 12e | **Élie-Faure** *St-Mandé-Tour.* |
| U 8 | 20e | **Élisa-Borey** *Père-Lachaise* |
| U 13 | 12e | **Élisa-Lemonnier** *Dugommier* |
| Q 8 | 3e | **Élisabeth-Dmitrieff** (pl.) *Temple* |
| G 10 | 7e | **Élisée-Reclus** (av.) *Pt de l'Alma* |
| U 2 | 19e | **Ella-Fitzgerald** *Pte de la Villette* |
| J 11 | 7e | **El-Salvador** (pl.) *St-Fr.-Xavier* |
| T 16 | 13e | **Elsa-Morante** *Bibliothèque François Mitterrand* |
| K 7 | 8e | **Élysée** (de l') *Ch.-Élysées-C.* |
| T 7 | 20e | **Élysées-Ménilmontant** (av. l') *Ménilmontant* |
| J 7 | 8e | **Élysées 26** (gal.) *Fr.-D.-Roosevelt* |
| H 7 | 8e | **Élysées-La Boétie** (gal.) *Fr.-D.-Roosevelt* |
| J 7 | 8e | **Élysées-Rond-Point** (gal.) *Fr.-D.-Roosevelt* |
| Q 10 | 3e | **Elzévir** *St-Paul* |
| S 3 | 19e | **Émélie** *Crimée* |
| F 11 | 15e | **Émeriau** *Ch., Dupleix* |
| H 11 | 7e | **Émile-Acollas** (av.) *La Motte-Picquet* |
| F 5 | 17e | **Émile-Allez** *Pte de Champerret* |
| D 9 | 16e | **Émile-Augier** (bd) *La Muette* |
| C 11 | 16e | **Émile-Bergerat** (av.) *Jasmin* |
| Q 1 | 18e | **Émile-Bertin** *Pte de la Chapelle* |
| N 2 | 18e | **Émile-Blémont** *Jules-Joffrin* |
| S 1 | 19e | **Émile-Bollaert** *Corentin-Cariou* |
| K 1 | 17e | **Émile-Borel** *Pte de St-Ouen* |
| O 2 | 18e | **Émile-Chaine** *Marcadet-Pois.* |
| H 10 | 7e | **Émile-Deschanel** (av.) *École Militaire* |
| O 15 | 13e | **Émile-Deslandres** *Les Gobelins* |
| V 6 | 19e | **Émile-Desvaux** *Télégraphe* |
| M 17 | 14e | **Émile-Deutsch-de-la-Meurthe** *Montsouris* |
| M 15 | 14e | **Émile-Dubois** *St-Jacques* |
| J 13 | 15e | **Émile-Duclaux** *Volontaires* |
| P 3 | 18e | **Émile-Duployé** *Marcadet-Pois.* |
| S 15 | 13e | **Émile-Durkheim** *Bibliothèque François Mitterrand* |
| G 3 | 17e | **Émile-et-Armand-Massard** (av.) *Pte Champerret* |
| L 17 | 14e | **Émile-Faguet** *Montsouris* |
| R 12 | 12e | **Émile-Gilbert** *Gare de Lyon* |
| M 4 | 18e | **Émile-Goudeau** (pl.) *Abbesses* |
| V 8 | 20e | **Émile-Landrin** (pl.) *Gambetta* |
| V 9 | 20e | **Émile-Landrin** *Gambetta* |
| X 13 | 12e | **Émile-Laurent** (av.) *Pte Dorée* |
| T 10 | 11e | **Émile-Lepeu** *Charonne* |
| R 17 | 13e | **Émile-Levassor** *Pte d'Ivry* |
| K 2 | 17e | **Émile-Level** *Brochant* |

| arr. | arr. | rue / street | Métro Tramway | carr. | arr. | rue / street | Métro Tramway |
|---|---|---|---|---|---|---|---|
| U 5 | 19e | Émile-Loubet (villa) *Danube* | | O 16 | 13e | Espérance (de l') *Corvisart* | |
| 13 | 5e | Émile-Mâle (pl.) *Jussieu* | | Q 14 | 13e | Esquirol *Nationale* | |
| E 7 | 16e | Émile-Ménier *Victor-Hugo* | | P 13 | 5e | Essai (de l') *St-Marcel* | |
| W 8 | 20e | Émile-Meyer (villa) *Exelmans* | | U 7 | 20e | Est (de l') *Jourdain* | |
| 10 | 7e | Émile-Pouvillon (av.) *Pt de l'Alma* | | R 17 | 13e | Este (villa d') *Pte d'Ivry* | |
| T 1 | 19e | Émile-Pierre-Casel *Pte de Bagnolet* | | X 12 | 20e | Estérel (sq. de l') *Pte de Vincennes* | |
| 14 | 19e | Émile-Reynaud *Pte de la Villette* | | 9e | 9e | Estienne-d'Orves (pl. d') *Trinité* | |
| 12 | 15e | Émile-Richard *Raspail* | | N 12 | 5e | Estrapade (pl. de l') *Luxembourg* | |
| 12 | 15e | Émile-Zola | | O 12 | 5e | Estrapade (l') *Place Monge* | |
| | | (av.) *Javel, Charles-Michels, Émile-Zola* | | J 11 | 7e | Estrées (d') *St-François-Xavier* | |
| 12 | 15e | Émile-Zola (sq.) *Charles-Michels* | | G 8 | 16e | États-Unis (pl. des) *Boissière* | |
| 16 | 13e | Émilie-du-Châtelet *Biblioth. François Mitterrand* | | M 3 | 18e | Etex *Guy-Môquet* | |
| 12 | 12e | Émilio-Castelar *Ledru-Rollin* | | L 3 | 18e | Étex (villa) *Guy-Môquet* | |
| 13 | 5e | Émir-Abdelkader (pl. de l') *Censier-Daubenton* | | T 8 | 20e | Étienne-Dolet *Ménilmontant* | |
| J 4 | 17e | Emmanuel-Chabrier (sq.) *Malesherbes* | | L 4 | 18e | Étienne-Jodelle *La Fourche* | |
| 13 | 15e | Emmanuel-Chauvière *Javel* | | O 8 | 1/2e | Étienne-Marcel *Étienne-Marcel* | |
| 12 | 5e | Emmanuel-Levinas (pl.) *Place-Monge* | | W 8 | 20e | Étienne-Marey *Pelleport* | |
| U 7 | 20e | Emmery *Jourdain* | | W 8 | 20e | Étienne-Marey (villa) *Pelleport* | |
| 14 | 14e | Empereur-Julien (de l') *Cité Universitaire* | | F 13 | 15e | Étienne-Pernet (pl.) *Félix-Faure* | |
| 16 | 14e | Empereur-Valentinien (de l') *Cité Universitaire* | | G 6 | 17e | Étoile (de l') *Ch.-de-G.-Étoile* | |
| T 5 | 19e | Encheval (de l') *Botzaris* | | S 11 | 11e | Étoile-d'Or (cour de l') *Ledru-Rollin* | |
| 13 | 15e | Enfant-Jésus (imp. de l') *Pasteur* | | O 16 | 13e | Eugène-Atget *Corvisart* | |
| 14 | 14e | Enfer (pass. d') *Raspail* | | C 11 | 16e | Eugène-Baudouin (pass.) *Jasmin* | |
| O 7 | 10e | Enghien (de l') *Bonne-N., Ch. d'Eau* | | M 3 | 18e | Eugène-Carrière *Guy-Môquet* | |
| 12 | 15e | Entrepreneurs (pass. des) *Commerce* | | N 16 | 14e | Eugène-Claudius-Petit (pl.) *Cité Universitaire* | |
| 12 | 15e | Entrepreneurs (des) *Charles-Michels, Commerce* | | D 9 | 16e | Eugène-Delacroix *Rue de la Pompe* | |
| 12 | 15e | Entrepreneurs (v. des) *Charles-Michels* | | G 4 | 17e | Eugène-Flachat *Pereire* | |
| 12 | 20e | Envierges (des) *Pyrénées* | | N 1 | 18e | Eugène-Fournière *Pte de Clignancourt* | |
| 13 | 5e | Épée-de-Bois (de l') *Censier-Daubenton* | | G 14 | 15e | Eugène-Gibez *Convention* | |
| 11 | 6e | Éperon (de l') *Odéon* | | T 13 | 12e | Eugène-Hatton (square) *Montgallet, Dugommier* | |
| L 2 | 17e | Épinettes (imp. des) *Pte de St-Ouen* | | U 4 | 19e | Eugène-Jumin *Pte de Pantin* | |
| 13 | 14e | Épinettes (pass. des) *Montparnasse-B.* | | C 9 | 16e | Eugène-Labiche *Av. H.-Martin* | |
| L 2 | 17e | Épinettes (des) *Guy-Môquet* | | U 5 | 19e | Eugène-Leblanc (villa) *Botzaris* | |
| T 6 | 19e | Équerre (de l') *Buttes-Chaumont* | | E 9 | 16e | Eugène-Manuel *Passy* | |
| O 9 | 1er | Équerre d'Argent (de l') | | E 9 | 16e | Eugène-Manuel (villa) *Passy* | |
| | | "Forum des Halles" *Châtelet-Les Halles* | | F 14 | 15e | Eugène-Millon *Convention* | |
| 12 | 12e | Erard (imp.) *Reuilly-Diderot* | | S 16 | 13e | Eugène-Oudiné *Bibliothèque François Mitterrand* | |
| 12 | 12e | Erard *Reuilly-Diderot* | | L 15 | 14e | Eugène-Pelletan *Denfert-Roch.* | |
| 12 | 13e | Erasme *Place Monge* | | D 11 | 16e | Eugène-Poubelle *Av. du Pdt-Kennedy* | |
| S 4 | 19e | Éric-Tabarly (promenade) *Laumière* | | X 10 | 20e | Eugène-Reisz *Pte de Montreuil* | |
| T 4 | 19e | Érik-Satie *Ourcq* | | Q 8 | 3e | Eugène-Spuller *Temple* | |
| 12 | 16e | Erlanger (av.) *Michel-A.-Molitor* | | O 3 | 18e | Eugène-Sue *Marcadet-Pois.* | |
| 12 | 16e | Erlanger *Michel-A.-Molitor* | | Q 5 | 10e | Eugène-Varlin *Château-Landon* | |
| 12 | 16e | Erlanger (villa) *Michel-A.-Molitor* | | U 5 | 19e | Eugénie-Cotton *Pl. des Fêtes* | |
| 13 | 16e | Ermitage (av. de l') *Chardon-Lagache* | | T 12 | 12e | Eugénie-Éboué *Reuilly-Diderot* | |
| U 7 | 20e | Ermitage (cité de l') *Gambetta* | | V 9 | 20e | Eugénie-Legrand *Gambetta* | |
| U 7 | 20e | Ermitage (de l') *Jourdain* | | G 7 | 8e | Euler *George-V* | |
| U 7 | 20e | Ermitage (villa de) *Jourdain* | | T 7 | 20e | Eupatoria (d') *Ménilmontant* | |
| 15 | 14e | Ernest-Cresson *Denfert-Roch.* | | K 15 | 14e | Eure (de l') *Pernety* | |
| 13 | 6e | Ernest-Denis (pl.) *Port-Royal* | | L 5 | 8e | Europe (pl. de l') *Europe* | |
| 16 | 13e | Ernest-et-Henri-Rousselle (pl.) *Tolbiac* | | S 4 | 19e | Euryale-Dehaynin *Laumière* | |
| 12 | 17e | Ernest-Goüin *Pte de Clichy* | | R 2 | 18e | Évangile (de l') *Marx-Dormoy* | |
| C 9 | 16e | Ernest-Hébert *Av. H.-Martin* | | X 6 | 20e | Évariste-Galois *St-Fargeau* | |
| 14 | 15e | Ernest-Hemingway *Bd Victor* | | V 8 | 20e | Éveillard (imp.) *Gambetta* | |
| P 3 | 18e | Ernestine *Marcadet-Pois.* | | S 3 | 19e | Évette *Crimée* | |
| 13 | 12e | Ernest-Lacoste *Pte Dorée* | | B 13 | 16e | Exelmans (bd) *Bd Victor, Exelmans, Pte d'Auteuil* | |
| 13 | 12e | Ernest-Lavisse *Pte de Vincennes* | | B 13 | 16e | Exelmans (hameau) *Exelmans* | |
| 14 | 12e | Ernest-Lefébure *Pte Dorée* | | H 10 | 7e | Exposition (de l') *École Militaire* | |
| W 7 | 20e | Ernest-Lefèvre *Pelleport* | | E 8 | 16e | Eylau (av. d') *Trocadéro* | |
| 10 | 7e | Ernest-Psichari *École Militaire* | | F 7 | 16e | Eylau (villa d') *Victor-Hugo* | |
| 15 | 15e | Ernest-Renan (av.) *Pte de Versailles* | | | | | |
| 13 | 15e | Ernest-Renan *Pasteur* | | | | | |
| 17 | 14e | Ernest-Reyer (av.) *Pte d'Orléans* | | | **F** | | |
| K 2 | 17e | Ernest-Roche *Pte de Clichy* | | | | | |
| 15 | 13e | Escadrille-Normandie-Niemen | | J 9 | 7e | Fabert *Invalides* | |
| | | (pl. de l') *Chevaleret* | | U 12 | 12e | Fabre-d'Églantine *Nation* | |
| R 2 | 19e | Escaut (de l') *Crimée* | | S 8 | 11e | Fabriques (cour des) *Parmentier* | |
| N 2 | 18e | Esclangon *Clignancourt* | | P 15 | 13e | Fagon *Pl. d'Italie* | |
| 16 | 12e | Escoffier *Pte de Charenton* | | T 11 | 11e | Faidherbe *Faidherbe-Chal.* | |
| | | | | D 7 | 16e | Faisanderie (de la) *Av. H.-Martin, Pte Dauphine* | |

# Faisanderie

| carr. | arr. | rue / street | Métro Tramway |
|---|---|---|---|
| D 7 | 16e | **Faisanderie** (villa de la) *Pte Dauphine* | |
| M 2 | 18e | **Falaise** (cité) *Pte de St-Ouen* | |
| W 8 | 20e | **Falaises** (villa des) *Pte de Bagnolet* | |
| O 4 | 18e | **Falconet** *Château-Rouge* | |
| J 13 | 15e | **Falguière** (cité) *Pasteur* | |
| J 14 | 15e | **Falguière** (pl.) *Volontaires* | |
| K 13 | 15e | **Falguière** *Pasteur* | |
| F 12 | 15e | **Fallempin** *Dupleix* | |
| C 13 | 16e | **Fantin-Latour** *Exelmans* | |
| F 5 | 17e | **Faraday** *Ternes* | |
| S 7 | 10/11e | **Faubourg-du-Temple** (du) *République, Goncourt, Belleville* | |
| N 7 | 9e | **Faubourg-Montmartre** *Rue-Montmartre, Le Peletier* | |
| O 6 | 9/10e | **Faubourg-Poissonnière** (du) *Bonne-Nouvelle, Poissonnière, Barbès-Roch.* | |
| U 12 | 11/12e | **Faubourg-St-Antoine** (du) *Bastille, Ledru-Rollin, Faidherbe-Chal., Nation* | |
| P 6 | 10e | **Faubourg-St-Denis** (du) *Strasbourg-St-Denis, Château-d'Eau, Gare de l'Est, Gare du Nord, La Chapelle* | |
| K 7 | 8e | **Faubourg-St-Honoré** (du) *Concorde, Miromesnil, St-Philippe-du-R., Ternes* | |
| N 14 | 14e | **Faubourg-St-Jacques** (du) *Port-Royal, St-Jacques* | |
| P 6 | 10e | **Faubourg-St-Martin** (du) *Strasbourg-St-Denis, Château-d'Eau, Gare de l'Est, Château-Landon, Louis-Blanc* | |
| T 7 | 20e | **Faucheur** (villa) *Pyrénées* | |
| P 11 | 4e | **Fauconnier** (du) *Pont-Marie* | |
| D 9 | 16e | **Faustin-Hélie** *La Muette* | |
| L 3 | 18e | **Fauvet** *La Fourche* | |
| N 7 | 2e | **Favart** *Richelieu-Drouot* | |
| H 14 | 15e | **Favorites** (des) *Vaugirard* | |
| V 14 | 12e | **Fécamp** (de) *Pte de Charenton, Michel-Bizot* | |
| G 11 | 15e | **Fédération** (de la) *Bir-Hakeim, Dupleix* | |
| O 9 | 1er | **Federico-Garcia-Lorca** (all.) *Les Halles* | |
| M 11 | 6e | **Félibien** *Odéon* | |
| D 11 | 16e | **Félicien-David** *Mirabeau* | |
| P 18 | 13e | **Félicien-Rops** (av.) *Pte d'Italie* | |
| J 4 | 17e | **Félicité** (de la) *Malesherbes* | |
| A 14 | 16e | **Félix-d'Hérelle** (av.) *Pte de St-Cloud* | |
| U 13 | 12e | **Félix-Éboué** (pl.) *Daumesnil* | |
| F 13 | 15e | **Félix-Faure** (av.) *Félix-Faure, Boucicaut, Lourmel, Balard* | |
| E 14 | 15e | **Félix-Faure** *Lourmel* | |
| U 5 | 19e | **Félix-Faure** (villa) *Pré-St-Gervais* | |
| W 12 | 20e | **Félix-Huguenet** *Pte de Vincennes* | |
| L 2 | 17e | **Félix-Pécaut** *Guy-Môquet* | |
| W 10 | 20e | **Félix-Terrier** *Pte de Montreuil* | |
| T 10 | 11e | **Félix-Voisin** *Ph.-Auguste* | |
| M 3 | 18e | **Félix-Ziem** *Lamarck-Caul.* | |
| N 5 | 9e | **Fénelon** (cité) *Anvers* | |
| O 5 | 10e | **Fénelon** *Barbès-Roch.* | |
| G 13 | 15e | **Fenoux** *Vaugirard* | |
| P 14 | 5e | **Fer-à-Moulin** (du) *Censier-Daubenton* | |
| L 15 | 14e | **Ferdinand-Brunot** (pl.) *Mouton-Duvernet* | |
| A 14 | 16e | **Ferdinand-Buisson** (av.) *Pte de St-Cloud* | |
| V 15 | 12e | **Ferdinand-de-Behagle** *Pte de Charenton* | |
| P 10 | 4e | **Ferdinand-Duval** *St-Paul* | |
| G 14 | 15e | **Ferdinand-Fabre** *Convention* | |
| O 3 | 18e | **Ferdinand-Flocon** *Jules-Joffrin* | |
| W 11 | 20e | **Ferdinand-Gambon** *Maraîchers* | |
| J 5 | 8e | **Ferdousi** (av.) *Monceau* | |
| F 6 | 17e | **Férembach** (cité) *Pte Maillot* | |
| L 14 | 14e | **Fermat** (pass.) *Gaîté* | |
| L 14 | 14e | **Fermat** *Gaîté* | |
| T 7 | 20e | **Ferme de Savy** (de la) *Pyrénées* | |
| P 6 | 10e | **Ferme-St-Lazare** (cour de la) *Gare de l'Est* | |
| P 6 | 10e | **Ferme-St-Lazare** (pass. de la) *Gare de l'Est* | |
| N 9 | 1er | **Fermes** (cour des) *Louvre* | |
| J 4 | 17e | **Fermiers** (des) *Malesherbes* | |
| R 14 | 13e | **Fernand-Braudel** *Quai de la Gare* | |
| H 3 | 17e | **Fernand-Cormon** *Pereire* | |
| J 4 | 17e | **Fernand-de-la-Tombelle** (sq.) *Villiers* | |
| E 11 | 15e | **Fernand-Forest** (pl.) *Javel* | |
| X 12 | 12e | **Fernand-Foureau** *Pte de Vincennes* | |
| J 14 | 14e | **Fernand-Holweck** *Pernety* | |
| N 1 | 18e | **Fernand-Labori** *Pte de Clignancourt* | |
| U 8 | 20e | **Fernand-Léger** *Père-Lachaise* | |
| L 13 | 14e | **Fernand-Mourlot** (place) *Edgar-Quinet* | |
| L 1 | 17e | **Fernand-Pelloutier** (sq.) *Pte de St-Ouen* | |
| U 7 | 20e | **Fernand-Raynaud** *Pyrénées* | |
| Q 18 | 13e | **Fernand-Widal** *Pte d'Italie* | |
| M 11 | 6e | **Férou** *St-Sulpice* | |
| O 9 | 1er | **Ferronnerie** (de la) *Châtelet* | |
| N 15 | 14e | **Ferrus** *Glacière* | |
| T 6 | 19e | **Fessart** *Jourdain, Buttes-Chaumont* | |
| U 6 | 19e | **Fêtes** (pl. des) *Pl. des Fêtes* | |
| U 6 | 19e | **Fêtes** (des) *Pl. des Fêtes* | |
| N 13 | 5e | **Feuillantines** (des) *Port-Royal* | |
| L 8 | 1er | **Feuillants** (terrasse des) *Tuileries* | |
| O 4 | 18e | **Feutrier** *Château-Rouge* | |
| N 7 | 2e | **Feydeau** (galerie) *Richelieu-Drouot* | |
| N 7 | 2e | **Feydeau** *Bourse* | |
| P 6 | 10e | **Fidélité** (de la) *Gare de l'Est* | |
| P 10 | 4e | **Figuier** (du) *Pont-Marie* | |
| Q 9 | 3/11e | **Filles-du-Calvaire** (bd des) *St-Sébastien-Froissart, Filles-du-Calva.* | |
| Q 9 | 3e | **Filles-du-Calvaire** (des) *Filles-du-Calvaire* | |
| N 7 | 2e | **Filles-St-Thomas** (des) *Bourse* | |
| Q 1 | 18e | **Fillettes** (imp. des) *Pte de la Chapelle* | |
| Q 2 | 18e | **Fillettes** (des) *Pte de la Chapelle* | |
| J 9 | 7e | **Finlande** (pl. de) *Invalides* | |
| M 2 | 18e | **Firmin-Gémier** *Pte de St-Ouen* | |
| F 15 | 15e | **Firmin-Gillot** *Pte de Versailles* | |
| H 15 | 15e | **Fizeau** *Brancion* | |
| R 4 | 19e | **Flandre** (pass. de) *Riquet* | |
| S 2 | 19e | **Flandre** (av. de) *Stalingrad, Riquet, Crimée, Corentin-Cariou* | |
| D 8 | 16e | **Flandrin** (bd) *Av. H.-Martin, Av. Foch* | |
| O 14 | 5e | **Flatters** *Les Gobelins* | |
| N 6 | 9e | **Fléchier** *N.-D.-de-Lorette* | |
| T 6 | 19e | **Fleurie** (villa) *Botzaris* | |
| K 2 | 17e | **Fleurs** (cité des) *Brochant* | |
| O 11 | 4e | **Fleurs** (q. aux) *Cité* | |
| M 12 | 6e | **Fleurus** (de) *St-Placide* | |
| P 4 | 18e | **Fleury** *Barbès-Roch.* | |
| K 15 | 14e | **Flora-Tristan** (pl.) *Pernety* | |
| N 17 | 13e | **Florale** (cité) *Cité-Universitaire* | |
| C 11 | 16e | **Flore** (villa) *Michel-A.-Auteuil* | |
| K 1 | 17e | **Floréal** *Pte de St-Ouen* | |
| L 5 | 8e | **Florence** (de) *Pl. de Clichy* | |
| D 11 | 16e | **Florence-Blumenthal** *Mirabeau* | |
| T 5 | 19e | **Florentine** (cité) *Botzaris* | |
| C 12 | 16e | **Florentine-Estrade** (cité) *Égl. d'Auteuil* | |
| V 9 | 20e | **Florian** *Maraîchers* | |
| K 15 | 14e | **Florimont** (imp.) *Plaisance* | |
| L 2 | 17e | **Flourens** (pass.) *Pte de St-Ouen* | |
| F 7 | 16e | **Foch** (av.) *Ch.-de-Gaulle, Victor-Hugo, Pte Dauph.* | |
| Q 10 | 3e | **Foin** (du) *Chemin-Vert* | |
| R 9 | 11e | **Folie-Méricourt** (de la) *St-Ambroise, Oberkampf* | |
| T 9 | 11e | **Folie-Regnault** (pass. de la) *Père-Lachaise* | |
| T 10 | 11e | **Folie-Regnault** (de la) *Ph.-Auguste, Père-Lachaise* | |
| G 12 | 15e | **Fondary** *Émile-Zola* | |
| G 12 | 15e | **Fondary** (villa) *Émile-Zola* | |
| S 8 | 11e | **Fonderie** (pass. de la) *Parmentier* | |
| U 14 | 12e | **Fonds-Verts** (des) *Dugommier* | |
| M 5 | 9e | **Fontaine** *Blanche* | |

| arr. | arr. | rue / street | Métro Tramway |
|---|---|---|---|
| 17 | 13e | **Fontaine-à-Mulard** (de la) *Poterne des Peupliers* |  |
| R 8 | 11e | **Fontaine-au-Roi** (de la) *Goncourt* |  |
| R 8 | 11e | **Fontaine-aux-Lions** (pl. de la) *Pte de Pantin* |  |
| R 8 | 11e | **Fontaine-Timbaud** (pl. de la) *Parmentier* |  |
| U 4 |  | **Fontainebleau** (all. de) *Pte de Pantin* |  |
| N 3 | 18e | **Fontaine-du-But** (la) *Lamarck-Caul.* |  |
| P 8 |  | **Fontaines-du-Temple** (des) *Arts-et-Métiers* |  |
| 10 | 20e | **Fontarabie** (du) *A.-Dumas* |  |
| U 5 | 19e | **Fontenay** (villa de) *Danube* |  |
| 11 | 7e | **Fontenoy** (pl. de) *Ségur* |  |
| U 1 | 19e | **Forceval** *Pte de la Villette* |  |
| L 4 | 18e | **Forest** *Pl. de Clichy* |  |
| Q 8 | 3e | **Forez** (du) *Filles-du-Calvaire* |  |
| O 8 | 2e | **Forge-Royale** *Ledru-Rollin* |  |
| O 8 | 2e | **Forges** (des) *Sentier* |  |
| H 7 | 17e | **Fort-de-Vaux** (bd du) *Pte de Champerret* |  |
| H 7 | 17e | **Fortin** (imp.) *St-Philippe-.du-R.* |  |
| K 1 | 17e | **Fortuny** *Malesherbes* |  |
| O 9 | 1er | **Forum des Halles** *Châtelet-Les Halles* |  |
| 12 | 5e | **Fossés-St-Bernard** (des) *Cardinal-Lemoine* |  |
| 12 | 5e | **Fossés-St-Jacques** (des) *Luxembourg* |  |
| 14 | 5e | **Fossés-St-Marcel** (des) *St-Marcel* |  |
| 11 | 5e | **Fouarre** (du) *Maubert-Mutualité* |  |
| 17 | 13e | **Foubert** (pass.) *Tolbiac* |  |
| G 9 | 16e | **Foucault** *Iéna* |  |
| W 7 | 20e | **Fougères** (des) *St-Fargeau* |  |
| 14 | 6e | **Four** (du) *Mabillon, St-Sulpice* |  |
| G 5 | 17e | **Fourcade** *Convention* |  |
| 10 | 4e | **Fourcroy** *Ternes* |  |
| 10 | 4e | **Fourcy** (de) *St-Paul* |  |
| K 3 | 17e | **Fourneyron** *Brochant* |  |
| R 5 | 19e | **Fours-à-Chaux** (pass. des) *Bolívar* |  |
| N 4 | 18e | **Foyatier** *Anvers* |  |
| K 2 |  | **Fragonard** *Pl. de Clichy* |  |
| 12 | 12e | **Fraisiers** (ruelle des) *Gare de Lyon* |  |
| 15 | 13e | **Française** *Étienne-Marcel* |  |
| 15 | 13e | **France** (av. de) *Bibliothèque François Mitterrand, Quai de la Gare* |  |
| Q 8 | 3e | **Franche-Comté** (de) *Filles-du-Calvaire* |  |
| 11 | 11e | **Franchemont** (imp.) *Charonne* |  |
| P 3 | 18e | **Francis-Carco** *Marx-Dormoy* |  |
| O 1 | 18e | **Francis-de-Croisset** *Pte de Clignancourt* |  |
| 18 | 13e | **Francis-de-Miomandre** *Stade Charlety* |  |
| 15 | 14e | **Francis-de-Pressensé** *Pernety* |  |
| L 1 | 17e | **Francis-Garnier** *Pte de St-Ouen* |  |
| R 5 | 10e | **Francis-Jammes** *Colonel-Fabien* |  |
| T 7 | 20e | **Francis-Picabia** *Couronnes* |  |
| U 5 | 19e | **Francis-Ponge** *Danube* |  |
| T 4 | 19e | **Francis-Poulenc** (pl.) *Ourcq* |  |
| 11 | 6e | **Francisque-Gay** *St-Michel* |  |
| E 9 | 16e | **Francisque-Sarcey** *Passy* |  |
| S 17 | 13e | **Franc-Nohain** *Pte d'Ivry* |  |
| N 3 | 18e | **Francœur** *Lamarck-Caul.* |  |
| 13 | 12e | **François-Bloch-Lainé** *Gare d'Austerlitz* |  |
| 12 | 15e | **François-Bonvin** *Sèvres-Lecourbe* |  |
| 13 | 16e | **François-Coppée** *Boucicaut* |  |
| 10 | 11e | **François-de-Neufchâteau** (pass.) *Voltaire* |  |
| 12 | 16e | **François-Gérard** *Égl. d'Auteuil* |  |
| 15 | 13e | **François-Mauriac** (q.) *Quai Gare, Bibliothèque François Mitterrand* |  |
| 11 | 16e | **François-Millet** *Jasmin* |  |
| M 9 | 1er | **François-Mitterrand** (q.) *Palais-Royal, Louvre-Rivoli* |  |
| 10 | 4e | **François-Miron** *St-Paul* |  |
| 14 | 13e | **François-Mouthon** *Boucicaut* |  |
| 15 | 19e | **François-Pinton** *Danube* |  |
| 10 | 16e | **François-Ponsard** *La Muette* |  |
| H 8 | 8e | **François-1er** (pl.) *F.-D.-Roosevelt* |  |
| H 8 | 8e | **François-1er** *F.-D.-Roosevelt, George-V* |  |
| T 15 | 12e | **François-Truffaut** *Cour St-Émilion* |  |
| G 14 | 15e | **François-Villon** *Convention* |  |
| T 16 | 13e | **Françoise-Dolto** *Bibliothèque François Mitterrand* |  |
| G 9 |  | **Franco-Russe** (av.) *Pt de l'Alma* |  |
| Q 10 | 3/4e | **Francs-Bourgeois** (des) *St-Paul, Rambuteau* |  |
| J 8 | 8e | **Franklin-Delano-Roosevelt** (av.) *F.-D.-Roosevelt, St-Philippe-du-R.* |  |
| H 15 | 15e | **Franquet** *Plaisance* |  |
| D 9 | 16e | **Franqueville** (de) *La Muette* |  |
| O 6 | 10e | **Franz-Liszt** (pl.) *Poissonnière* |  |
| U 5 | 19e | **Fraternité** (de la) *Danube* |  |
| H 7 | 8e | **Frédéric-Bastiat** *St-Philippe-du-R.* |  |
| L 1 | 17e | **Frédéric-Brunet** *Pte de St-Ouen* |  |
| U 6 | 20e | **Frédérick-Lemaître** *Jourdain* |  |
| H 10 | 7e | **Frédéric-Le-Play** (av.) *École Militaire* |  |
| W 11 | 20e | **Frédéric-Loliée** *Maraîchers* |  |
| F 13 | 15e | **Frédéric-Magisson** *Félix-Faure* |  |
| E 14 | 15e | **Frédéric-Mistral** *Lourmel* |  |
| F 14 | 15e | **Frédéric-Mistral** (villa) *Lourmel* |  |
| V 5 | 19e | **Frédéric-Mourlon** *Pré-St-Gervais* |  |
| O 11 | 5e | **Frédéric-Sauton** *Maubert-Mutualité* |  |
| N 1 | 18e | **Frédéric-Schneider** *Pte de Clignancourt* |  |
| H 14 | 15e | **Frédéric-Vallois** (sq.) *Convention* |  |
| T 7 | 20e | **Fréhel** (pl.) *Pyrénées* |  |
| G 12 | 15e | **Frémicourt** *Cambronne, Émile-Zola* |  |
| E 10 | 16e | **Frémiet** (av.) *Passy* |  |
| V 10 | 20e | **Fréquel** (pass.) *A.-Dumas* |  |
| Q 17 | 13e | **Frères-d'Astier-de-la-Vigerie** (des) *Maison-Blanche* |  |
| X 6 | 20e | **Frères-Flavien** (des) *Pte des Lilas* |  |
| F 13 | 15e | **Frères-Morane** (des) *Félix-Faure* |  |
| G 8 | 15e | **Frères-Périer** (des) *Alma-Marceau* |  |
| C 16 | 15e | **Frères-Voisin** (bd des) *Corentin Celton, Issy Val-de-Seine* |  |
| C 16 | 15e | **Frères-Voisin** (all. des) *Corentin Celton* |  |
| G 9 | 16e | **Fresnel** *Iéna* |  |
| G 8 | 16e | **Freycinet** *Alma-Marceau* |  |
| L 16 | 14e | **Friant** *Alésia, Pte d'Orléans* |  |
| H 6 | 8e | **Friedland** (av.) *Ch.-de-G.-Étoile* |  |
| S 15 | 13e | **Frigos** (des) *Bibliothèque François Mitterrand* |  |
| N 5 | 9e | **Frochot** (av.) *Pigalle* |  |
| M 5 | 9e | **Frochot** *Pigalle* |  |
| L 14 | 14e | **Froidevaux** *Denfert-Roch., Gaîté* |  |
| Q 9 | 3e | **Froissart** *St-Sébastien-Froissart* |  |
| R 10 | 11e | **Froment** *Bréguet-Sabin* |  |
| M 5 | 9e | **Fromentin** *Blanche* |  |
| L 1 | 17e | **Fructidor** *Pte de St-Ouen* |  |
| R 14 | 15e | **Fulton** *Quai de la Gare* |  |
| M 10 | 6e | **Fürstemberg** (de) *St-Germain-des-P.* |  |
| K 15 | 14e | **Furtado-Heine** *Alésia* |  |
| N 13 | 5e | **Fustel-de-Coulanges** *Port-Royal* |  |

## G

| arr. | arr. | rue / street | Métro Tramway |
|---|---|---|---|
| W 12 | 12e | **Gabon** (du) *Pte de Vincennes* |  |
| K 8 | 8e | **Gabriel** (av.) *Ch.-Elysées-C.* |  |
| K 13 | 16e | **Gabriel** (villa) *Falguière* |  |
| J 4 | 17e | **Gabriel-Fauré** (sq.) *Malesherbes* |  |
| T 15 | 12e | **Gabriel-Lamé** *Cour St-Émilion* |  |
| O 7 | 10e | **Gabriel-Laumain** *Bonne-Nouvelle* |  |
| N 4 | 18e | **Gabrielle** *Abbesses* |  |
| S 6 | 19e | **Gabrielle-d'Estrée** (all.) *Belleville* |  |
| L 6 | 8e | **Gabriel-Péri** (pl.) *St-Lazare* |  |
| Q 8 | 3e | **Gabriel-Vicaire** *Temple* |  |
| R 9 | 11e | **Gaby-Sylvia** *Richard-Lenoir* |  |
| H 14 | 15e | **Gager-Gabillot** *Vaugirard* |  |
| V 6 | 20e | **Gagliardini** (villa) *Pte des Lilas* |  |
| M 7 | 2e | **Gaillon** (pl.) *4-sept* |  |
| M 8 | 2e | **Gaillon** *Opéra* |  |

# Gaîté

| carr. | arr. | rue / street | Métro Tramway |
|---|---|---|---|
| L 13 | 14e | **Gaîté** (imp. de la) | Edgar-Quinet |
| L 13 | 14e | **Gaîté** (bd) | Edgar-Quinet |
| O 11 | 5e | **Galande** | Maubert-Mutualité |
| G 7 | 8/16e | **Galilée** | Boissière, George-V |
| W 9 | 20e | **Galleron** | Pte de Bagnolet |
| C 15 | 15e | **Gallieni** (bd) | Bd Victor |
| G 8 | 16e | **Galliéra** (de) | Iéna |
| F 4 | 17e | **Galvani** | Pte de Champerret |
| W 6 | 20e | **Gambetta** (av.) | Père-Lachaise, Gambetta, Pelleport, St-Fargeau, Pte des Lilas |
| V 7 | 20e | **Gambetta** (pass.) | St-Fargeau |
| V 8 | 20e | **Gambetta** (pl.) | Gambetta |
| R 8 | 11e | **Gambey** | Parmentier |
| Q 17 | 13e | **Gandon** | Maison-Blanche |
| L 3 | 18e | **Ganneron** | La Fourche |
| L 3 | 18e | **Ganneron** (pass.) | La Fourche |
| U 3 | 19e | **Garance** (all. de la) | Pte de Pantin |
| M 11 | 6e | **Garancière** | Mabillon |
| P 4 | 18e | **Gardes** (des) | Barbès-Roch. |
| T 16 | 13e | **Gare** (q. de la) | Quai de la Gare |
| S 15 | 13e | **Gare** (port de la) | Quai de la Gare |
| R 1 | 19e | **Gare** (de la) | Crimée |
| U 13 | 12e | **Gare-de-Reuilly** (la) | Daumesnil |
| K 15 | 14e | **Garenne** (de la) | Pernety |
| J 12 | 15e | **Garibaldi** (bd) | Cambronne, Sèvres-Lecourbe |
| C 14 | 15/16e | **Garigliano** (du) | Exelmans |
| K 13 | 15e | **Garnier** (villa) | Falguière |
| T 3 | 19e | **Garonne** (q. de la) | Ourcq |
| M 4 | 18e | **Garreau** | Abbesses |
| X 10 | 20e | **Gascogne** (sq. de la) | Pte de Montreuil |
| U 8 | 20e | **Gasnier-Guy** | Gambetta |
| L 14 | 14e | **Gassendi** | Denfert-Roch. |
| O 2 | 18e | **Gaston-Auguet** | Simplon |
| K 16 | 14e | **Gaston-Bachelard** (all.) | Didot |
| F 5 | 17e | **Gaston-Bertandeau** (sq.) | Pte Maillot |
| G 16 | 15e | **Gaston-Boissier** | Georges Brassens |
| N 3 | 18e | **Gaston-Couté** | Lamarck-Caul. |
| R 1 | 19e | **Gaston-Darboux** | Pte de la Chapelle |
| E 11 | 15e | **Gaston-de-Caillavet** | Charles-Michels |
| G 8 | 16e | **Gaston-de-St-Paul** | Alma-Marceau |
| L 10 | 7e | **Gaston-Gallimard** | Rue du Bac |
| M 13 | 6e | **Gaston-Monnerville** (espl.) | Port-Royal |
| U 4 | 19e | **Gaston-Pinot** | Danube |
| R 4 | 19e | **Gaston-Rébuffat** | Stalingrad |
| R 2 | 19e | **Gaston-Tessier** | Corentin Cariou |
| Q 1 | 19e | **Gaston-Tissandier** | Pte de la Chapelle |
| S 12 | 12e | **Gatbois** (pass.) | Gare de Lyon |
| V 8 | 20e | **Gâtines** (des) | Gambetta |
| S 8 | 11e | **Gaudelet** (villa) | Ménilmontant |
| M 16 | 14e | **Gauguet** | Alésia |
| H 3 | 17e | **Gauguin** | Pereire |
| K 2 | 17e | **Gauthey** | Brochant |
| S 6 | 19e | **Gauthier** (pass.) | Buttes-Chaumont |
| E 9 | 16e | **Gavarni** | Passy |
| N 13 | 5e | **Gay-Lussac** | Luxembourg |
| N 17 | 14e | **Gazan** | Cité Universitaire |
| K 5 | 19e | **Geffroy-Didelot** (pass.) | Villiers |
| D 6 | 16e | **Général-Anselin** (du) | Pte Maillot |
| D 7 | 16e | **Général-Appert** (du) | Pte Dauphine |
| X 14 | 12e | **Général-Archinard** (du) | Pte Dorée |
| D 10 | 16e | **Général-Aubé** (du) | La Muette |
| B 12 | 16e | **Général-Balfourier** (av. du) | Michel-A.-Molitor |
| G 11 | 15e | **Général-Baratier** (du) | La Motte-Picquet |
| J 12 | 7e | **Général-Bertrand** (du) | Duroc |
| H 13 | 15e | **Général-Beuret** (pl. du) | Vaugirard |
| H 13 | 15e | **Général-Beuret** (du) | Vaugirard |
| S 9 | 11e | **Général-Blaise** (du) | St-Ambroise |
| H 6 | 8e | **Général-Brocard** (pl. du) | Courcelles |
| U 5 | 19e | **Général-Brunet** (du) | Botzaris, Danube |
| G 10 | 7e | **Général-Camou** (du) | Pt de l'Alma |
| F 4 | 17e | **Général-Casso** (espl. du) | Pte de Champerret |
| | | **Général-Catroux** (pl. du) | Malesherbes |
| B 14 | 16e | **Général-Clavery** (av. du) | Pte de St-Cloud |
| E 7 | 16e | **Général-Clergerie** (du) | Victor-Hugo |
| U 4 | 19e | **Général-Cochet** (pl. du) | Pte de Pantin |
| G 11 | 15e | **Général-de-Castelnau** (du) | La Motte-Picquet |
| U 16 | 12e | **Général-de-Langle-de-Cary** (du) | Pte de Charenton |
| G 11 | 15e | **Général-de-Larminat** (du) | La Motte-Picquet |
| B 13 | 16e | **Général-Delestraint** (du) | Exelmans |
| K 17 | 14e | **Général-de-Maud'huy** (du) | Jean Moulin |
| G 11 | 15e | **Général-Denain** (all. du) | Dupleix |
| G 11 | 7e | **Général-Détrie** (av. du) | La Motte-Picquet |
| W 15 | 12e | **Général-Dodds** (av. du) | Pte Dorée |
| C 11 | 16e | **Général-Dubail** (av. du) | Ranelagh |
| J 8 | 8e | **Général-Eisenhower** (av. du) | Ch.-Élysées-C |
| E 13 | 15e | **Général-Estienne** (du) | Charles-Michels |
| G 10 | 7e | **Général-Ferrié** (av. du) | Champ de Mars |
| K 6 | 8e | **Général-Foy** (du) | Villiers |
| G 10 | 7e | **Général-Gouraud** (pl. du) | Pt de l'Alma |
| B 14 | 16e | **Général-Grossetti** (du) | Pte de St-Cloud |
| S 9 | 11e | **Général-Guilhem** (du) | Rue St-Maur |
| F 16 | 15e | **Général-Guillaumat** (du) | Georges Brassens |
| L 2 | 17e | **Général-Henrys** (du) | Pte St-Ouen |
| H 16 | 14e | **Général-Humbert** (du) | Pte de Vanves |
| S 7 | 19e | **Général-Ingold** (du) | Belleville |
| G 11 | 7/15e | **Général-Jacques-Pâris-de-Bollardière** (carref.) | La Motte-Picquet |
| S 17 | 13e | **Général-Jean-Simon** (bd du) | Biblioth. François Mitterrand, Porte d'Ivr |
| E 5 | 17e | **Général-Kœnig** (pl. du) | Pte Maillot |
| G 10 | 7e | **Général-Lambert** (du) | Champ de Mars |
| E 9 | 16e | **Général-Langlois** (du) | Rue de la Pompe |
| G 6 | 17e | **Général-Lanrezac** (du) | Ch.-de-G.-Étoile |
| W 15 | 12e | **Général-Laperrine** (av. du) | Pte Dorée |
| C 11 | 16e | **Général-Largeau** (du) | Michel-A.-Auteuil |
| S 6 | 19e | **Général-Lasalle** (du) | Belleville |
| M 15 | 14e | **Général-Leclerc** (av. du) | Denfert-Roch., Mouton-Duvernet, Alésia, Pte d'Orléans |
| M 9 | 1er | **Général-Lemonnier** (du) | Tuileries |
| D 14 | 15e | **Général-Lucotte** (du) | Balard |
| K 17 | 14e | **Général-Maistre** (av. du) | Didot |
| B 14 | 16e | **Général-Malleterre** (av. du) | Pte de St-Cloud |
| E 10 | 16e | **Général-Mangin** (av. du) | Av. du Pdt-Kennedy |
| D 14 | 15e | **Général-Margueritte** (av. du) | École Militaire |
| D 14 | 15e | **Général-Martial-Valin** (bd du) | Bd Victor, Balard |
| W 14 | 12e | **Général-Messimy** (av. du) | Pte Dorée |
| V 14 | 12e | **Général-Michel-Bizot** (av. du) | Pte de Charenton, Michel-Bizot, Bel-Air |
| J 15 | 15e | **Général-Monclar** (av. du) | Plaisance |
| W 12 | 20e | **Général-Niessel** (du) | Pte de Vincennes |
| B 14 | 16e | **Général-Niox** (av. du) | Pte de St-Cloud |
| F 6 | 16e | **Général-Patton** (du) | Pte de St-Cloud |
| S 9 | 11e | **Général-Renault** (du) | St-Ambroise |
| A 13 | 16e | **Général-Roques** (av. du) | Pte de St-Cloud |
| S 6 | 19e | **Général-San-Martin** (av. du) | Buttes-Chaum |
| A 12 | 16e | **Général-Sarrail** (av. du) | Pte d'Auteuil |
| J 16 | 14e | **Général-Séré-de-Rivières** (du) | Didot |
| A 13 | 16e | **Général-Stéfanik** (pl. du) | Pte de St-Cloud |
| W 11 | 20e | **Général-Tessier-de-Marguerittes** (pl. du) | Pte de Montreuil |
| G 10 | 7e | **Général-Tripier** (du) | Dupleix |
| D 7 | 16e | **Généraux-de-Trentinian** (pl. des) | Pte Dauphine |
| T 7 | 20e | **Gênes** (cité de) | Couronnes |
| U 12 | 12e | **Génie** (pass. du) | Reuilly-Diderot |
| W 8 | 20e | **Géo-Chavez** | Pte de Bagnolet |
| P 9 | 4e | **Geoffroy-l'Angevin** | Rambuteau |
| P 10 | 4e | **Geoffroy-l'Asnier** | St-Paul |

| carr. | arr. | rue / street | Métro Tramway |
|---|---|---|---|
| N 6 | 9e | **Geoffroy-Marie** Grands-Boulevards | |
| O 5 | 5e | **Geoffroy-St-Hilaire** St-Marcel, Monge | |
| R 6 | 10e | **Georg-Friedrich-Haendel** Colonel-Fabien | |
| C 14 | 13e | **George-Balanchine** Quai de la Gare | |
| F 11 | 15e | **George-Bernard-Shaw** Dupleix | |
| H 8 | 8e | **George-V** (av.) Alma-Marceau, George-V | |
| F 16 | 13e | **George-Eastman** Pl. d'Italie | |
| T 14 | 12e | **George-Gershwin** Cour St-Emilion | |
| H 11 | 16e | **George-Sand** Égl. d'Auteuil | |
| H 11 | 16e | **George-Sand** (villa) Jasmin | |
| T 4 | 19e | **Georges-Auric** Ourcq | |
| J 5 | 17e | **Georges-Berger** Monceau | |
| M 13 | 5e | **Georges-Bernanos** (av.) Port-Royal | |
| L 6 | 9e | **Georges-Berry** (pl.) Havre-Caum. | |
| G 8 | 16e | **Georges-Besse** (all.) Raspail, Edgar-Quinet | |
| F 12 | 14e | **Georges-Braque** Montsouris | |
| J 14 | 12e | **Georges-Citerne** Dupleix | |
| L 17 | 14e | **Georges-Contenot** (sq.) Daumesnil | |
| J 13 | 5e | **Georges-Desplas** Censier-Daubenton | |
| J 14 | 15e | **Georges-de-Porto-Riche** Pte d'Orléans | |
| G 11 | 15e | **Georges-Duhamel** Pernety | |
| J 13 | 12e | **Georges-Dumézil** Dupleix | |
| H 6 | 8e | **Georges et Maï-Politzer** Montgallet | |
| J 14 | 14e | **Georges-Guillaumin** (pl.) Ch.-de-G.-Étoile | |
| J 17 | 14e | **Georges-Lafenestre** (av.) Didot | |
| A 14 | 16e | **Georges-Lafont** (av.) Pte de St-Cloud | |
| S 6 | 19e | **Georges-Lardennois** Colonel-Fabien | |
| J 14 | 15e | **Georges-Leclanché** Volontaires | |
| R 12 | 12e | **Georges-Lesage** (sq.) Quai de la Rapée | |
| C 9 | 16e | **Georges-Leygues** Av. H.-Martin | |
| E 9 | 16e | **Georges-Mandel** | |
| | | (av.) Trocadéro, Rue de la Pompe | |
| J 12 | 15e | **Georges-Mulot** (pl.) Sèvres-Lecourbe | |
| W 8 | 20e | **Georges-Perec** Pte de Bagnolet | |
| J 14 | 15e | **Georges-Pitard** Plaisance | |
| O 9 | 3e | **Georges-Pompidou** (pl.) Rambuteau | |
| P 11 | 4e | **Georges-Pompidou** (voie) | |
| R 5 | 19e | **Georges-Récipon** (all.) Bolivar | |
| B 13 | 16e | **Georges-Risler** (av.) Exelmans | |
| T 7 | 20e | **Georges-Rouault** (all.) Couronnes | |
| L 15 | 14e | **Georges-Saché** Mouton-Duvernet | |
| U 4 | 19e | **Georges-Thill** Ourcq | |
| M 5 | 9/18e | **Geaorges-Ulmer** (prom.) Pigalle | |
| F 7 | 16e | **Georges-Ville** Victor-Hugo | |
| M 2 | 18e | **Georgette-Agutte** Pte de St-Ouen | |
| V 7 | 20e | **Georgina** (villa) Télégraphe | |
| O 5 | 9e | **Gérando** Anvers | |
| O 16 | 13e | **Gérard** Pl. d'Italie | |
| M 1 | 18e | **Gérard-de-Nerval** Pte de St-Ouen | |
| H 6 | 8e | **Gérard-Oury** (all.) Courcelles | |
| C 8 | 16e | **Gérard-Philipe** Av. H.-Martin | |
| G 14 | 15e | **Gerbert** Vaugirard | |
| T 10 | 11e | **Gerbier** Ph.-Auguste | |
| J 15 | 14e | **Gergovie** (pass. de) Plaisance | |
| K 15 | 14e | **Gergovie** (de) Pernety | |
| B 12 | 16e | **Géricault** Michel-A.-Auteuil | |
| M 4 | 18e | **Germain-Pilon** (cité) Pigalle | |
| M 4 | 18e | **Germain-Pilon** Pigalle | |
| T 3 | 19e | **Germaine-Tailleferre** Ourcq | |
| T 14 | 12e | **Gerty-Archimède** Cour St-Emilion | |
| G 4 | 17e | **Gervex** Pereire | |
| O 10 | 4e | **Gesvres** (q. de) Châtelet | |
| R 4 | 13e | **Giffard** Quai de la Gare | |
| E 13 | 17e | **Gilbert-Perroy** (pl.) Mouton-Duvernet | |
| M 14 | 14e | **Gilbert-Privat** (pl.) Denfert-Roch. | |
| T 14 | 12e | **Ginette-Hamelin** (pl.) Cour St-Émilion, Bercy | |
| O 1 | 18e | **Ginette-Neuve** Pte de Clignancourt | |
| S 13 | 12e | **Ginkgo** (cour du) Bercy | |
| F 12 | 15e | **Ginoux** Charles-Michels | |

| carr. | arr. | rue / street | Métro Tramway |
|---|---|---|---|
| K 16 | 14e | **Giordano-Bruno** Jean Moulin | |
| M 3 | 18e | **Girardin** (imp.) Lamarck-Caul. | |
| N 3 | 18e | **Girardon** Lamarck-Caul. | |
| B 12 | 16e | **Girodet** Michel-A.-Auteuil | |
| T 12 | 19e | **Gironde** (q. de la) Corentin-Cariou | |
| N 11 | 6e | **Gît-le-Cœur** St-Michel | |
| O 14 | 13e | **Glacière** (de la) Les Gobelins, Glacière | |
| W 6 | 20e | **Glaïeuls** (des) Pte des Lilas | |
| D 11 | 16e | **Glizières** (villa des) Mirabeau | |
| M 7 | 9e | **Gluck** Opéra | |
| O 17 | 13e | **Glycines** (des) Stade Charléty | |
| P 15 | 5/13e | **Gobelins** (av. des) Les Gobelins, Pl. d'Italie | |
| O 14 | 13e | **Gobelins** (des) Les Gobelins | |
| P 15 | 13e | **Gobelins** (villa des) Les Gobelins | |
| T 10 | 11e | **Gobert** Charonne | |
| P 15 | 13e | **Godefroy** Pl. d'Italie | |
| S 10 | 11e | **Godefroy-Cavaignac** Voltaire | |
| V 9 | 20e | **Godin** (villa) A.-Dumas | |
| L 7 | 9e | **Godot-de-Mauroy** Madeleine | |
| G 8 | 16e | **Gœthe** Alma-Marceau | |
| Q 4 | 19e | **Goix** (pass.) Stalingrad | |
| O 8 | 2e | **Goldoni** (place) Étienne-Marcel | |
| M 8 | 1er | **Gomboust** (imp.) Pyramides | |
| M 8 | 1er | **Gomboust** Pyramides | |
| R 7 | 11e | **Goncourt** (des) Goncourt | |
| U 11 | 11e | **Gonnet** Rue des Boulets | |
| A 12 | 16e | **Gordon-Bennett** (av.) Pte d'Auteuil | |
| V 14 | 12e | **Gossec** Michel-Bizot | |
| W 12 | 12e | **Got** (sq.) Pte de Vincennes | |
| U 4 | 19e | **Goubet** Danube | |
| H 5 | 17e | **Gounod** Wagram | |
| G 4 | 17e | **Gourgaud** (av.) Pereire | |
| O 17 | 13e | **Gouthière** Poterne des Peupliers | |
| P 4 | 18e | **Goutte-d'Or** (de la) Barbès-Roch. | |
| F 4 | 17e | **Gouvion-St-Cyr** | |
| | | (bd) Pte de Champerret, Pte Maillot | |
| F 5 | 17e | **Gouvion-St-Cyr** (sq.) Pte Maillot | |
| M 11 | 6e | **Gozlin** St-Germain-des-P. | |
| S 7 | 10e | **Grâce-de-Dieu** (cour de la) Belleville | |
| O 13 | 5e | **Gracieuse** Place Monge | |
| F 4 | 17e | **Graisivaudan** (sq. du) Pte de Champerret | |
| G 12 | 15e | **Gramme** Commerce | |
| M 7 | 2e | **Gramont** (de) 4-sept | |
| L 15 | 14e | **Grancey** (de) Denfert-Roch. | |
| O 9 | 1er | **Grand-Balcon** | |
| | | "Forum des Halles" Châtelet-Les Halles | |
| O 8 | 2e | **Grand-Cerf** (pass.) Étienne-Marcel | |
| F 6 | 16/17e | **Grande-Armée** (av. de la) Ch.-de-Gaulle, | |
| | | Argentine, Pte Maillot | |
| F 6 | 17e | **Grande-Armée** (villa de la) Argentine | |
| M 13 | 6e | **Grande-Chaumière** (de la) Vavin | |
| O 9 | 1er | **Grande-Galerie** | |
| | | "Forum des Halles" Châtelet-Les Halles | |
| O 9 | 1er | **Grande-Truanderie** (de la) Châtelet-Les Halles | |
| U 6 | 20e | **Grandes-Rigoles** (pl. des) Jourdain | |
| R 8 | 11e | **Grand-Prieuré** (du) Oberkampf | |
| N 10 | 6e | **Grands-Augustins** (q. des) St-Michel | |
| N 10 | 6e | **Grands-Augustins** (des) St-Michel | |
| W 11 | 20e | **Grands-Champs** (des) Buzenval | |
| O 11 | 5e | **Grands-Degrés** (des) Maubert-Mutualité | |
| S 16 | 13e | **Grands-Moulins** | |
| | | (des) Bibliothèque François Mitterrand | |
| Q 10 | 3e | **Grand-Veneur** (du) Chemin-Vert | |
| N 14 | 13e | **Grangé** (sq.) Glacière | |
| Q 6 | 10e | **Grange-aux-Belles** | |
| | | (de la) J.-Bonsergent, Colonel-Fabien | |
| N 7 | 3e | **Grange-Batelière** (de la) Richelieu-Drouot | |
| V 14 | 12e | **Gravelle** (de) Daumesnil | |
| P 9 | 3e | **Gravilliers** (pass. des) Arts-et-Métiers | |
| P 8 | 3e | **Gravilliers** (des) Arts-et-Métiers | |

# Greffulhe

| carr. | arr. | rue / street | Métro Tramway |
|---|---|---|---|
| L 7 | 8e | Greffulhe Havre-Caum. | |
| N 11 | 6e | Grégoire-de-Tours Odéon | |
| V 3 | 19e | Grenade (de la) Pte de Pantin | |
| G 12 | 15e | Grenelle | |
| | | Grenelle (bd de) Bir-Hakeim, Dupleix, La Motte-Picquet | |
| E 11 | 15/16e | Grenelle (pt de) Charles-Michels | |
| F 11 | 15e | Grenelle (q. de) Bir-Hakeim | |
| E 11 | 15e | Grenelle (port de) Bir-Hakeim | |
| L 11 | 6/7e | Grenelle (de) St-Sulpice, Rue du Bac, Varenne, Latour-Maubourg, École Militaire | |
| G 12 | 15e | Grenelle (villa de) Dupleix | |
| O 8 | 2e | Greneta (cour) Réaumur-Sébastopol | |
| O 8 | 2/3e | Greneta Réaumur-Sébastopol | |
| P 9 | 3e | Grenier-St-Lazare (du) Rambuteau | |
| P 10 | 4e | Grenier-sur-l'Eau (du) Pont-Marie | |
| W 7 | 20e | Grés (pl. des) Pte de Bagnolet | |
| S 3 | 19e | Gresset Crimée | |
| M 7 | 9e | Grétry Quatre septembre | |
| E 8 | 16e | Greuze Trocadéro | |
| L 10 | 7e | Gribeauval (de) Rue du Bac | |
| P 13 | 5e | Gril (du) Censier-Daubenton | |
| T 5 | 19e | Grimaud (imp.) Botzaris | |
| H 12 | 15e | Grisel (imp.) Cambronne | |
| S 8 | 11e | Griset (cité) Ménilmontant | |
| V 10 | 20e | Gros (imp.) Maraîchers | |
| D 11 | 16e | Gros Av. du Pdt-Kennedy | |
| H 10 | 7e | Gros-Caillou (du) École Militaire | |
| H 9 | 7e | Gros-Caillou (port du) Pont de l'Alma | |
| N 2 | 18e | Grosse-Bouteille (imp. de) Pte de Clignancourt | |
| W 7 | 20e | Groupe-Manouchian (du) St-Fargeau | |
| Q 3 | 18e | Guadeloupe (de la) Marx-Dormoy | |
| K 6 | 8e | Guatemala (pl. du) St-Augustin | |
| B 14 | 16e | Gudin Pte St-Cloud | |
| P 2 | 18e | Gué (imp. du) Pte de la Chapelle | |
| W 7 | 20e | Guébriant (de) St-Fargeau | |
| M 4 | 18e | Guelma (imp. de) Pigalle | |
| Q 10 | 4e | Guéménée (imp.) Bastille | |
| N 10 | 6e | Guénégaud Odéon | |
| U 11 | 11e | Guénot (pass.) Rue des Boulets | |
| U 11 | 11e | Guénot Rue des Boulets | |
| O 8 | 2e | Guérin-Boisseau Réaumur-Sébastopol | |
| F 5 | 17e | Guersant Pte Maillot | |
| D 9 | 16e | Guibert (villa) Rue de la Pompe | |
| D 10 | 16e | Guichard La Muette | |
| U 7 | 20e | Guignier (pl. du) Jourdain | |
| U 7 | 20e | Guignier (du) Jourdain | |
| D 10 | 16e | Guignières (villa des) La Muette, Boulainvilliers | |
| S 9 | 11e | Guilhem (pass.) Rue St-Maur | |
| M 10 | 6e | Guillaume-Apollinaire St-Germain-des-P. | |
| S 9 | 11e | Guillaume-Bertrand Rue St-Maur | |
| G 4 | 17e | Guillaume-Tell Pereire | |
| S 12 | 12e | Guillaumot Gare de Lyon | |
| K 14 | 14e | Guilleminot Pernety | |
| P 10 | 4e | Guillemites (des) Hôtel-de-Ville | |
| M 11 | 6e | Guisarde Mabillon | |
| F 6 | 17e | Guizot (villa) Argentine | |
| E 5 | 17e | Gustave-Charpentier Pte Maillot | |
| F 9 | 16e | Gustave-V-de-Suède (av.) Trocadéro | |
| E 8 | 16e | Gustave-Courbet Victor-Hugo | |
| H 4 | 17e | Gustave-Doré Wagram | |
| G 10 | 7e | Gustave-Eiffel (av.) Champ de Mars | |
| G 5 | 17e | Gustave-Flaubert Courcelles | |
| O 14 | 13e | Gustave-Geffroy Les Gobelins | |
| P 7 | 10e | Gustave-Goublier Strasbourg-St-Denis | |
| G 13 | 15e | Gustave-Larroumet Commerce | |
| K 17 | 14e | Gustave-Le-Bon Jean Moulin | |
| T 10 | 11e | Gustave-Lepeu (pass.) Charonne | |
| D 9 | 16e | Gustave-Nadaud La Muette | |
| N 2 | 18e | Gustave-Rouanet Pte de Clignancourt | |
| M 5 | 9e | Gustave-Toudouze (pl.) St-Georges | |
| D 10 | 16e | Gustave-Zédé Ranelagh | |
| E 12 | 15e | Gutenberg Javel | |
| J 2 | 17e | Guttin Pte de Clichy | |
| X 13 | 12e | Guyane (de la) Pte Dorée | |
| P 12 | 5e | Guy-de-la-Brosse Jussieu | |
| D 9 | 16e | Guy-de-Maupassant Av. H.-Martin | |
| W 10 | 20e | Guyenne (sq. de la) Pte de Montreuil | |
| L 3 | 17e | Guy-Môquet Brochant, Guy-Môquet | |
| M 12 | 6e | Guynemer St-Placide | |
| O 5 | 10e | Guy-Patin Barbès-Roch. | |
| O 17 | 13e | Guyton-de-Morveau Stade Charléty | |

## H

| carr. | arr. | rue / street | Métro Tramway |
|---|---|---|---|
| H 9 | 7e | Habib-Bourguiba (esplanade) Pt de l'Alma | |
| R 1 | 19e | Haie-Coq (de la) Pte de la Chapelle | |
| W 10 | 20e | Haies (des) Buzenval | |
| U 4 | 19e | Hainaut (du) Ourcq | |
| M 7 | 9e | Halévy Opéra | |
| M 15 | 14e | Hallé Mouton-Duvernet | |
| M 15 | 14e | Hallé (villa) Mouton-Duvernet | |
| O 9 | 1er | Halles (des) Châtelet | |
| F 15 | 16e | Hameau (du) Pte de Versailles | |
| T 6 | 19e | Hannah Arendt (pl.) Botzaris | |
| M 7 | 2e | Hanovre (de) Quatre septembre | |
| V 9 | 20e | Hardy (villa) Gambetta | |
| N 10 | 14e | Harlay (de) Pont de l'Alma | |
| H 15 | 15e | Harmonie (de l') Plaisance | |
| N 11 | 5e | Harpe (de la) St-Michel | |
| W 10 | 20e | Harpignies Pte de Montreuil | |
| T 5 | 19e | Hassard Buttes-Chaumont | |
| P 9 | 3e | Haudriettes (des) Rambuteau | |
| M 7 | 8/9e | Haussmann (bd) | |
| | | Richelieu-Drouot, Chaussée-d'Antin, Havre-Caum. St-Augustin, Miromesnil, St-Philippe-du-R. | |
| N 11 | 6e | Hautefeuille (imp.) St-Michel | |
| N 11 | 6e | Hautefeuille St-Michel | |
| U 5 | 19e | Hauterive (villa d') Danube | |
| O 6 | 19e | Hauteville (cité d') Poissonnière | |
| O 6 | 10e | Hauteville (d') Bonne-Nouvelle, Poissonnière | |
| Q 16 | 13e | Hautes-Formes (des) Olympiades | |
| W 10 | 20e | Hautes-Traverses (villa des) Maraîchers | |
| O 11 | 5e | Haut-Pavé (du) Maubert-Mutualité | |
| T 5 | 19e | Hautpoul (d') Botzaris | |
| V 6 | 20e | Hauts-de-Belleville (villa des) St-Fargeau | |
| L 6 | 9e | Havre (cour du) St-Lazare | |
| L 6 | 9e | Havre (pass. du) St-Lazare | |
| L 6 | 8/9e | Havre (pl. du) St-Lazare | |
| L 6 | 8/9e | Havre (du) Havre-Caum., St-Lazare | |
| W 8 | 20e | Haxo (imp.) St-Fargeau | |
| V 6 | 19/20e | Haxo St-Fargeau, Pte des Lilas | |
| Q 2 | 18e | Hébert (pl.) Marx-Dormoy | |
| R 7 | 10e | Hébrard (pass.) Belleville | |
| T 13 | 12e | Hébrard (ruelle des) Dugommier | |
| S 7 | 19e | Hector-Guimard Belleville | |
| S 12 | 12e | Hector-Malot Gare de Lyon | |
| L 4 | 18e | Hégésippe-Moreau La Fourche | |
| M 7 | 9e | Helder (du) Chaussée-d'Antin | |
| L 4 | 17e | Hélène La Fourche | |
| S 16 | 13e | Hélène-Brion Bibliothèque François Mitterrand | |
| V 7 | 20e | Hélène-Jakubowicz Pelleport | |
| G 4 | 17e | Héliopolis (d') Pte de Champerret | |
| S 12 | 12e | Hennel (pass.) Reuilly-Diderot | |
| M 5 | 9e | Henner Blanche | |
| L 17 | 14e | Henri-Barboux Pte d'Orléans | |
| N 13 | 5/14e | Henri-Barbusse Port-Royal | |
| N 16 | 13e | Henri-Becque Stade Charléty | |
| K 6 | 8e | Henri-Bergson (pl.) St-Augustin | |
| F 13 | 15e | Henri-Bocquillon Félix-Faure | |

| arr. | arr. | rue / street | Métro Tramway |
|---|---|---|---|
| M 1 | 18e | **Henri-Brisson** | Pte de St-Ouen |
| C 9 | 17e | **Henri-Chevreau** | Ménilmontant |
| C 9 | 16e | **Henri-de-Bornier** | Av. H.-Martin |
| 15 | 14e | **Henri-de-France** (esplanade) | Bd Victor |
| 15 | 14e | **Henri-Delormel** (sq.) | Mouton-Duvernet |
| 13 | 12e | **Henri-Desgrange** | Bercy |
| 12 | 16e | **Henri-Duchêne** | Émile-Zola |
| W 7 | 18e | **Henri-Dubouillon** | St-Fargeau |
| J 4 | 17e | **Henri-Duparc** (sq.) | Malesherbes |
| X 9 | 20e | **Henri-Duvernois** | Pte de Bagnolet |
| R 6 | 10e | **Henri-Feulard** | Colonel-Fabien |
| S 6 | 19e | **Henri-Fiszbin** (pl.) | |
| 12 | 12e | **Henri-Frenay** (pl.) | Gare de Lyon |
| D 7 | 16e | **Henri-Gaillard** (souterrain) | Pte Dauphine |
| 13 | 16e | **Henri-Heine** | Jasmin |
| M 1 | 18e | **Henri-Huchard** | Pte de St-Ouen |
| U 7 | 20e | **Henri-Krasucki** (pl.) | Jourdain |
| 15 | 13e | **Henri-Langlois** (pl.) | Pl. d'Italie |
| D 8 | 16e | **Henri-Martin** (av.) | Rue de la Pompe |
| 16 | 13e | **Henri-Matisse** (pl.) | Gambetta |
| H 9 | | **Henri-Moissan** | Invalides |
| 11 | 6e | **Henri-Mondor** (pl.) | Odéon |
| S 2 | 19e | **Henri-Murger** | Bolivar |
| S 4 | 19e | **Henri-Noguères** | Laumière |
| 17 | 13e | **Henri-Pape** | Tolbiac |
| V 7 | 20e | **Henri-Poincaré** | Pelleport |
| 11 | 4e | **Henri-IV** (bd) | Sully-Morland, Bastille |
| 12 | 4e | **Henri-IV** (port) | Sully-Morland |
| 12 | 4e | **Henri-IV** (q.) | Quai de la Rapée, Sully-Morland |
| 14 | 15e | **Henri-de-France** (espl.) | Bd Victor |
| 12 | 15e | **Henri-Queuille** (pl.) | Sèvres-Lecourbe |
| 10 | 19e | **Henri-Ranvier** | Ph.-Auguste |
| L 17 | 14e | **Henri-Regnault** | Pte d'Orléans |
| U 6 | 19e | **Henri-Ribière** | Place des Fêtes |
| N 10 | 1er | **Henri-Robert** | Pont-Neuf |
| H 5 | 17e | **Henri-Rochefort** | Malesherbes |
| F 14 | 15e | **Henri-Rollet** (pl.) | Convention |
| W 11 | 20e | **Henri-Tomasi** | Pte de Montreuil |
| R 6 | 10e | **Henri-Turot** | Colonel-Fabien |
| S 2 | 19e | **Henri-Verneuil** | Corentin-Cariou |
| B 10 | 16e | **Henry-Bataille** (sq.) | Ranelagh |
| 16 | 14e | **Henry-de-Bournazel** | Didot |
| 11 | 6e | **Henry-de-Jouvenel** | St-Sulpice |
| B 14 | 16e | **Henry-de-la-Vaulx** | Pte de St-Cloud |
| L 9 | 7e | **Henry-de-Montherlant** (pl.) | Musée d'Orsay |
| J 16 | 14e | **Henry-Dunant** (all.) | Didot |
| O 15 | 15e | **Henry-Farman** | Suzanne Lenglen |
| M 5 | 9e | **Henry-Monnier** | St-Georges |
| O 12 | 16e | **Henry-Paté** (sq.) | Mirabeau |
| K 1 | 17e | **Hérault-de-Séchelles** | Pte de St-Ouen |
| F 12 | 15e | **Héricart** | Charles-Michels |
| O 2 | 18e | **Hermann-Lachapelle** | Simplon |
| N 2 | 18e | **Hermel** (cité) | Jules-Joffrin |
| N 2 | 18e | **Hermel** | Jules-Joffrin |
| N 8 | 1er | **Hérold** | Sentier |
| N 6 | 9e | **Héron** (cité) | Colonel-Fabien |
| E 8 | 16e | **Herran** | Rue de la Pompe |
| D 8 | 16e | **Herran** (villa) | Rue de la Pompe |
| N 3 | 6e | **Herschel** | Port-Royal |
| H 14 | 15e | **Hersent** (villa) | Vaugirard |
| Q 10 | 3e | **Hesse** (de) | Chemin-Vert |
| N 6 | 9e | **Hippolyte-Lebas** | N.-D.-de-Lorette |
| K 15 | 14e | **Hippolyte-Maindron** | Pernety |
| R 18 | 13e | **Hippolyte-Marquès** (bd) | Pte de Choisy, Pte d'Ivry |
| N 11 | 6e | **Hirondelle** (de l') | St-Michel |
| P 7 | 10e | **Hittorff** (cité) | Château-d'Eau |
| P 7 | 10e | **Hittorff** | Château-d'Eau |
| S 5 | 19e | **Hiver** (cité) | Bolivar |

| carr. | arr. | rue / street | Métro Tramway |
|---|---|---|---|
| H 6 | 8e | **Hoche** (av.) | Courcelles, Ch.-de-Gaulle-Etoile |
| M 11 | 6e | **Honoré-Chevalier** | St-Sulpice |
| E 12 | 15e | **Honoré-Gabriel-Riqueti** (villa) | Javel |
| Q 13 | 5/13e | **Hôpital** (bd de l') | Gare d'Austerlitz, St-Marcel, Campo-Formio, Pl. d'Italie |
| Q 6 | 10e | **Hôpital-St-Louis** (de l') | Colonel-Fabien |
| N 10 | 1er | **Horloge** (q. de l') | Châtelet |
| O 9 | 3e | **Horloge-à-Automates** (pass. de l') | Rambuteau |
| J 16 | 14e | **Hortensias** (all. des) | Didot |
| P 10 | 4e | **Hospitalières-St-Gervais** (des) | St-Paul |
| O 11 | 5e | **Hôtel-Colbert** (de l') | Maubert-Mutualité |
| P 10 | 4e | **Hôtel-d'Argenson** (imp. de l') | St-Paul |
| O 10 | 4e | **Hôtel-de-Ville** (pl. de l') | Hôtel-de-Ville |
| P 10 | 4e | **Hôtel-de-Ville** (q. de l') | Pont-Marie, Hôtel-de-Ville |
| P 11 | 4e | **Hôtel-de-Ville** (de l') | Pont-Marie |
| Q 10 | 4e | **Hôtel-St-Paul** | St-Paul |
| T 8 | 20e | **Houdart** | Père-Lachaise |
| F 13 | 15e | **Houdart-de-Lamotte** | Boucicaut |
| N 5 | 18e | **Houdon** | Pigalle |
| T 8 | 20e | **Houseaux** (villa des) | Père-Lachaise, Ménilmontant |
| G 13 | 15e | **Hubert-Monmarché** (pl.) | Vaugirard |
| O 11 | 5e | **Huchette** (de la) | St-Michel |
| T 10 | 11e | **Huit-Février-1962** (pl.) | Charonne |
| P 6 | 19e | **Huit-Mai-1945** (du) | Gare de l'Est |
| O 6 | 10e | **Huit-Novembre-1942** (pl. du) | Poissonnière |
| M 8 | 1er | **Hulot** (pass.) | Palais-Royal |
| G 11 | 15e | **Humblot** | Dupleix |
| H 3 | 17e | **Hutte-au-Garde** (pass. de la) | Pte de Champerret, Porte de Clichy |
| F 9 | 16e | **Hussein 1er de Jordanie** (av.) | Trocadéro |
| L 13 | 14e | **Huyghens** | Vavin |
| L 12 | 6e | **Huysmans** | N.-D.-des-Champs |

**I**

| carr. | arr. | rue / street | Métro Tramway |
|---|---|---|---|
| X 8 | 20e | **Ibsen** (av.) | Pte de Bagnolet |
| G 8 | 16e | **Iéna** (av. d') | Iéna, Ch.-de-Gaulle |
| F 8 | 16e | **Iéna** (pl. d') | Iéna |
| F 9 | 7/16e | **Iéna** (pt d') | Trocadéro |
| O 9 | 3e | **Igor-Stravinsky** (pl.) | Rambuteau |
| V 12 | 12e | **Ile-de-la-Réunion** (de l') | Nation |
| M 15 | 14e | **Ile-de-Sein** (pl. de l') | St-Jacques |
| U 11 | 11e | **Immeubles-Industriels** (des) | Nation |
| V 4 | 19e | **Indochine** (bd d') | Pte de Pantin |
| W 9 | 20e | **Indre** (de l') | Gambetta |
| S 8 | 11e | **Industrie** (cité de l') | Rue St-Maur |
| T 11 | 11e | **Industrie** (cour de l') | Faidherbe-Chal. |
| P 7 | 10e | **Industrie** (pass. de l') | Strasbourg-St-Denis |
| P 17 | 13e | **Industrie** (de l') | Maison-Blanche |
| S 10 | 11e | **Industrielle** (cité) | Voltaire |
| E 12 | 15e | **Ingénieur-Robert-Keller** (de l') | Charles-Michels |
| C 10 | 16e | **Ingres** (av.) | Ranelagh |
| O 9 | 1er | **Innocents** (des) | Châtelet |
| V 5 | 19e | **Inspecteur-Allès** (de l') | Pré-St-Gervais |
| M 10 | 6e | **Institut** (pl. de l') | Louvre |
| F 16 | 15e | **Insurgés-de-Varsovie** (pl. des) | Georges Brassens |
| L 6 | 8e | **Intérieure** | St-Lazare |
| P 17 | 13e | **Interne-Loeb** (de l') | Maison-Blanche |
| J 10 | 7e | **Invalides** (bd des) | Varenne, St-François-Xavier, Duroc |
| J 9 | 7e | **Invalides** (espl. des) | Invalides |
| J 10 | 7e | **Invalides** (pl. des) | Invalides |
| J 9 | 7/8e | **Invalides** (pt des) | Invalides |
| K 9 | 7e | **Invalides** (port des) | Invalides |

# Irénée-Blanc

| carr. | arr. | rue / street | Métro Tramway |
|---|---|---|---|
| W 8 | 20e | **Irénée-Blanc** Pte de Bagnolet | |
| N 17 | 13e | **Iris** (des) Cité Universitaire | |
| V 6 | 19e | **Iris** (villa des) Pte des Lilas | |
| O 13 | 5e | **Irlandais** (des) Place Monge | |
| B 12 | 16e | **Isabey** Michel-A.-Auteuil | |
| O 4 | 18e | **Islettes** (des) Barbès-Roch. | |
| L 6 | 8e | **Isly** (de l') St-Lazare | |
| H 4 | 17e | **Israël** (pl. d') Wagram | |
| C 14 | 15e | **Issy-les-Moulineaux** (q. d') Balard | |
| P 17 | 13e | **Italie** (av. d') Pl. d'Italie, Tolbiac, Maison-Blanche, Pte d'Italie | |
| P 15 | 13e | **Italie** (d') Pl. d'Italie | |
| P 17 | 13e | **Italie** (d') Tolbiac | |
| N 7 | 2/9e | **Italiens** (bd des) Richelieu-Dr., Opéra | |
| M 7 | 9e | **Italiens** (des) Quatre septembre | |
| R 17 | 13e | **Ivry** (av. d') Pte d'Ivry, Tolbiac | |
| T 16 | 13e | **Ivry** (q. d') Bibliothèque François Mitterrand | |

---

### J

| carr. | arr. | rue / street | Métro Tramway |
|---|---|---|---|
| M 10 | 6e | **Jacob** St-Germain-des-P. | |
| M 8 | 1er | **Jacobins** (pass. des) Pyramides | |
| M 6 | 9e | **Jacob Kaplan** (place) Le Peletier, N.D. de Lorette, Chaussée-d'Antin | |
| R 8 | 11e | **Jacquard** Parmentier | |
| K 4 | 17e | **Jacquemont** La Fourche | |
| K 3 | 17e | **Jacquemont** (villa) La Fourche | |
| K 10 | 7e | **Jacques-Bainville** (pl.) Solférino | |
| H 16 | 15e | **Jacques-Baudry** Brancion | |
| J 4 | 17e | **Jacques-Bingen** Malesherbes | |
| Q 7 | 10e | **Jacques-Bonsergent** (pl.) J.-Bonsergent | |
| M 10 | 6e | **Jacques-Callot** Odéon | |
| L 2 | 18e | **Jacques-Cartier** Guy-Môquet | |
| J 12 | 7e | **Jacques-Chaban-Delmas** (esplanade) St-François-Xavier | |
| R 11 | 4e | **Jacques-Cœur** Bastille | |
| M 11 | 6e | **Jacques-Copeau** (pl.) St-Germain-des-P. | |
| N 17 | 14e | **Jacques-Debu-Bridel** (pl.) Cité Universitaire | |
| L 15 | 14e | **Jacques-Demy** (pl.) Mouton Duvernet | |
| P 18 | 13e | **Jacques-Destrée** (pl.) Pte d'Italie | |
| S 1 | 19e | **Jacques-Duchesne** Pte de la Villette | |
| J 13 | 19e | **Jacques-et-Thérèse-Tréfouel** Pasteur | |
| M 3 | 18e | **Jacques-Froment** (pl.) Guy-Môquet | |
| O 12 | 5e | **Jacques-Henri-Lartigue** Cardinal-Lemoine | |
| T 13 | 12e | **Jacques-Hillairet** Montgallet | |
| F 3 | 17e | **Jacques-Ibert** Louise-Michel | |
| Q 4 | 18e | **Jacques-Kablé** La Chapelle | |
| L 2 | 17e | **Jacques-Kellner** Pte de St-Ouen | |
| R 7 | 10e | **Jacques-Louvel-Tessier** Goncourt | |
| G 15 | 15e | **Jacques-Marette** (pl.) Convention | |
| F 14 | 15e | **Jacques-Mawas** Convention | |
| C 10 | 16e | **Jacques-Offenbach** Ranelagh | |
| T 8 | 20e | **Jacques-Prévert** Père-Lachaise | |
| M 7 | 9e | **Jacques-Rouché** (pl.) Opéra | |
| G 10 | 7e | **Jacques-Rueff** Champ de Mars | |
| R 11 | 11e | **Jacques-Viguès** (cour) Ledru-Rollin | |
| K 16 | 14e | **Jacquier** Plaisance | |
| H 5 | 17e | **Jadin** Monceau | |
| O 13 | 5e | **Jaillot** (pass.) Place Monge | |
| K 16 | 14e | **Jamot** (villa) Didot | |
| S 6 | 19e | **Jandelle** (cité) Belleville | |
| D 10 | 16e | **Jane-Evrard** (pl.) La Muette, Boulainvilliers | |
| V 5 | 19e | **Janssen** Pré-St-Gervais | |
| V 8 | 20e | **Japon** (du) Gambetta | |
| T 10 | 11e | **Japy** Voltaire | |
| N 11 | 6e | **Jardinet** (du) Odéon | |
| U 11 | 11e | **Jardiniers** (imp. des) Rue des Boulets | |
| U 15 | 12e | **Jardiniers** (des) Pte de Charenton | |
| Q 11 | 4e | **Jardins-St-Paul** (des) Pont-Marie | |
| Q 10 | 4e | **Jarente** (de) St-Paul | |
| P 6 | 10e | **Jarry** Château-d'Eau | |
| C 11 | 16e | **Jasmin** (cour) Jasmin | |
| C 11 | 16e | **Jasmin** (des) Jasmin | |
| C 11 | 16e | **Jasmin** (sq.) Jasmin | |
| U 12 | 12e | **Jaucourt** Nation | |
| G 14 | 15e | **Javel** (de) Javel, Charles-Michels, Félix-Faure, Convention | |
| D 12 | 15e | **Javel** (port de) Javel | |
| Q 16 | 13e | **Javelot** (du) Olympiades | |
| S 8 | 11e | **Jean-Aicard** (av.) Ménilmontant | |
| S 15 | 13e | **Jean-Anouilh** Bibliothèque François Mitterrand | |
| T 16 | 13e | **Jean-Antoine-de-Baïf** Biblioth. Fr. Mitterrand | |
| R 14 | 13e | **Jean-Arp** Quai de la Gare | |
| T 16 | 13e | **Jean-Baptiste-Berlier** Biblioth. Fr. Mitterrand | |
| N 4 | 18e | **Jean-Baptiste-Clément** (pl.) Abbesses | |
| F 5 | 17e | **Jean-Baptiste-Dumas** Pereire | |
| T 6 | 20e | **Jean-Baptiste-Dumay** Jourdain | |
| F 12 | 15e | **Jean-Baptiste-Luquet** (villa) Charles-Michels | |
| M 5 | 9e | **Jean-Baptiste-Pigalle** Trinité, Pigalle | |
| N 5 | 9e | **Jean-Baptiste-Say** Anvers | |
| V 4 | 19e | **Jean-Baptiste-Semanaz** Pte de Pantin | |
| M 12 | 6e | **Jean-Bart** St-Placide | |
| R 10 | 4e | **Jean-Beausire** (imp.) Bastille | |
| R 10 | 4e | **Jean-Beausire** (pass.) Bastille | |
| R 10 | 4e | **Jean-Beausire** Bastille | |
| Q 6 | 10e | **Jean-Bernard** (all.) Gare de l'Est | |
| E 10 | 16e | **Jean-Bologne** Passy | |
| S 12 | 12e | **Jean-Bouton** Gare de Lyon | |
| O 13 | 5e | **Jean-Calvin** Censier-Daubenton | |
| G 11 | 7e | **Jean-Carriès** La Motte-Picquet | |
| M 15 | 14e | **Jean-Claude-Arnould** Denfert-Rochereau, Saint-Jacques | |
| O 1 | 18e | **Jean-Cocteau** Pte de Clignancourt | |
| R 16 | 13e | **Jean-Colly** Olympiades | |
| Q 2 | 18e | **Jean-Cottin** Marx-Dormoy | |
| H 12 | 15e | **Jean-Daudin** Sèvres-Lecourbe | |
| O 11 | 5e | **Jean-de-Beauvais** Maubert-Mutualité | |
| D 11 | 16e | **Jean-de-La-Fontaine** Av. du Pdt-Kennedy, Jasmin, Michel-A.-Auteuil | |
| P 17 | 13e | **Jean-Delay** (pl.) Maison-Blanche | |
| N 15 | 14e | **Jean-Dolent** St-Jacques | |
| M 2 | 18e | **Jean-Dollfus** Pte de St-Ouen | |
| P 11 | 4e | **Jean-du-Bellay** Hôtel-de-Ville | |
| Q 17 | 13e | **Jean-Dunand** Maison-Blanche | |
| R 5 | 10e | **Jean-Falck** (sq.) Jaurès | |
| R 16 | 13e | **Jean-Fautrier** Olympiades | |
| L 12 | 6e | **Jean-Ferrandi** St-Placide | |
| G 13 | 15e | **Jean-Formigé** Vaugirard | |
| F 12 | 15e | **Jean-Fourastié** Av. Emile-Zola | |
| L 12 | 6e | **Jean-François-Gerbillon** St-Placide | |
| P 4 | 18e | **Jean-François-Lépine** La Chapelle | |
| O 3 | 18e | **Jean-Gabin** (pl.) Marcadet-Pois. | |
| R 14 | 13e | **Jean-Giono** Quai de la Gare | |
| G 7 | 16e | **Jean-Giraudoux** Kléber | |
| W 14 | 12e | **Jean-Godart** (villa) Pte-Dorée | |
| J 8 | 8e | **Jean-Goujon** Alma-Marceau | |
| N 1 | 18e | **Jean-Henri-Fabre** Pte de Clignancourt | |
| D 7 | 16e | **Jean-Hugues** Pte Dauphine | |
| N 8 | 1er | **Jean-Jacques-Rousseau** Les Halles | |
| U 3 | 19e | **Jean-Jaurès** (av.) Jaurès, Laumière, Ourcq, Pte de Pantin | |
| T 12 | 12e | **Jean-Lauprêtre** (pl.) Reuilly-Diderot | |
| O 10 | 1er | **Jean-Lantier** Châtelet | |
| L 2 | 17e | **Jean-Leclaire** Guy-Môquet | |
| C 12 | 16e | **Jean-Lorrain** (pl.) Michel-A.-Auteuil | |
| H 3 | 17e | **Jean-Louis-Forain** Pereire | |
| T 11 | 11e | **Jean-Macé** Charonne | |
| N 4 | 18e | **Jean-Marais** (pl.) Abbesses | |
| F 14 | 15e | **Jean-Maridor** Lourmel | |

| carr. | arr. | rue / street | Métro Tramway |
|---|---|---|---|
| 16 | 13e | Jean-Marie-Jégo | *Corvisart* |
| S 5 | 19e | Jean-Ménans | *Bolivar* |
| J 7 | 8e | Jean-Mermoz | *F.-D.-Roosevelt* |
| 14 | 14e | Jean-Minjoz | *Denfert-Rochereau, Saint-Jacques* |
| R 6 | 19e | Jean-Moinon | *Belleville* |
| E 8 | 16e | Jean-Monnet (pl.) | *Victor-Hugo* |
| F 4 | 17e | Jean-Moréas | *Pte de Champerret* |
| 14 | 14e | Jean-Moulin (av.) | *Alésia* |
| H 9 | 7e | Jean-Nicot (pass.) | *Latour-Maub.* |
| H 9 | 7e | Jean-Nicot | *Latour-Maub.* |
| R 5 | 19e | Jean-Nohain | *Jaurès* |
| R 1 | 19e | Jean-Oberlé | *Pte de la Chapelle, Porte de la Villette* |
| G 7 | 7e | Jean-Ostreicher | *Louise-Michel* |
| G 9 | 7e | Jean-Paulhan (all.) | *Champ de Mars* |
| 16 | 16e | Jean-Paul-Laurens (sq.) | *Ranelagh* |
| 10 | 16e | Jean-Paul-Sartre-Simone-de-Beauvoir (pl.) | *St-Germain-des-Prés* |
| 11 | 15e | Jean-Pierre-Bloch | *Dupleix, Bir Hakeim* |
| K 5 | 8e | Jean-Pierre-Lévy (pl.) | *Villiers* |
| S 8 | 11e | Jean-Pierre-Timbaud | *Oberkampf, Parmentier, Couronnes* |
| Q 7 | 10e | Jean-Poulmarch | *J.-Bonsergent* |
| 15 | 14e | Jean-Pronteau (pl.) | *Pernety* |
| U 6 | 19e | Jean-Quarré | *Pl. des Fêtes* |
| 14 | 12e | Jean-Renoir | *Cour St-Emilion* |
| F 10 | 19e | Jean-Rey | *Bir-Hakeim* |
| D 9 | 16e | Jean-Richepin | *Rue de la Pompe* |
| P 3 | 18e | Jean-Robert | *Marx-Dormoy* |
| S 7 | 19e | Jean-Rostand (pl.) | *Belleville* |
| C 10 | 16e | Jean-Sablon (all.) | *La Muette, Boulainvilliers* |
| 15 | 13e | Jean-Sébastien-Bach | *Nationale* |
| 15 | 16e | Jean-Sicard | *Brancion* |
| 12 | 15e | Jean-Thébaud (sq.) | *Cambronne* |
| N 9 | 1er | Jean-Tison | *Louvre* |
| M 1 | 18e | Jean-Varenne | *Pte de St-Ouen* |
| W 9 | 20e | Jean-Veber | *Pte de Bagnolet* |
| 9 | 13e | Jean-Vilar (pl.) | *Quai de la Gare* |
| K 14 | 14e | Jean-Zay | *Gaîté* |
| S 16 | 13e | Jeanne-Chauvin | *Bibliothèque François Mitterrand* |
| R 16 | 13e | Jeanne-d'Arc (pl.) | *Nationale* |
| Q 14 | 13e | Jeanne-d'Arc | *Nationale* |
| G 13 | 15e | Jeanne-Hachette | *Vaugirard* |
| K 12 | 12e | Jeanne-Jugan | *St-Mandé-Tour.* |
| Q 7 | 10e | Jemmapes (quai de) | *République, J.-Bonsergent, Colonel-Fabien, Jaurès* |
| 15 | 12e | Jenner | *Campo-Formio* |
| P 4 | 18e | Jessaint (de) | *La Chapelle* |
| S 8 | 11e | Jeu-de-Boules (pass. du) | *Oberkampf* |
| O 7 | 2e | Jeûneurs (des) | *Sentier* |
| K 9 | 1er | Joachim-du-Bellay (pl.) | *Châtelet-Les Halles* |
| J 14 | 15e | Joanès (pass.) | *Plaisance* |
| J 14 | 15e | Joanès | *Plaisance* |
| G 14 | 15e | Jobbé-Duval | *Convention* |
| D 8 | 16e | Jocelyn (villa) | *Rue de la Pompe* |
| H 11 | 7e | Joffre (pl.) | *École Militaire* |
| Q 7 | 10e | Johann-Strauss (pl.) | *République* |
| S 3 | 19e | Joinville (imp. de) | *Crimée* |
| S 3 | 19e | Joinville (pl.de) | *Crimée* |
| S 3 | 19e | Joinville (de) | *Crimée* |
| L 13 | 14e | Jolivet | *Edgar-Quinet* |
| T 9 | 11e | Joly (cité) | *Père-Lachaise* |
| S 3 | 19e | Jomard | *Crimée* |
| O 16 | 13e | Jonas | *Corvisart* |
| E 14 | 15e | Jongkind | *Lourmel* |
| J 15 | 14e | Jonquilles (des) | *Plaisance* |
| K 16 | 14e | Jonquoy | *Plaisance* |
| H 12 | 7e | José-Maria-de-Hérédia | *Ségur* |
| F 9 | 16e | José-Marti | *Trocadéro* |
| N 6 | 9e | José-Rizal (pl.) | *Cadet* |
| M 13 | 6e | Joseph-Bara | *Vavin* |
| R 17 | 13e | Joseph-Bédier | *Pte d'Ivry* |
| G 10 | 7e | Joseph-Bouvard (av.) | *Champ de Mars* |
| W 15 | 12e | Joseph-Chailley | *Pte Dorée* |
| M 4 | 18e | Joseph-de-Maistre | *Blanche, Guy-Môquet* |
| O 2 | 18e | Joseph-Dijon | *Simplon* |
| E 6 | 16e | Joseph-et-Marie-Hackin | *Pte Maillot* |
| J 10 | 7e | Joseph-Granier | *École Militaire* |
| T 14 | 12e | Joseph-Kessel | *Cour St-Emilion* |
| T 3 | 19e | Joseph-Kosma | *Ourcq* |
| G 12 | 15e | Joseph-Liouville | *Commerce* |
| X 8 | 20e | Joseph-Python | *Pte de Bagnolet* |
| K 6 | 8e | Joseph-Sansbœuf | *St-Lazare* |
| F 9 | 16e | Joseph-Wresinski (esplanade) | *Trocadéro* |
| M 2 | 18e | Joséphine | *Pte de Clignancourt* |
| K 13 | 14e | Joséphine-Baker (place) | *Edgar-Quinet, Montparnasse-Bienvenüe* |
| V 10 | 20e | Josseaume (pass.) | *Buzenval* |
| S 11 | 11e | Josset (pass.) | *Ledru-Rollin* |
| M 6 | 9e | Joubert | *Havre-Caumartin* |
| U 10 | 11e | Joudrier (imp.) | *Alexandre-Dumas* |
| N 7 | 9e | Jouffroy (pass.) | *Richelieu-Drouot* |
| J 4 | 17e | Jouffroy-d'Abbans | *Wagram* |
| O 9 | 1er | Jour (porte du) "Forum des Halles" | *Châtelet-Les Halles* |
| N 8 | 1er | Jour (du) | *Les Halles* |
| U 6 | 19e | Jourdain (du) | *Jourdain* |
| N 18 | 14e | Jourdan (bd) | *Cité Universitaire, Pte d'Orléans* |
| C 13 | 16e | Jouvenet | *Chardon-Lagache* |
| C 13 | 16e | Jouvenet (sq.) | *Chardon-Lagache* |
| P 10 | 4e | Jouy (de) | *St-Paul* |
| T 7 | 20e | Jouye-Rouve | *Pyrénées* |
| L 2 | 17e | Joyeux (cité) | *Pte de St-Ouen* |
| G 11 | 15e | Juge | *Dupleix* |
| F 11 | 15e | Juge (villa) | *Dupleix* |
| O 10 | 4e | Juges-Consuls (des) | *Hôtel-de-Ville* |
| U 8 | 20e | Juillet | *Gambetta* |
| G 3 | 17e | Jules-Bourdais | *Pte de Champerret* |
| P 14 | 13e | Jules-Breton | *St-Marcel* |
| R 12 | 12e | Jules-César | *Bastille* |
| M 13 | 6e | Jules-Chaplain | *Vavin* |
| X 10 | 20e | Jules-Chéret (sq.) | *Pte de Montreuil* |
| D 9 | 16e | Jules-Claretie | *La Muette* |
| M 2 | 18e | Jules-Cloquet | *Pte de St-Ouen* |
| Q 11 | 4e | Jules-Cousin | *Sully-Morland* |
| V 7 | 20e | Jules-Dumien | *Pelleport* |
| G 15 | 15e | Jules-Dupré | *Georges Brassens* |
| R 8 | 11e | Jules-Ferry (bd) | *République* |
| K 14 | 14e | Jules-Guesde | *Gaîté* |
| M 17 | 14e | Jules-Hénaffe (pl.) | *Montsouris* |
| S 14 | 13e | Jules-Isaac (promenade) | *Bibliothèque François Mitterrand* |
| D 9 | 16e | Jules-Janin (av.) | *La Muette* |
| N 3 | 18e | Jules-Joffrin (pl.) | *Jules-Joffrin* |
| N 3 | 18e | Jules-Jouy | *Lamarck-Caul.* |
| U 5 | 19e | Jules-Laforgue (villa) | *Danube* |
| L 5 | 9e | Jules-Lefebvre | *Liège* |
| W 13 | 12e | Jules-Lemaître | *Pte de Vincennes* |
| U 14 | 12e | Jules-Pichard | *Pte de Charenton* |
| F 4 | 17e | Jules-Renard | *Pte de Champerret* |
| A 13 | 16e | Jules-Rimet (pl.) | *Pte de St-Cloud* |
| D 9 | 16e | Jules-Sandeau (bd) | *Av. H.-Martin* |
| W 6 | 19e | Jules-Sénard (pl.) | *Pte des Lilas* |
| W 8 | 20e | Jules-Siegfried | *Pte de Bagnolet* |
| F 13 | 15e | Jules-Simon | *Félix-Faure* |
| N 9 | 1er | Jules-Supervielle (all.) | *Les Halles* |
| T 11 | 11e | Jules-Vallès | *Charonne* |
| S 7 | 11e | Jules-Verne | *Belleville* |
| H 16 | 14e | Julia-Bartet | *Pte de Vanves* |
| S 16 | 13e | Julie-Daubié | *Bibliothèque François Mitterrand* |

# Julien-Lacroix

| carr. | arr. | rue / street | Métro Tramway |
|---|---|---|---|
| T 7 | 20e | **Julien-Lacroix** Couronnes | |
| O 13 | 13e | **Julienne** (de) Les Gobelins | |
| R 6 | 10e | **Juliette-Dodu** Colonel-Fabien | |
| H 3 | 17e | **Juliette-Lamber** Wagram | |
| M 4 | 18e | **Junot** (av.) Lamarck Caul. | |
| P 14 | 13e | **Jura** (du) Campo-Formio | |
| N 8 | 2e | **Jussienne** (de la) Les Halles | |
| P 12 | 5e | **Jussieu** (pl.) Jussieu | |
| P 12 | 5e | **Jussieu** Jussieu | |
| M 3 | 18e | **Juste-Métivier** Lamarck-Caul. | |
| P 10 | 4e | **Justes-de-France** (all. des) Pont Marie, Saint Paul, Hôtel de Ville | |
| W 7 | 20e | **Justice** (la) St-Fargeau | |
| M 10 | 6e | **Justin-Godart** (pl.) St-Germain-des-Prés | |

## K

| carr. | arr. | rue / street | Métro Tramway |
|---|---|---|---|
| R 4 | 19e | **Kabylie** (de) Stalingrad | |
| S 10 | 11e | **Keller** Ledru-Rollin | |
| P 17 | 13e | **Kellermann** (bd) Pte d'Italie, Cité Universitaire | |
| G 7 | 16e | **Kepler** Kléber | |
| P 17 | 13e | **Keufer** Poterne des Peupliers | |
| F 10 | 15e | **Kyoto** (pl. de) Bir Hakeim | |
| G 7 | 16e | **Kléber** (av.) Kléber, Boissière, Trocadéro | |
| F 8 | 16e | **Kléber** (imp.) Boissière | |
| N 6 | 9e | **Kossuth** (pl.) N-D-de-Lorette | |
| O 2 | 18e | **Kracher** (pass.) Simplon | |
| O 17 | 13e | **Küss** Poterne des Peupliers | |

## L

| carr. | arr. | rue / street | Métro Tramway |
|---|---|---|---|
| O 3 | 18e | **Labat** Marcadet-Pois. | |
| J 6 | 8e | **La Baume** (de) Miromesnil | |
| F 5 | 17e | **Labie** Pte Maillot | |
| K 6 | 8e | **La Boétie** St-Augustin, Miromesnil, St-Philippe-du-R. | |
| R 2 | 19e | **Labois-Rouillon** Crimée | |
| H 10 | 7e | **La Bourdonnais** (av. de) École Militaire, Pont de l'Alma, École Militaire | |
| G 9 | 7e | **La Bourdonnais** (port de) Pont de l'Alma | |
| K 6 | 8e | **Laborde** (de) St-Augustin | |
| H 16 | 15e | **Labrador** (imp. du) Brancion | |
| J 14 | 15e | **Labrouste** Plaisance | |
| M 5 | 9e | **La Bruyère** St-Georges | |
| M 5 | 9e | **La Bruyère** (sq.) Trinité | |
| T 8 | 20e | **Labyrinthe** (cité du) Ménilmontant | |
| L 2 | 17e | **Lacaille** Guy-Môquet | |
| M 16 | 14e | **Lacaze** Alésia | |
| P 13 | 5e | **Lacépède** Place Monge | |
| T 14 | 12e | **Lachambaudie** (pl.) Cour St-Emilion | |
| U 4 | 19e | **La Champmeslé** (sq.) Ourcq | |
| S 9 | 11e | **Lacharrière** St-Ambroise | |
| Q 18 | 13e | **Lachelier** Pte de Choisy | |
| K 4 | 17e | **La Condamine** La Fourche, Rome | |
| E 13 | 15e | **Lacordaire** Charles-Michels | |
| F 15 | 15e | **Lacretelle** Pte de Versailles | |
| L 3 | 17e | **Lacroix** Brochant | |
| R 11 | 12e | **Lacuée** Bastille | |
| O 6 | 9/10e | **La Fayette** Chaussée-d'Antin, Le Peletier, Cadet, Poissonnière, Gare du Nord, Louis-Blanc | |
| N 5 | 9e | **Laferrière** St-Georges | |
| N 8 | 1/2e | **La Feuillade** Bourse | |
| N 6 | 9e | **Laffitte** Richelieu-Drouot, N-D-de-Lorette | |
| D 11 | 16e | **La Fontaine** (ham.) Av. du Pdt-Kennedy | |
| B 13 | 16e | **La Fontaine** (rd-pt) Michel-Ange-Molitor | |
| D 11 | 16e | **La Fontaine** Av. du Pdt-Kennedy, Jasmin, Michel-A.-Auteuil | |
| D 11 | 16e | **La Fontaine** (sq.) Jasmin | |
| J 14 | 15e | **La Fresnaye** (villa) Volontaires | |
| B 13 | 16e | **La Frillière** (av. de) Exelmans | |
| O 13 | 5e | **Lagarde** Censier-Daubenton | |
| O 13 | 5e | **Lagarde** (sq.) Censier-Daubenton | |
| P 3 | 18e | **Laghouat** (de) Château-Rouge | |
| L 2 | 18e | **Lagille** Guy-Môquet | |
| W 11 | 20e | **Lagny** (pass. de) Pte de Vincennes | |
| W 12 | 20e | **Lagny** (de) Nation, Pte de Vincennes | |
| O 11 | 5e | **Lagrange** Maubert-Mutualité | |
| Q 15 | 13e | **Lahire** Nationale | |
| K 2 | 17e | **La Jonquière** (imp. de) Pte de Clichy | |
| L 2 | 17e | **La Jonquière** (de) Guy-Môquet, Pte de Clichy | |
| G 13 | 15e | **Lakanal** Commerce | |
| L 14 | 14e | **Lalande** Denfert-Roch. | |
| N 5 | 9e | **Lallier** Anvers | |
| R 4 | 19e | **Lally-Tollendal** Jaurès | |
| E 6 | 16e | **Lalo** Pte Dauphine | |
| K 4 | 17e | **Lamandé** Rome | |
| M 3 | 18e | **Lamarck** Château-Rouge, Lamarck Caul., Guy-Môquet | |
| M 3 | 18e | **Lamarck** (sq.) Lamarck-Caul. | |
| N 6 | 9e | **Lamartine** Cadet | |
| D 8 | 16e | **Lamartine** (sq.) Rue de la Pompe | |
| E 10 | 16e | **Lamballe** (av. de) Av. du Pdt-Kennedy | |
| O 3 | 18e | **Lambert** Château-Rouge | |
| V 13 | 12e | **Lamblardie** Daumesnil | |
| H 6 | 8e | **Lamennais** George-V | |
| M 7 | 2e | **La Michodière** (de) Quatre septembre | |
| U 10 | 11e | **Lamier** (imp.) Ph.-Auguste | |
| X 12 | 12e | **Lamoricière** (av.) Pte de Vincennes | |
| H 10 | 7/15e | **La Motte-Picquet** (av. de) Latour-Maubourg, École Militaire, La Motte-Picquet | |
| G 11 | 15e | **La Motte-Picquet** (sq. de) La Motte-Picquet | |
| U 14 | 12e | **Lancette** (de la) Daumesnil | |
| C 13 | 16e | **Lancret** Chardon-Lagache | |
| Q 7 | 10e | **Lancry** (de) J.-Bonsergent | |
| H 9 | 7e | **Landrieu** (pass.) Pt de l'Alma | |
| F 14 | 15e | **Langeac** (de) Convention | |
| O 12 | 5e | **Lanneau** (de) Maubert-Mutualité | |
| D 7 | 16e | **Lannes** (bd) Av. Foch, Av. H.-Martin | |
| L 2 | 17e | **Lantiez** Guy-Môquet | |
| L 2 | 17e | **Lantiez** (villa) Guy-Môquet | |
| V 5 | 19e | **Laonnais** (sq. du) Pré-St-Gervais | |
| H 12 | 15e | **Laos** (du) Cambronne | |
| G 7 | 16e | **La Pérouse** Kléber | |
| N 3 | 18e | **Lapeyrère** Joffrin | |
| O 12 | 5e | **Laplace** Maubert-Mutualité | |
| L 11 | 7e | **La Planche** (de) Sèvres-Babylone | |
| R 11 | 11e | **Lappe** (de) Bastille | |
| H 14 | 15e | **La Quintinie** Vaugirard | |
| O 9 | 1/4e | **La Reynie** (de) Châtelet | |
| D 10 | 16e | **Largillière** La Muette | |
| M 5 | 9e | **La Rochefoucauld** (de) St-Georges | |
| L 11 | 7e | **La Rochefoucauld** (sq. de) Sèvres-Babylone | |
| L 14 | 14e | **Larochelle** Gaîté | |
| O 13 | 5e | **Laromiguière** Place Monge | |
| P 13 | 5e | **Larrey** Place Monge | |
| K 5 | 8e | **Larribe** Villiers | |
| K 10 | 7e | **Las-Cases** Solferino | |
| M 8 | 1er | **La Sourdière** (de) Tuileries | |
| W 13 | 12e | **Lasson** Picpus | |
| T 6 | 19e | **Lassus** Jourdain | |
| E 7 | 16e | **Lasteyrie** (de) Victor-Hugo | |
| L 4 | 18e | **Lathuille** (pass.) Pl. de Clichy | |
| N 5 | 9e | **La Tour-d'Auvergne** (imp. de) Anvers | |
| N 5 | 9e | **La Tour-d'Auvergne** Anvers | |
| J 10 | 7e | **La Tour-Maubourg** (bd de) Latour-Maub. | |
| J 10 | 7e | **La Tour-Maubourg** (sq. de) Latour-Maub. | |
| O 11 | 5e | **Latran** (de) Maubert-Mutualité | |
| H 8 | 8e | **La Trémoille** (de) Alma-Marceau | |

| carr. arr. | arr. | rue / street | Métro Tramway |
|---|---|---|---|
| F 4 | 17e | **Laugier** Ternes, Pereire | |
| G 5 | 17e | **Laugier** (villa) Pereire | |
| S 4 | 19e | **Laumière** (av. de) Laumière | |
| U 8 | 20e | **Laurence-Savart** Gambetta | |
| E 7 | 16e | **Laurent-Pichat** Victor-Hugo | |
| 12 | 15e | **Laure-Surville** Javel | |
| F 7 | 16e | **Lauriston** Ch.-de-G.-Étoile, Boissière | |
| S 6 | 20e | **Lauzin** Belleville | |
| 10 | 11e | **La Vacquerie** (de) Voltaire | |
| P 7 | 18e | **Lavandières-Ste-Opportune** (des) Châtelet | |
| N 4 | 18e | **La Vieuville** Abbesses | |
| P 7 | 18e | **Lavoir** (villa du) Strasbourg-St-Denis | |
| K 6 | 8e | **Lavoisier** St-Augustin | |
| N 8 | 1er | **La Vrillière** Bourse | |
| 11 | 16e | **Léa Blain** (imp.) Pte d'Auteuil | |
| M 3 | 18e | **Léandre** (villa) Lamarck-Caul. | |
| 14 | 15e | **Leblanc** Balard | |
| F 5 | 17e | **Lebon** Pte Maillot | |
| 14 | 14e | **Lebouis** Gaîté | |
| 14 | 14e | **Lebouis** (imp.) Gaîté | |
| J 4 | 17e | **Lebouteux** Villiers | |
| 17 | 14e | **Le Brix-et-Mesmin** Pte d'Orléans | |
| 14 | 13e | **Le Brun** Les Gobelins | |
| V 8 | 20e | **Le Bua** Pelleport | |
| L 4 | 17e | **Lechapelais** La Fourche | |
| G 4 | 17e | **Le Châtelier** Pereire | |
| S 9 | 11e | **Léchevin** Parmentier | |
| W 9 | 20e | **Leclerc** (cité) Pte de Bagnolet | |
| 15 | 14e | **Leclerc** St-Jacques | |
| L 4 | 17e | **Lécluse** Pl. de Clichy | |
| K 3 | 17e | **Lecomte** Brochant | |
| 13 | 16e | **Lecomte-du-Noüy** Exelmans | |
| 12 | 16e | **Leconte-de-Lisle** Égl. d'Auteuil | |
| 12 | 16e | **Leconte-de-Lisle** (villa) Égl. d'Auteuil | |
| L 11 | 6/7e | **Le Corbusier** (pl.) Sèvres-Babylone | |
| 13 | 15e | **Lecourbe** Sèvres-Lecourbe, Volontaires, Vaugirard, Boucicaut, Lourmel | |
| F 14 | 15e | **Lecourbe** (villa) Boucicaut | |
| K 16 | 14e | **Lecuirot** Alésia | |
| O 3 | 18e | **Lécuyer** Château-Rouge | |
| J 16 | 13e | **Le Dantec** Corvisart | |
| K 16 | 14e | **Ledion** Didot | |
| R 11 | 11/12e | **Ledru-Rollin** (av.) Q. de la Rapée, Ledru-Rollin, Voltaire | |
| 16 | 15e | **Lefebvre** (bd) Pte de Versailles, Pte de Vanves | |
| F 15 | 15e | **Lefebvre** Pte de Versailles | |
| L 3 | 17e | **Legendre** (pass.) Guy-Môquet | |
| K 4 | 17e | **Legendre** Villiers, Rome, La Fourche, Guy-Môquet | |
| J 4 | 17e | **Léger** (imp.) Malesherbes | |
| L 9 | 7e | **Légion-d'Honneur** (de la) Solférino | |
| L 17 | 14e | **Légion-Etrangère** (de la) Pte d'Orléans | |
| N 12 | 5e | **Le Goff** Luxembourg | |
| Q 7 | 10e | **Legouvé** J.-Bonsergent | |
| 13 | 10e | **Le Gramat** (pl.) Javel-A.-Citroën | |
| S 6 | 19e | **Legrand** Colonel-Fabien | |
| S 12 | 12e | **Legraverend** Gare de Lyon | |
| M 2 | 18e | **Leibniz** St-Ouen | |
| M 2 | 18e | **Leibniz** (sq.) Pte de St-Ouen | |
| O 10 | 19e | **Lekain** La Muette | |
| N 17 | 14e | **Lemaignan** Cité Universitaire | |
| W 6 | 19e | **Léman** (du) Pte des Lilas | |
| B 14 | 16e | **Le Marois** Pte de St-Cloud | |
| L 4 | 17e | **Lemercier** (cité) La Fourche | |
| L 4 | 17e | **Lemercier** La Fourche, Brochant | |
| P 8 | 2e | **Lemoine** (pass.) Strasbourg-St-Denis | |
| S 7 | 20e | **Lemon** Belleville | |
| L 16 | 14e | **Leneveux** Alésia | |
| F 9 | 16e | **Le Nôtre** Passy | |
| O 5 | 9e | **Lentonnet** Anvers | |
| F 8 | 16e | **Léo-Delibes** Boissière | |
| S 16 | 13e | **Léo-Fränkel** Bibliothèque François Mitterrand | |
| O 14 | 13e | **Léo-Hamon** (esplanade) Les Gobelins | |
| P 3 | 18e | **Léon** Château-Rouge | |
| T 14 | 12e | **Léonard-Bernstein** Bercy | |
| F 7 | 16e | **Léonard-de-Vinci** Victor-Hugo | |
| S 10 | 11e | **Léon-Blum** (pl.) Voltaire | |
| Q 18 | 13e | **Léon-Bollée** (av.) Pte d'Italie, Pte de Choisy | |
| C 11 | 16e | **Léon-Bonnat** Jasmin | |
| F 10 | 7e | **Léon-Bourgeois** (all.) Champ de Mars | |
| G 8 | 16e | **Léonce-Reynaud** Alma-Marceau | |
| N 8 | 2e | **Léon-Cladel** Bourse | |
| H 5 | 17e | **Léon-Cogniet** Courcelles | |
| J 4 | 17e | **Léon-Cosnard** Malesherbes | |
| E 15 | 15e | **Léon-Delagrange** Desnouettes | |
| G 14 | 15e | **Léon-Delhomme** Vaugirard | |
| B 14 | 16e | **Léon-Deubel** (pl.) Pte de St-Cloud | |
| G 16 | 15e | **Léon-Dierx** Brancion | |
| K 5 | 17e | **Léon-Droux** Rome | |
| K 15 | 14e | **Léone** (villa) Plaisance | |
| X 6 | 20e | **Léon-Frapié** St-Fargeau | |
| T 11 | 11e | **Léon-Frot** Charonne | |
| X 11 | 20e | **Léon-Gaumont** (av.) Pte de Montreuil | |
| T 4 | 19e | **Léon-Giraud** Ourcq | |
| G 15 | 15e | **Léon-Guillot** (sq.) Convention | |
| C 12 | 16e | **Léon-Heuzey** (av.) Mirabeau | |
| K 15 | 14e | **Léonidas** Alésia | |
| J 16 | 14e | **Léonie-Kastner** (voie) Didot | |
| H 5 | 17e | **Léon-Jost** Courcelles | |
| Q 7 | 10e | **Léon-Jouhaux** République | |
| G 13 | 15e | **Léon-Lhermitte** Commerce | |
| N 15 | 13e | **Léon-Maurice-Nordmann** Glacière | |
| K 12 | 6/7/15e | **Léon-Paul-Fargue** (pl.) Duroc | |
| G 13 | 15e | **Léon-Séché** Vaugirard | |
| P 6 | 10e | **Léon-Schwartzenberg** Gare de l'Est | |
| E 13 | 15e | **Léontine** Javel | |
| J 12 | 7e | **Léon-Vaudoyer** Ségur | |
| O 8 | 2e | **Léopold-Bellan** Sentier | |
| C 11 | 16e | **Léopold-II** (av.) Jasmin | |
| M 13 | 14e | **Léopold-Robert** Vavin | |
| R 5 | 19e | **Lepage** (cité) Jaurès | |
| N 6 | 9e | **Le Peletier** Richelieu-Drouot | |
| M 4 | 18e | **Lepic** (pass.) Blanche | |
| M 4 | 18e | **Lepic** Blanche | |
| R 16 | 13e | **Leredde** Bibliothèque François Mitterrand | |
| P 11 | 4e | **Le Regrattier** Pont-Marie | |
| G 14 | 15e | **Leriche** Convention | |
| G 11 | 15e | **Leroi-Gourhan** Dupleix | |
| F 7 | 16e | **Leroux** Victor-Hugo | |
| U 7 | 20e | **Leroy** (cité) Jourdain | |
| C 11 | 16e | **Leroy-Beaulieu** (sq.) Jasmin | |
| V 13 | 12e | **Leroy-Dupré** Bel-Air | |
| S 7 | 20e | **Lesage** (cour) Belleville | |
| T 7 | 20e | **Lesage** Belleville | |
| O 9 | 1er | **Lescot** (porte) "Forum des Halles" Châtelet-Les Halles | |
| Q 11 | 4e | **Lesdiguières** (de) Bastille | |
| K 12 | 6e | **Le Servien** (gal.) Vaneau | |
| U 10 | 20e | **Lespagnol** Ph.-Auguste | |
| V 9 | 20e | **Lesseps** (de) A.-Dumas | |
| F 6 | 16e | **Le Sueur** Argentine | |
| F 9 | 16e | **Le Tasse** Trocadéro | |
| G 12 | 15e | **Letellier** Émile-Zola | |
| G 12 | 15e | **Letellier** (villa) Émile-Zola | |
| N 2 | 18e | **Letort** (imp.) Simplon | |
| N 2 | 18e | **Letort** Clignancourt | |
| V 9 | 20e | **Leuck-Mathieu** Gambetta | |
| U 15 | 12e | **Levant** (cour du) Cour St-Émilion | |
| W 8 | 20e | **Le Vau** Pte de Bagnolet | |
| M 13 | 6e | **Le Verrier** Vavin | |
| U 6 | 20e | **Levert** Jourdain | |

# Lévis

| carr. | arr. | rue / street | Métro Tramway |
|---|---|---|---|
| K 5 | 17e | **Lévis** (imp. de) *Villiers* | |
| J 4 | 17e | **Lévis** (pl. de) *Villiers* | |
| J 5 | 17e | **Lévis** (rue de) *Villiers, Malesherbes* | |
| T 15 | 12e | **Lheureux** *Cour St-Emilion* | |
| S 11 | 11e | **Lhomme** (pass.) *Ledru-Rollin* | |
| O 13 | 5e | **Lhomond** *Censier-Daub., Monge* | |
| G 14 | 15e | **Lhuillier** *Convention* | |
| L 15 | 14e | **Liancourt** *Denfert-Roch.* | |
| N 17 | 14e | **Liard** *Stade Charléty* | |
| T 8 | 20e | **Liban** (du) *Ménilmontant* | |
| U 5 | 19e | **Liberté** (de la) *Danube* | |
| T 15 | 12e | **Libourne** (de) *Cour St-Emilion* | |
| H 7 | 8e | **Lido** (arcades du) *George-V* | |
| R 15 | 13e | **Liégat** (cour du) *Bibliothèque François Mitterrand* | |
| L 5 | 8/9e | **Liège** (de) *Liège* | |
| W 13 | 12e | **Lieutenance** (sentier de la) *Pte de Vincennes* | |
| W 8 | 20e | **Lieutenant-Chauré** (du) *Pelleport* | |
| N 1 | 18e | **Lieutenant-Colonel-Dax** *Clignancourt* | |
| A 14 | 16e | **Lieutenant-Colonel-Deport** (du) *Pte de St-Cloud* | |
| N 8 | 1er | **Lieutenant-Henri-Karcher** (pl. du) *Louvre-Rivoli* | |
| J 16 | 14e | **Lieutenant-Lapeyre** (du) *Didot* | |
| K 15 | 14e | **Lieutenant-Stéphane-Piobetta** (pl. du) *Plaisance* | |
| H 15 | 15e | **Lieuvin** (du) *Brancion* | |
| V 10 | 20e | **Ligner** *A.-Dumas* | |
| U 5 | 19e | **Lilas** (des) *Pl. des Fêtes* | |
| U 5 | 19e | **Lilas** (villa des) *Pl. des Fêtes* | |
| L 5 | 9e | **Lili-Boulanger** (pl.) *Pl. de Clichy* | |
| M 10 | 7e | **Lille** (de) *Rue du Bac, Assemblée Nationale* | |
| S 17 | 13e | **Limagne** (sq. de la) *Pte d'Ivry* | |
| S 17 | 13e | **Limousin** (sq. du) *Pte d'Ivry* | |
| H 7 | 8e | **Lincoln** *George-V* | |
| O 9 | 1er | **Lingères** (pass. des) *Châtelet-Les Halles* | |
| O 9 | 1er | **Lingerie** (de la) *Les Halles* | |
| P 12 | 5e | **Linné** *Jussieu* | |
| N 5 | 9e | **Lino-Ventura** (pl.) *Pigalle* | |
| E 12 | 15e | **Linois** *Charles-Michels* | |
| Q 11 | 4e | **Lions-St-Paul** (des) *Sully-Morland* | |
| X 12 | 20e | **Lippmann** *Pte de Vincennes* | |
| S 10 | 11e | **Lisa** (pass.) *Voltaire* | |
| K 6 | 8e | **Lisbonne** (de) *Villiers, Courcelles* | |
| O 17 | 13e | **Liserons** (des) *Stade Charléty* | |
| V 9 | 20e | **Lisfranc** *Gambetta* | |
| L 12 | 6e | **Littré** *Montparnasse-B.* | |
| O 4 | 18e | **Livingstone** *Anvers* | |
| P 10 | 4e | **Lobau** (de) *Hôtel-de-Ville* | |
| M 11 | 6e | **Lobineau** *Mabillon* | |
| J 5 | 17e | **Logelbach** (de) *Monceau* | |
| V 10 | 20e | **Loi** (imp. de la) *Buzenval* | |
| L 16 | 14e | **Loing** (du) *Alésia* | |
| S 4 | 19e | **Loire** (q. de la) *Jaurès, Laumière* | |
| S 16 | 13e | **Loiret** (du) *Bibliothèque François Mitterrand* | |
| O 9 | 1/4e | **Lombards** (des) *Châtelet* | |
| L 6 | 9e | **Londres** (cité de) *Trinité* | |
| L 6 | 8/9e | **Londres** (de) *Trinité, Europe* | |
| F 8 | 16e | **Longchamp** (de) *Iéna, Trocadéro* | |
| F 8 | 16e | **Longchamp** (villa de) *Trocadéro* | |
| O 17 | 13e | **Longues-Raies** (des) *Stade Charléty, Poterne des Peupliers* | |
| G 7 | 8e | **Lord-Byron** *George-V* | |
| T 4 | 19e | **Lorraine** (de) *Ourcq* | |
| U 5 | 19e | **Lorraine** (villa de) *Danube* | |
| S 1 | 19e | **Lot** (quai du) *Pte de la Villette* | |
| D 8 | 16e | **Lota** (de) *Pte Dauphine* | |
| N 9 | 1er | **Louis-Aragon** (all.) *Les Halles* | |
| P 11 | 4e | **Louis-Aragon** (pl.) *Pont Marie* | |
| R 12 | 12e | **Louis-Armand** (cour) *Gare de Lyon* | |
| E 15 | 15e | **Louis-Armand** *Pte d'Issy* | |
| Q 14 | 13e | **Louis-Armstrong** (pl.) *Campo-Formio* | |
| C 8 | 16e | **Louis-Barthou** (av.) *Av. H.-Martin* | |
| H 3 | 17e | **Louis-Bernier** (pl.) *Pte de Clichy* | |
| R 5 | 10e | **Louis-Blanc** *Colonel-Fabien, Louis-Blanc, La Chapelle* | |
| D 11 | 16e | **Louis-Blériot** (q.) *Mirabeau* | |
| C 9 | 16e | **Louis-Boilly** *La Muette* | |
| S 7 | 11e | **Louis-Bonnet** *Belleville* | |
| V 13 | 12e | **Louis-Braille** *Bel-Air* | |
| J 10 | 7e | **Louis-Codet** *École Militaire* | |
| E 9 | 16e | **Louis-David** *Passy* | |
| X 12 | 12e | **Louis-Delaporte** *Pte de Vincennes* | |
| T 8 | 20e | **Louis-Delgrès** *Ménilmontant* | |
| M 16 | 14e | **Louise-et-Tony** (sq.) *Alésia* | |
| S 6 | 19e | **Louise-Labé** (all.) *Belleville* | |
| U 6 | 19e | **Louise-Thuliez** *Place des Fêtes* | |
| R 15 | 13e | **Louise-Weiss** *Chevaleret* | |
| W 9 | 20e | **Louis-Ganne** *Pte de Bagnolet* | |
| W 15 | 12e | **Louis-Gentil** (sq.) *Pte Dorée* | |
| Q 3 | 18e | **Louisiane** (de la) *Marx-Dormoy* | |
| M 7 | 2e | **Louis-le-Grand** *Opéra* | |
| O 10 | 4e | **Louis-Lépine** (pl.) *Cité* | |
| L 1 | 17e | **Louis-Loucheur** *Pte de St-Ouen* | |
| W 10 | 20e | **Louis-Lumière** *Pte de Bagnolet* | |
| N 13 | 5e | **Louis-Marin** (pl.) *Luxembourg* | |
| K 16 | 14e | **Louis-Morard** *Alésia* | |
| J 6 | 8e | **Louis-Murat** *Courcelles* | |
| T 8 | 20e | **Louis-Nicolas-Clérambault** *Père-Lachaise* | |
| M 1 | 18e | **Louis-Pasteur-Valléry-Radot** *Pte de St-Ouen* | |
| O 18 | 13e | **Louis-Pergaud** *Cité Universitaire* | |
| R 10 | 11e | **Louis-Philippe** (pass.) *Bastille* | |
| P 11 | 4e | **Louis-Philippe** (pt) *Pont-Marie* | |
| U 7 | 20e | **Louis-Robert** (imp.) *Jourdain* | |
| N 13 | 5e | **Louis-Thuillier** *Luxembourg* | |
| G 16 | 15e | **Louis-Vicat** *Brancion* | |
| F 3 | 17e | **Louis-Vierne** *Louise-Michel* | |
| G 4 | 17e | **Loulou-Gasté** (pl.) *Pereire* | |
| S 1 | 19e | **Lounès-Matoub** *Porte de la Villette* | |
| N 15 | 14e | **Lourcine** (villa de) *St-Jacques* | |
| F 11 | 15e | **Lourmel** (de) *Duplex, Charles-Michels, Boucicaut, Lourmel* | |
| L 15 | 14e | **Louvat** (villa) *Denfert-Roch.* | |
| L 15 | 14e | **Louvat** (imp.) *Denfert-Roch.* | |
| M 8 | 2e | **Louvois** (de) *Quatre septembre* | |
| N 9 | 1er | **Louvre** (pl. du) *Louvre* | |
| O 9 | 1er | **Louvre** (porte du) *"Forum des Halles"* *Châtelet-Les Halles* | |
| M 9 | 1er | **Louvre** (port du) *Palais-Royal* | |
| N 10 | 1er | **Louvre** (q. du) *Pont-Neuf* | |
| N 8 | 1/2e | **Louvre** (du) *Louvre* | |
| J 11 | 7/15e | **Lowendal** (av. de) *École Militaire, Cambronne* | |
| H 12 | 15e | **Lowendal** (sq.) *Cambronne* | |
| G 8 | 16e | **Lübeck** (de) *Iéna* | |
| D 14 | 15e | **Lucien-Bossoutrot** *Balard* | |
| M 18 | 14e | **Lucien-Descaves** (av.) *Montsouris* | |
| W 12 | 20e | **Lucien-et-Sacha-Guitry** *Pte de Vincennes* | |
| N 3 | 18e | **Lucien-Gaulard** *Lamarck-Caul.* | |
| O 13 | 5e | **Lucien-Herr** (pl.) *Censier-Daubenton* | |
| X 10 | 20e | **Lucien-Lambeau** *Pte de Montreuil* | |
| V 9 | 20e | **Lucien-Leuwen** *Pte de Bagnolet* | |
| Q 6 | 10e | **Lucien-Sampaix** *J.-Bonsergent* | |
| M 8 | 2e | **Lulli** *Quatre septembre* | |
| L 16 | 14e | **Lunain** (du) *Alésia* | |
| O 7 | 2e | **Lune** (de la) *Bonne-Nouvelle* | |
| T 4 | 19e | **Lunéville** (de) *Ourcq* | |
| O 10 | 4e | **Lutèce** (de) *Cité* | |
| L 10 | 7e | **Luynes** (de) *Rue du Bac* | |
| L 10 | 7e | **Luynes** (sq. de) *Rue du Bac* | |
| W 9 | 20e | **Lyanes** (des) *Pte de Bagnolet* | |
| W 8 | 20e | **Lyanes** (villa des) *Pte de Bagnolet* | |

| rr. | arr. | rue / street | Métro Tramway |
|---|---|---|---|
| 10 | 16e | Lyautey *Passy* | |
| 12 | 12e | Lyon (de) *Gare de Lyon, Bastille* | |
| 14 | 5e | Lyonnais (des) *Censier-Daubenton* | |

**M**

| rr. | arr. | rue / street | Métro Tramway |
|---|---|---|---|
| 11 | 6e | Mabillon *Mabillon* | |
| J 2 | 19e | Macdonald (bd) *Pte de la Villette* | |
| G 6 | 17e | Mac-Mahon (av.) *Ch.-de-G.-Étoile* | |
| 11 | 12e | Maconnais (des) *Cour St-Emilion* | |
| 12 | 12e | Madagascar (de) *Pte de Charenton* | |
| 11 | 6e | Madame *St-Sulpice* | |
| L 7 | 1/8/9e | Madeleine (bd de la) *Madeleine* | |
| L 7 | 8e | Madeleine (gal. de la) *Madeleine* | |
| L 7 | 8e | Madeleine (marché de la) *Madeleine* | |
| L 7 | 8e | Madeleine (pass. de la) *Madeleine* | |
| L 7 | 8e | Madeleine (pl. de la) *Madeleine* | |
| D 6 | 16e | Madeleine-Braun (pl.) *Gare de l'Est* | |
| E 4 | 17e | Madeleine-Daniélou (pl.) *Pte Maillot* | |
| | 20e | Madeleine-Marzin *Pte de Montreuil* | |
| 14 | 15e | Madeleine-Renaud-et-Jean-Louis-Barrault (pl.) *Montparnasse-B.* | |
| 13 | 15e | Mademoiselle *Commerce, Vaugirard* | |
| Q 3 | 18e | Madone (de la) *Max-Dormoy* | |
| K 5 | 8e | Madrid (de) *Europe* | |
| H 3 | 17e | Magasins-de-l'Opéra-Comique (pl. des) *Pte de Champerret, Porte de Clichy* | |
| F 8 | 16e | Magdebourg (de) *Trocadéro* | |
| F 5 | 8e | Magellan *George-V* | |
| 15 | 13e | Magendie *Glacière* | |
| Q 7 | 9/10e | Magenta (bd de la) *République, J.-Bonsergent, Gare de l'Est, Gare du Nord, Barbès-Roch.* | |
| P 7 | 10e | Magenta (cité de) *J.-Bonsergent* | |
| U 1 | 19e | Magenta *Pte de la Villette* | |
| 11 | 6e | Mahmoud-Darwich (place) *St-Germain-des-P.* | |
| 11 | 20e | Maigrot-Delaunay (pass.) *Buzenval* | |
| N 8 | 2e | Mail (du) *Sentier* | |
| 10 | 11e | Maillard *Voltaire* | |
| 11 | 11e | Main-d'Or (pass. de la) *Ledru-Rollin* | |
| 11 | 11e | Main-d'Or (de la) *Ledru-Rollin* | |
| 15 | 14/15e | Maine (av. du) *Montparnasse, Gaîté, Mouton-Duvernet, Alésia* | |
| 13 | 14e | Maine (du) *Edgar-Quinet* | |
| 12 | 6e | Maintenon (all.) *Montparnasse-B.* | |
| P 8 | 3e | Maire (au) *Arts-et-Métiers* | |
| N 4 | 18e | Mairie (cité de la) *Abbesses* | |
| 16 | 13e | Maison-Blanche (de la) *Tolbiac* | |
| 11 | 11e | Maison-Brûlée (cour de la) *Ledru-Rollin* | |
| 14 | 14e | Maison-Dieu *Gaîté* | |
| 11 | 5e | Maître-Albert *Maubert-Mutualité* | |
| E 6 | 16e | Malakoff (av. de) *Pte Maillot* | |
| E 6 | 16e | Malakoff (imp. de) *Pte Maillot* | |
| F 8 | 16e | Malakoff (villa) *Trocadéro* | |
| 10 | 6e | Malaquais (q.) *St-Germain-des-P.* | |
| H 9 | 7e | Malar *Pte de l'Alma* | |
| 15 | 15e | Malassis *Convention* | |
| | 5e | Malebranche *Luxembourg* | |
| K 7 | 8/17e | Malesherbes (bd) *Madeleine, St-Augustin, Villiers, Malesherbes, Wagram* | |
| N 5 | 9e | Malesherbes (cité) *Pigalle* | |
| J 4 | 17e | Malesherbes (villa) *Malesherbes* | |
| J 6 | 8e | Maleville *Villiers* | |
| 10 | 4e | Malher *St-Paul* | |
| 16 | 16e | Malherbe (sq.) *Pte d'Auteuil* | |
| 16 | 14e | Mallebay (villa) *Plaisance* | |
| 10 | 16e | Mallet-Stevens *Jasmin* | |
| 17 | 13e | Malmaisons (des) *Maison-Blanche* | |
| R 8 | 11e | Malte (de) *République* | |
| V 8 | 20e | Malte-Brun *Gambetta* | |

| carr. | arr. | rue / street | Métro Tramway |
|---|---|---|---|
| P 13 | 5e | Malus *Place Monge* | |
| O 8 | 2e | Mandar *Sentier* | |
| S 5 | 19e | Manin *Bolivar, Laumière, Danube* | |
| U 4 | 19e | Manin (villa) *Danube* | |
| M 5 | 9e | Mansart *Blanche* | |
| N 5 | 9e | Manuel *N.-D.-de-Lorette* | |
| G 8 | 16e | Manutention (de la) *léna* | |
| W 6 | 20e | Maquis-du-Vercors (pl.) *Pte des Lilas* | |
| W 12 | 20e | Maraîchers (des) *Pte de Vincennes, Maraîchers* | |
| Q 7 | 10e | Marais (pass. des) *J.-Bonsergent* | |
| E 6 | 16e | Marbeau (bd) *Pte Dauphine* | |
| E 6 | 16e | Marbeau *Pte Dauphine* | |
| H 7 | 8e | Marbeuf *F.-D.-Roosevelt* | |
| N 3 | 18e | Marcadet *Marcadet-Pois., Jules-Joffrin, Lamarck Caul., Guy-Môquet* | |
| S 16 | 13e | Marc-Antoine-Charpentier *Bibliothèque François Mitterrand* | |
| V 10 | 20e | Marc-Bloch (pl.) *Maraîchers* | |
| Q 18 | 13e | Marc-Chagall (all.) *Pte d'Italie* | |
| G 8 | 8/16e | Marceau (av.) *Alma-Marceau, Ch.-de-Gaulle-Étoile* | |
| U 5 | 19e | Marceau (villa) *Danube* | |
| S 6 | 19e | Marcel-Achard (pl.) *Belleville* | |
| N 4 | 18e | Marcel-Aymé (pl.) *Lamarck-Caul.* | |
| F 11 | 15e | Marcel-Cerdan (pl.) *Dupleix* | |
| B 14 | 16e | Marcel-Doret (av.) *Pte de St-Cloud* | |
| W 15 | 12e | Marcel-Dubois *Pte Dorée* | |
| R 16 | 13e | Marcel-Duchamp *Olympiades* | |
| R 9 | 11e | Marcel-Gromaire (pl.) *St-Sébastien-Froissart* | |
| O 17 | 13e | Marcel-Jambenoire (all.) *Stade Charléty* | |
| R 4 | 19e | Marcel-Landowski (pass.) *Riquet* | |
| S 6 | 19e | Marcel-Lods (villa) *Belleville* | |
| H 2 | 17e | Marcel-Paul *Pte de Clichy* | |
| K 15 | 14e | Marcel-Paul (pl.) *Pernety* | |
| E 10 | 16e | Marcel-Proust (av.) *Passy* | |
| T 9 | 11e | Marcel-Rajman (sq.) *Philippe-Auguste* | |
| F 5 | 17e | Marcel-Renault *Ternes* | |
| M 1 | 18e | Marcel-Sembat *Pte de Clignancourt* | |
| G 14 | 15e | Marcel-Toussaint (sq.) *Convention* | |
| O 11 | 5e | Marcelin-Berthelot (pl.) *Maubert-Mutualité* | |
| S 10 | 11e | Marcès (villa) *St-Ambroise* | |
| V 4 | 19e | Marchais (des) *Danube* | |
| P 7 | 10e | Marché (pass. du) *Château-d'Eau* | |
| P 14 | 5e | Marché-aux-Chevaux (imp. du) *St-Marcel* | |
| P 10 | 4e | Marché-des-Blancs-Manteaux (du) *St-Paul* | |
| O 13 | 5e | Marché-des-Patriarches (du) *Censier-Daubenton* | |
| O 11 | 4e | Marché-Neuf (q. du) *Cité* | |
| M 2 | 18e | Marché-Ordener (du) *Guy-Môquet* | |
| R 8 | 11e | Marché-Popincourt (du) *Parmentier* | |
| Q 10 | 4e | Marché-Ste-Catherine (du) *St-Paul* | |
| S 12 | 12e | Marché-St-Antoine (cour du) *Ledru-Rollin, Gare de Lyon* | |
| M 8 | 1er | Marché-St-Honoré (pl. du) *Pyramides* | |
| M 8 | 1er | Marché-St-Honoré (du) *Pyramides* | |
| J 16 | 14e | Marc-Sangnier (av.) *Pte de Vanves* | |
| Q 3 | 18e | Marc-Séguin (av.) *Marx-Dormoy* | |
| U 7 | 20e | Mare (imp. de la) *Ménilmontant* | |
| U 7 | 20e | Mare (de la) *Ménilmontant* | |
| D 7 | 16e | Maréchal-de-Lattre-de-Tassigny (pl. du) *Pte Dauphine* | |
| D 7 | 16e | Maréchal-Fayolle (av. du) *Pte Dauphine* | |
| B 10 | 16e | Maréchal-Franchet-d'Esperey (av. du) *Ranelagh* | |
| J 9 | 7e | Maréchal-Gallieni (av. du) *Invalides* | |
| G 10 | 7e | Maréchal-Harispe (du) *Pt de l'Alma* | |
| G 4 | 17e | Maréchal-Juin (pl. du) *Pereire* | |
| B 11 | 16e | Maréchal-Lyautey (av. du) *Pte d'Auteuil* | |
| C 9 | 16e | Maréchal-Maunoury (av. du) *La Muette* | |
| N 9 | 1er | Marengo (de) *Louvre* | |
| L 16 | 14e | Marguerin *Alésia* | |

# Marguerite-Boucicaut

| carr. | arr. | rue / street | Métro Tramway |
|---|---|---|---|
| E 13 | 15e | **Marguerite-Boucicaut** *Boucicaut* | |
| O 9 | 1er | **Marguerite-de-Navarre** | |
| | | (pl.) *Châtelet-Les Halles* | |
| S 16 | 13e | **Marguerite-Duras** *Biblioth. François Mitterrand* | |
| H 3 | 17e | **Marguerite-Long** | |
| | | *Pte de Champerret, Pte de Clichy* | |
| G 11 | 15e | **Marguerite-Yourcenar** *Dupleix* | |
| M 7 | 17e | **Marguerite** *Courcelles* | |
| W 13 | 12e | **Marguettes** (des) *Pte de Vincennes* | |
| E 9 | 16e | **Maria-Callas** (all.) *Trocadéro, R. de la Pompe* | |
| G 8 | 16e | **Maria-Callas** (pl.) *Alma-Marceau* | |
| L 2 | 17e | **Maria-Deraismes** *Guy-Môquet* | |
| V 11 | 11e | **Maria-Doriath** (all.) *Avron* | |
| K 2 | 17e | **Marie** (cité) *Pte de Clichy* | |
| P 11 | 4e | **Marie** (pont) *Pont-Marie* | |
| S 16 | 13e | **Marie-Andrée Lagroua-Weill-Hallé** | |
| | | *Bibliothèque François Mitterrand* | |
| U 12 | 12e | **Marie-Benoist** *Nation* | |
| M 4 | 18e | **Marie-Blanche** (imp.) *Blanche* | |
| L 16 | 14e | **Marie-Davy** *Alésia* | |
| W 10 | 20e | **Marie-de-Miribel** (all.) *Pte de Montreuil* | |
| E 10 | 16e | **Marie-de-Régnier** (imp.) *Passy* | |
| Q 7 | 10e | **Marie-et-Louise** *Goncourt* | |
| U 11 | 11e | **Marie-José-Nicoli** (pl.) *Rue des Boulets* | |
| W 13 | 12e | **Marie-Laurencin** *Bel-Air* | |
| V 11 | 20e | **Marie-Laurent** (all.) *Buzenval* | |
| S 16 | 13e | **Marie-Louise-Dubreil-Jacotin** | |
| | | *Bibliothèque François Mitterrand* | |
| G 11 | 15e | **Marie-Madeleine-Fourcade** (pl.) *Dupleix* | |
| M 11 | 6e | **Marie-Pape-Carpentier** *St-Sulpice* | |
| M 16 | 14e | **Marie-Rose** *Alésia* | |
| O 8 | 2e | **Marie-Stuart** *Étienne-Marcel* | |
| K 13 | 15e | **Marie-Vassilieff** (villa) *Montparnasse-B.* | |
| D 10 | 16e | **Marietta-Martin** *La Muette* | |
| H 7 | 8e | **Marignan** (pass. de) *F.-D.-Roosevelt* | |
| H 7 | 8e | **Marignan** (pl.) *F.-D.-Roosevelt* | |
| K 7 | 8e | **Marigny** (av. de) *Ch.-Élysées-C.* | |
| J 16 | 14e | **Mariniers** (des) *Didot* | |
| H 10 | 7e | **Marinoni** *École Militaire* | |
| H 12 | 15e | **Mario-Nikis** *Ségur* | |
| K 4 | 17e | **Mariotte** *Rome* | |
| W 6 | 19e | **Marius-Barroux** (pl.) *Pte des Lilas* | |
| M 6 | 9e | **Marivaux** (r.) *Richelieu-Drouot* | |
| F 8 | 16e | **Marlène-Dietrich** (pl.) *Iéna* | |
| G 14 | 15e | **Marmontel** *Convention* | |
| O 14 | 13e | **Marmousets** (des) *Les Gobelins* | |
| T 3 | 19e | **Marne** (q. de la) *Crimée* | |
| T 3 | 19e | **Marne** (de la) *Ourcq* | |
| R 4 | 19e | **Maroc** (imp.) *Stalingrad* | |
| R 4 | 19e | **Maroc** (pl. du) *Stalingrad* | |
| R 4 | 19e | **Maroc** (du) *Stalingrad* | |
| T 8 | 20e | **Maronites** (des) *Ménilmontant* | |
| G 3 | 17e | **Marquis-d'Arlandes** (du) *Pte de Champerret* | |
| D 10 | 16e | **Marronniers** (des) *Av. du Pdt-Kennedy* | |
| V 4 | 19e | **Marseillaise** (de la) *Pte de Pantin* | |
| Q 7 | 10e | **Marseille** (de) *J.-Bonsergent* | |
| M 8 | 2e | **Marsollier** *Quatre septembre* | |
| V 12 | 12e | **Marsoulan** *Picpus* | |
| Q 1 | 18e | **Marteau** (imp.) *Pte de la Chapelle* | |
| P 6 | 10e | **Martel** *Château-d'Eau* | |
| H 16 | 14e | **Marthe-Simard** (pl.) *Porte de Vanves* | |
| K 10 | 7e | **Martignac** (cité) *Varenne* | |
| K 10 | 7e | **Martignac** (de) *Varenne* | |
| O 16 | 13e | **Martin-Bernard** *Corvisart* | |
| W 8 | 20e | **Martin-Garat** *Pte de Bagnolet* | |
| P 7 | 10e | **Martini** (imp.) *Strasbourg-St-Denis* | |
| Q 3 | 18e | **Martinique** (de la) *Marx-Dormoy* | |
| U 8 | 20e | **Martin-Nadaud** (pl.) *Gambetta* | |
| L 2 | 17e | **Marty** (imp.) *Pte de St-Ouen* | |
| N 5 | 9/18e | **Martyrs** (des) *N.-D.-Lorette, Pigalle* | |
| D 15 | 15e | **Martyrs de la Résistance de la** | |
| | | **Porte de Sèvres** (pl. des) *Balard* | |
| F 10 | 15e | **Martyrs-Juifs-du-Vélodrome-d'Hiver** | |
| | | (pl. des) *Bir-Hakeim* | |
| P 4 | 18e | **Marx-Dormoy** *La Chapelle, Marx-Dormoy* | |
| S 17 | 13e | **Maryse-Bastié** *Pte d'Ivry* | |
| X 11 | 20e | **Maryse-Hilsz** *Pte de Montreuil* | |
| D 9 | 16e | **Maspéro** *La Muette* | |
| R 17 | 13e | **Masséna** (bd) , *Pte d'Ivry, Pte de Choisy, Pte d'* | |
| R 17 | 13e | **Masséna** (sq.) *Pte d'Ivry* | |
| E 10 | 16e | **Massenet** *La Muette* | |
| J 12 | 7e | **Masseran** *Duroc* | |
| V 15 | 12e | **Massif-Central** (sq. du) *Pte de Charenton* | |
| O 11 | 4e | **Massillon** *Cité* | |
| O 2 | 18e | **Massonnet** (imp.) *Clignancourt* | |
| J 13 | 15e | **Mathieu** (imp.) *Pasteur* | |
| S 3 | 19e | **Mathis** *Crimée* | |
| S 5 | 19e | **Mathurin-Moreau** (av.) *Colonel-Fabien, Bol* | |
| J 14 | 15e | **Mathurin-Régnier** *Volontaires* | |
| L 7 | 8/9e | **Mathurins** (des) *Havre-C., St-Augustin* | |
| J 7 | 8e | **Matignon** (av.) *F.-D.-Roosevelt* | |
| O 11 | 5e | **Maubert** (imp.) *Maubert-Mutualité* | |
| O 11 | 5e | **Maubert** (pl.) *Maubert-Mutualité* | |
| O 5 | 9/10e | **Maubeuge** (de) *Cadet, Poissonnière, Gare du N* | |
| O 5 | 9e | **Maubeuge** (sq. de) *Poissonnière* | |
| G 13 | 15e | **Maublanc** *Vaugirard* | |
| O 8 | 1er | **Mauconseil** *Étienne-Marcel* | |
| P 9 | 3e | **Maure** (pass. du) *Rambuteau* | |
| Q 13 | 5e | **Maurel** (pass.) *Austerlitz* | |
| O 12 | 5e | **Maurice-Audin** (pl.) *Cardinal-Lemoine* | |
| L 8 | 1er | **Maurice-Barrès** (pl.) *Madeleine* | |
| G 10 | 7e | **Maurice-Baumont** (all.) *Champ de Mars* | |
| W 8 | 20e | **Maurice-Berteaux** *Pte de Bagnolet* | |
| J 16 | 14e | **Maurice-Bouchor** *Didot* | |
| E 11 | 16e | **Maurice-Bourdet** *Av. du Pdt-Kennedy* | |
| O 11 | 4e | **Maurice-Carême** | |
| | | (promenade) *St-Michel-Notre-Dame, Cité* | |
| T 8 | 20e | **Maurice-Chevalier** (pl.) *Ménilmontant* | |
| H 6 | 8e | **Maurice-Couve-de-Murville** | |
| | | (pl.) *Ch.-de-G.-Étoile* | |
| T 12 | 12e | **Maurice-de-Fontenay** (pl.) *Montgallet* | |
| J 12 | 7e | **Maurice-de-la-Sizeranne** *Duroc* | |
| S 12 | 12e | **Maurice-Denis** *Gare de Lyon* | |
| J 17 | 14e | **Maurice-d'Ocagne** (av.) *Didot, Jean Moulin* | |
| R 15 | 13e | **Maurice-et-Louis-de-Broglie** *Chevaleret* | |
| Q 2 | 18e | **Maurice-Genevoix** *Marx-Dormoy* | |
| M 16 | 14e | **Maurice-Lœwy** *Alésia* | |
| J 14 | 15e | **Maurice-Maignen** *Volontaires* | |
| H 16 | 14e | **Maurice-Noguès** *Pte de Vanves* | |
| O 9 | 1er | **Maurice-Quentin** (pl.) *Les Halles* | |
| X 13 | 12e | **Maurice-Ravel** (av.) *Pte de Vincennes* | |
| L 15 | 14e | **Maurice-Ripoche** *Pernety* | |
| U 5 | 19e | **Maurice-Rollinat** (villa) *Danube* | |
| J 15 | 14e | **Maurice-Rouvier** *Plaisance* | |
| N 4 | 18e | **Maurice-Utrillo** *Château-Rouge* | |
| P 10 | 4e | **Mauvais-Garçons** (des) *Hôtel-de-Ville* | |
| W 10 | 20e | **Mauves** (all. des) *Pte de Montreuil* | |
| W 6 | 19e | **Mauxins** (pass. des) *Pte des Lilas* | |
| T 8 | 20e | **Max-Ernst** *Ménilmontant* | |
| K 13 | 15e | **Max-Guedj** (esplanade) *Balard, Lourmel* | |
| K 13 | 15e | **Max-Hymans** (sq.) *Montparnasse-B.* | |
| P 17 | 13e | **Max-Jacob** *Poterne des Peupliers* | |
| G 3 | 17e | **Mayenne** (sq. de la) *Pte de Champerret* | |
| K 12 | 6e | **Mayet** *Duroc* | |
| O 6 | 9e | **Mayran** *Cadet* | |
| N 18 | 13e | **Mazagran** (av. de) *Stade Charléty* | |
| O 7 | 10e | **Mazagran** (de) *Strasbourg-St-Denis* | |
| N 10 | 6e | **Mazarine** *Odéon* | |
| R 12 | 12e | **Mazas** (pl.) *Quai de la Rapée* | |
| R 12 | 12e | **Mazas** (voie) *Quai de la Rapée* | |

| arr. | arr. | rue / street *Métro Tramway* | carr. | arr. | rue / street *Métro Tramway* |
|---|---|---|---|---|---|
| S 4 | 19e | **Meaux** (de) *Colonel-Fabien, Bolivar, Laumière* | N 5 | 9e | **Milton** *N.-D.-de-Lorette* |
| 14 | 14e | **Méchain** *St-Jacques* | O 17 | 13e | **Mimosas** (sq. des) *Stade Charléty* |
| H 5 | 17e | **Médéric** *Courcelles* | T 15 | 12e | **Minervois** (cour du) *Cour St-Emilion* |
| 10 | 6e | **Médicis** (de) *Luxembourg* | Q 10 | 3e | **Minimes** (des) *Chemin-Vert* |
| 10 | 1er | **Mégisserie** (q. de la) *Pont-Neuf* | H 12 | 15e | **Miollis** *Cambronne* |
| 1 8 | 2e | **Mehdi-Ben-Barka** (pl.) *St-Germain-des-P.* | D 12 | 15/16e | **Mirabeau** (pont) *Javel* |
| 8 | 2e | **Méhul** *Pyramides* | C 12 | 16e | **Mirabeau** *Mirabeau, Chardon-Lagache* |
| 12 | 15e | **Meilhac** *Émile-Zola* | O 13 | 5e | **Mirbel** (de) *Censier-Daubenton* |
| H 5 | 17e | **Meissonier** *Wagram* | N 4 | 18e | **Mire** (de la) *Abbesses* |
| T 6 | 20e | **Mélingue** *Pyrénées* | M 8 | 1er | **Mireille** (pl.) *Palais-Royal* |
| S 4 | 19e | **Melun** (pass. de) *Laumière* | T 11 | 11e | **Mireille-Havet** (pl.) *Faidherbe-Chal.* |
| N 7 | 2e | **Ménars** *Quatre septembre* | K 7 | 8e | **Miromesnil** (de) *Miromesnil, Villiers* |
| 10 | 20e | **Mendelssohn** *Pte de Montreuil* | C 11 | 16e | **Mission-Marchand** (de la) *Michel-A.-Auteuil* |
| P 9 | 3e | **Ménétriers** (pass. des) *Rambuteau* | J 13 | 15e | **Mizon** *Pasteur* |
| T 9 | 11/20e | **Ménilmontant** (bd de) *Philippe-Auguste, Père-Lachaise, Ménilmontant* | T 4 | 19e | **Moderne** (av.) *Laumière* |
| | | | L 15 | 14e | **Moderne** (villa) *Alésia* |
| T 8 | 11e | **Ménilmontant** (pass. de) *Ménilmontant* | E 14 | 15e | **Modigliani** *Convention* |
| T 8 | 20e | **Ménilmontant** (pl. de) *Ménilmontant* | K 14 | 14e | **Modigliani** (terr.) *Montparnasse-B.* |
| N 7 | 20e | **Ménilmontant** (de) *Ménilmontant, Gambetta, Pelleport* | M 6 | 9e | **Mogador** (de) *Trinité* |
| | | | P 11 | 5e | **Mohammed V** (place) *Jussieu* |
| 12 | 11e | **Mercœur** *Voltaire* | M 17 | 14e | **Mohamed Bouazizi** (place) *Montsouris* |
| 16 | 14e | **Méridienne** (villa) *Pte d'Orléans* | K 3 | 17e | **Moines** (des) *Brochant* |
| E 8 | 16e | **Mérimée** *Victor-Hugo* | B 13 | 16e | **Molière** (av.) *Michel-A.-Molitor* |
| 13 | 12e | **Merisiers** (sentier des) *Pte de Vincennes* | O 9 | 3e | **Molière** (pass.) *Rambuteau* |
| T 9 | 11e | **Merlin** *Père-Lachaise* | M 8 | 1er | **Molière** *Pyramides* |
| E 8 | 16e | **Méryon** *Michel-A.-Molitor* | Q 3 | 18e | **Molin** (imp.) *Marx-Dormoy* |
| Q 8 | 3e | **Meslay** (pass.) *République* | C 12 | 16e | **Molitor** *Chardon-Lagache, Michel-A.-Molitor* |
| Q 8 | 3e | **Meslay** *République, Strasbourg-St-Denis* | C 12 | 16e | **Molitor** (villa) *Chardon-Lagache* |
| E 8 | 16e | **Mesnil** *Victor-Hugo* | J 6 | 8e | **Mollien** *Villiers* |
| D 6 | 10e | **Messageries** (des) *Poissonnière* | J 4 | 17e | **Monbel** (de) *Wagram* |
| 13 | 12e | **Messidor** *Bel-Air* | K 5 | 8e | **Monceau** (de) *Courcelles, Villiers* |
| 14 | 14e | **Messier** *St-Jacques* | K 5 | 17e | **Monceau** (sq.) *Villiers* |
| J 6 | 8e | **Messine** (av. de) *Miromesnil* | G 5 | 17e | **Monceau** (villa) *Pereire* |
| J 6 | 8e | **Messine** (de) *Miromesnil* | L 3 | 17e | **Moncey** (pass.) *La Fourche* |
| T 6 | 20e | **Métairie** (cour de la) *Pyrénées* | M 5 | 9e | **Moncey** *Liège* |
| T 3 | 19e | **Metz** (q. de) *Ourcq* | M 5 | 9e | **Moncey** (sq.) *Liège* |
| P 7 | 10e | **Metz** (de) *Strasbourg-St-Denis* | O 9 | 4e | **Mondétour** *Étienne-Marcel* |
| 15 | 12e | **Meuniers** (des) *Pte de Charenton* | W 8 | 20e | **Mondonville** *Pte de Bagnolet* |
| T 3 | 19e | **Meurthe** (de la) *Ourcq* | L 8 | 1er | **Mondovi** (de) *Concorde* |
| E 8 | 16e | **Mexico** (pl. de) *Trocadéro* | O 13 | 5e | **Monge** (pl.) *Place Monge* |
| P 7 | | **Meyerbeer** *Opéra* | O 12 | 5e | **Monge** *Maubert-Mutualité, Cardinal-Lemoine, Monge, Censier-Daubenton* |
| T 4 | 19e | **Meynadier** *Laumière* | | | |
| 15 | 6e | **Mézières** (de) *St-Sulpice* | X 13 | 12e | **Mongenot** *Pte de Vincennes* |
| 16 | 13e | **Michal** *Corvisart* | R 6 | 19e | **Monjol** *Colonel-Fabien* |
| 12 | 16e | **Michel-Ange** (ham.) *Exelmans* | N 9 | 1er | **Monnaie** (de la) *Pont-Neuf* |
| 12 | 16e | **Michel-Ange** *Michel-A.-Auteuil, Michel-A.-Molitor, Exelmans, Pte de St-Cloud* | T 8 | 20e | **Monplaisir** (pass.) *Ménilmontant* |
| | | | H 4 | 17e | **Monseigneur-Loutil** (pl.) *Wagram* |
| 12 | 16e | **Michel-Ange** (villa) *Michel-A.-Auteuil* | Q 6 | 10e | **Monseigneur-Rodhain** *Gare de l'Est* |
| 15 | 14e | **Michel-Audiard** (pl.) *Mouton-Duvernet* | K 11 | 7e | **Monsieur** *St-François-Xavier* |
| 17 | 13e | **Michel-Bréal** *Pte d'Ivry* | N 12 | 6e | **Monsieur-le-Prince** *Odéon, Luxembourg* |
| 12 | 12e | **Michel-Chasles** *Gare de Lyon* | M 7 | 2e | **Monsigny** *Quatre septembre* |
| 10 | 20e | **Michel-de-Bourges** *Buzenval* | V 10 | 20e | **Monsoreau** (sq. de) *A.-Dumas* |
| 11 | 6e | **Michel-Debré** (pl.) *St-Sulpice* | E 13 | 15e | **Montagne-d'Aulas** (de la) *Balard* |
| 11 | 6e | **Michelet** *Port-Royal* | D 14 | 15e | **Montagne-de-la-Fage** (de la) *Balard* |
| P 9 | 3e | **Michel-le-Comte** *Rambuteau* | D 13 | 15e | **Montagne-de-l'Espérou** (de la) *Balard* |
| 14 | 13e | **Michel-Peter** *Les Gobelins* | D 12 | 15e | **Montagne-du-Goulet** (pl. de la) *Javel* |
| N 2 | 18e | **Michel-Petrucciani** (place) *Jules Joffrin, Simplon* | O 12 | 5e | **Montagne-Ste-Geneviève** (de la) *Maubert-Mutualité* |
| S 6 | 19e | **Michel-Tagrine** *Colonel-Fabien* | H 8 | 8e | **Montaigne** (av.) *Alma-Marceau, F.-D.-Roosevelt* |
| 14 | 18e | **Midi** (cité du) *Pigalle* | D 13 | 15e | **Mont-Aigoual** (du) *Javel* |
| D 9 | 16e | **Mignard** *Rue de la Pompe* | L 10 | 7e | **Montalembert** *Rue du Bac* |
| 12 | 16e | **Mignet** *Égl.-d'Auteuil* | K 7 | 8e | **Montalivet** *Miromesnil* |
| 12 | 16e | **Mignon** *Odéon* | G 15 | 15e | **Montauban** *Convention* |
| E 9 | 16e | **Mignot** (sq.) *Trocadéro* | D 11 | 16e | **Mont-Blanc** (sq. du) *Égl. d'Auteuil* |
| J 5 | 19e | **Mignottes** (des) *Botzaris* | L 16 | 14e | **Montbrun** (pass.) *Alésia* |
| J 5 | 19e | **Miguel-Hidalgo** *Danube* | L 16 | 14e | **Montbrun** *Alésia* |
| L 5 | 9e | **Milan** (de) *Liège* | N 2 | 18e | **Montcalm** *Jules-Joffrin* |
| 11 | 16e | **Milleret-de-Brou** (av.) *Jasmin* | M 2 | 18e | **Montcalm** (villa) *Lamarck-Caul.* |
| F 5 | 17e | **Milne-Edwards** *Pereire* | O 2 | 18e | **Mont-Cenis** (pass. du) *Pte Clignancourt* |
| L 2 | 18e | **Milord** (imp.) *Pte de St-Ouen* | | | |

# Mont-Cenis

| carr. | arr. | rue / street | Métro Tramway |
|---|---|---|---|
| 0 2 | 18e | **Mont-Cenis** (du) *Lamarck Caul., J.-Joffrin, Pte de Clignancourt* |
| K 4 | 17e | **Mont-Dore** (du) *Rome* |
| 0 11 | 5e | **Montebello** (q. de) *Maubert-Mutualité* |
| G 16 | 15e | **Montebello** *Brancion* |
| V 10 | 20e | **Monte-Cristo** *A.-Dumas* |
| W 13 | 12e | **Montempoivre** (de) *Bel-Air* |
| V 13 | 12e | **Montempoivre** (sentier de) *Bel-Air* |
| V 6 | 19e | **Montenegro** (pass. du) *Télégraphe* |
| G 6 | 19e | **Montenotte** (de) *Ternes* |
| W 12 | 12e | **Montéra** *Vincennes* |
| D 8 | 16e | **Montespan** (av. de) *Rue de la Pompe* |
| N 9 | 1er | **Montesquieu** *Palais-Royal* |
| W 14 | 12e | **Montesquiou-Fezensac** *Pte Dorée* |
| D 8 | 16e | **Montevideo** (de) *Pte Dauphine* |
| M 11 | 6e | **Montfaucon** (de) *Mabillon* |
| T 13 | 12e | **Montgallet** (pass.) *Montgallet* |
| T 13 | 12e | **Montgallet** *Montgallet* |
| P 8 | 3e | **Montgolfier** *Arts-et-Métiers* |
| L 5 | 9e | **Monthiers** (cité) *Pl. de Clichy* |
| 0 6 | 9e | **Montholon** (de) *Cadet* |
| W 8 | 20e | **Montibœufs** (des) *Pelleport* |
| L 17 | 14e | **Monticelli** *Pte d'Orléans* |
| T 10 | 11e | **Mont-Louis** (imp. de) *Ph.-Auguste* |
| T 10 | 11e | **Mont-Louis** (de) *Ph.-Auguste* |
| N 7 | 2/9e | **Montmartre** (bd) *Richelieu-Drouot* |
| N 7 | 2e | **Montmartre** (cité) *Sentier* |
| N 7 | 2e | **Montmartre** (gal.) *Grands-Boulevards* |
| N 8 | 1/2e | **Montmartre** *Les Halles, Sentier, Grands-Boulevards* |
| B 11 | 16e | **Montmorency** (av. de) *Michel-A.-Auteuil* |
| B 10 | 16e | **Montmorency** (bd de) *Michel-A.-Auteuil* |
| P 9 | 3e | **Montmorency** (de) *Arts-et-Métiers* |
| B 11 | 16e | **Montmorency** (villa) *Michel-A.-Auteuil* |
| 0 8 | 1/2e | **Montorgueil** *Les Halles, Sentier* |
| M 13 | 14e | **Montparnasse** (bd du) *Duroc, Montparnasse, Vavin, Port-Royal* |
| L 13 | 14e | **Montparnasse** (pass.) *Montparnasse* |
| L 13 | 6/14e | **Montparnasse** (bd) *Edgar-Quinet* |
| M 8 | 1er | **Montpensier** (gal. de) *Palais-Royal* |
| M 8 | 1er | **Montpensier** (de) *Palais-Royal* |
| V 11 | 11e | **Montreuil** (de) *Faidherbe-Chal., Nation, Avron* |
| M 17 | 14e | **Montsouris** (sq. de) *Montsouris* |
| G 9 | 7e | **Montessuy** (de) *Pt de l'Alma* |
| L 8 | 1er | **Mont-Thabor** (de) *Tuileries* |
| K 13 | 15e | **Mont-Tonnerre** (villa du) *Falguière* |
| N 7 | 9e | **Montyon** (de) *Grands-Boulevards* |
| D 8 | 16e | **Mony** *Rue de la Pompe* |
| S 8 | 11e | **Morand** *Couronnes* |
| R 11 | 12e | **Moreau** *Ledru-Rollin* |
| K 17 | 14e | **Morère** *Jean Moulin* |
| S 8 | 11e | **Moret** *Couronnes* |
| G 11 | 15e | **Morieux** (cité) *Bir-Hakeim* |
| H 15 | 15e | **Morillons** (des) *Convention* |
| Q 12 | 4e | **Morland** (bd) *Sully-Morland* |
| Q 12 | 4/12e | **Morland** (pt) *Quai de la Rapée* |
| U 11 | 11e | **Morlet** (imp.) *Avron* |
| M 6 | 9e | **Morlot** *Trinité* |
| Q 11 | 4e | **Mornay** *Quai de la Rapée* |
| K 15 | 14e | **Moro-Giafferi** (pl. de) *Pernety* |
| W 8 | 20e | **Mortier** (bd) *Pte de Bagnolet, St-Fargeau, Pte des Lilas* |
| S 9 | 11e | **Morvan** (du) *Voltaire* |
| L 5 | 8e | **Moscou** (de) *Liège, Rome* |
| S 4 | 19e | **Moselle** (pass. de la) *Laumière* |
| S 4 | 19e | **Moselle** (de la) *Laumière* |
| M 2 | 18e | **Moskova** (de la) *Pte de St-Ouen* |
| 0 13 | 5e | **Mouffetard** *Place Monge, Censier-Daub.* |
| 0 13 | 5e | **Mouffetard-Monge** (gal.) *Place Monge* |
| R 9 | 11e | **Moufle** *Richard-Lenoir* |
| D 13 | 15e | **Moulin-de-Javel** (pl. du) *Bd Victor* |
| P 17 | 13e | **Moulin-de-la-Pointe** (du) *Tolbiac* |
| J 15 | 14e | **Moulin-de-la-Vierge** (du) *Plaisance* |
| K 15 | 14e | **Moulin-des-Lapins** (du) *Pernety* |
| P 16 | 13e | **Moulin-des-Prés** (pass. du) *Pl. d'Italie* |
| P 16 | 13e | **Moulin-des-Prés** (du) *Corvisart, Tolbiac* |
| P 16 | 13e | **Moulinet** (pass. du) *Tolbiac* |
| P 16 | 13e | **Moulinet** (du) *Tolbiac* |
| U 11 | 11e | **Moulin-Dagobert** (villa du) *Rue des Boulets* |
| S 7 | 11e | **Moulin-Joly** (du) *Couronnes* |
| M 8 | 1er | **Moulins** (des) *Pyramides* |
| L 16 | 14e | **Moulin-Vert** (imp. du) *Alésia* |
| K 15 | 14e | **Moulin-Vert** (du) *Alésia* |
| W 12 | 12e | **Mounet-Sully** *Pte de Vincennes* |
| W 10 | 20e | **Mouraud** *Pte de Montreuil* |
| T 13 | 12e | **Moussa-et-Odette-Abadi** (pl.) *Montgallet* |
| U 12 | 12e | **Mousset** (imp.) *Montgallet* |
| T 13 | 12e | **Mousset-Robert** *Picpus* |
| Q 2 | 18e | **Moussorgski** *Marx-Dormoy* |
| P 10 | 4e | **Moussy** (de) *Hôtel-de-Ville* |
| L 15 | 14e | **Mouton-Duvernet** *Mouton-Duvernet* |
| V 5 | 19e | **Mouzaïa** (de) *Botzaris, P.-St-Gervais* |
| T 13 | 12e | **Moynet** (cité) *Montgallet* |
| D 10 | 16e | **Mozart** (av.) *La Muette, Ranelagh, Jasmin, Michel-A.-Auteuil* |
| C 10 | 16e | **Mozart** (sq.) *Ranelagh* |
| C 11 | 16e | **Mozart** (villa) *Jasmin* |
| C 10 | 16e | **Muette** (chaussée de la) *La Muette* |
| 0 7 | 2e | **Mulhouse** *Sentier* |
| 0 4 | 18e | **Muller** *Château-Rouge* |
| B 14 | 16e | **Murat** (bd) *Pte d'Auteuil, Pte de St-Cloud* |
| B 14 | 16e | **Murat** (villa) *Pte de St-Cloud* |
| U 8 | 20e | **Mûriers** (des) *Gambetta* |
| J 6 | 8e | **Murillo** *Courcelles* |
| C 13 | 16e | **Musset** (de) *Exelmans* |
| 0 12 | 5e | **Mutualité** (sq. de la) *Maubert-Mutualité* |
| P 4 | 18e | **Myrha** *Château-Rouge* |
| J 6 | 8e | **Myron-Herrick** (av.) *St-Philippe.-du-R.* |

## N

| carr. | arr. | rue / street | Métro Tramway |
|---|---|---|---|
| K 2 | 17e | **Naboulet** (imp.) *Guy-Môquet* |
| W 5 | 19e | **Nafissa-Sid-Cara** (esp.) *Pte des Lilas* |
| P 7 | 19e | **Nancy** (de) *J.-Bonsergent* |
| T 8 | 11e | **Nanettes** (des) *Ménilmontant* |
| M 17 | 14e | **Nansouty** (imp.) *Montsouris* |
| M 17 | 14e | **Nansouty** *Montsouris* |
| T 3 | 19e | **Nantes** (de) *Corentin-Cariou* |
| H 14 | 15e | **Nanteuil** *Convention* |
| K 5 | 8e | **Naples** (de) *Villiers* |
| M 9 | 1er | **Napoléon** (cour) *Palais-Royal* |
| P 5 | 10e | **Napoléon-III** (pl.) *Gare du Nord* |
| L 11 | 7e | **Narbonne** (de) *Sèvres-Babylone* |
| C 12 | 16e | **Narcisse-Diaz** *Mirabeau* |
| J 6 | 8e | **Narvik** (pl. de) *Miromesnil* |
| O 8 | 3e | **Nathalie-Lemel** (pl.) *Temple* |
| U 12 | 11/12e | **Nation** (pl. de la) *Nation* |
| R 17 | 13e | **National** (pass.) *Pte d'Ivry* |
| T 16 | 12/13e | **National** (pont) *Bibliothèque François Mitterrand* |
| R 16 | 13e | **Nationale** (imp.) *Olympiades* |
| Q 16 | 13e | **Nationale** (pl.) *Olympiades* |
| Q 15 | 13e | **Nationale** *Pte d'Ivry, Olympiades, Nationale* |
| F 9 | 16e | **Nations-Unies** (av. des) *Trocadéro* |
| T 14 | 12e | **Nativité** (de la) *Cour St-Emilion* |
| M 3 | 18e | **Nattier** (pl.) *Lamarck-Caul.* |
| N 5 | 9e | **Navarin** (de) *Pigalle* |
| P 13 | 5e | **Navarre** (de) *Place Monge* |
| L 2 | 17e | **Navier** *Pte de St-Ouen* |
| Q 10 | 4e | **Necker** *St-Paul* |
| H 10 | 7e | **Négrier** (cité) *Latour-Maubourg* |

| carr. | arr. | rue / street | Métro Tramway |
|---|---|---|---|
| F 11 | 15e | **Nélaton** Bir-Hakeim |
| R 8 | 11e | **Nemours** (de) Parmentier |
| 10 | 6e | **Nesle** (de) Odéon |
| E 5 | 16/17e | **Neuilly** (av. de) Pte Maillot |
| F 15 | 15e | **Neuf-Novembre-1989** (espl. du) Pte de Versailles |
| O 2 | 18e | **Neuve-de-la-Chardonnière** Simplon |
| 10 | 11e | **Neuve-des-Boulets** Charonne |
| 10 | 11e | **Neuve-Popincourt** Parmentier |
| 11 | 4e | **Neuve-St-Pierre** St-Paul |
| 15 | 13e | **Neuve-Tolbiac** Bibliothèque François Mitterrand |
| G 6 | 8e | **Néva** (de la) Ternes |
| 10 | 6e | **Nevers** (imp. de) Odéon |
| 10 | 6e | **Nevers** (de) Pont-Neuf |
| G 7 | 16e | **Newton** Ch.-de-Gaulle-Étoile |
| G 9 | 16e | **New-York** (av. de) Alma-Marceau, Iéna, Passy |
| P 1 | 18e | **Ney** (bd) Pte de la Chapelle, Pte de Clignancourt, Pte de St-Ouen |
| H 4 | 17e | **Nicaragua** (pl. du) Wagram |
| 10 | 11e | **Nice** Charonne |
| 14 | 12e | **Nicolaï** Dugommier |
| R 9 | 11e | **Nicolas** Pte de Montreuil |
| 13 | 15e | **Nicolas-Charlet** Pasteur |
| H 3 | 17e | **Nicolas-Chuquet** Pereire |
| S 10 | 11e | **Nicolas-de-Blégny** Voltaire |
| 10 | 4e | **Nicolas-Flamel** Châtelet |
| 13 | 13e | **Nicolas-Fortin** Place d'Italie |
| 13 | 5e | **Nicolas-Houël** Austerlitz |
| 14 | 14e | **Nicolas-Roret** Les Gobelins |
| 17 | 14e | **Nicolas-Taunay** Jean Moulin |
| K 4 | 17e | **Nicolay** (sq.) Brochant |
| S 4 | 19e | **Nicole-Chouraqui** Laumière |
| 16 | 13e | **Nicole-Reine-Lepaute** Biblioth. Fr. Mitterrand |
| O 3 | 18e | **Nicolet** Château-Rouge |
| 10 | 16e | **Nicolo** La Muette |
| 10 | 16e | **Nicolo** (hameau) La Muette |
| G 4 | 17e | **Niel** (av.) Ternes, Pereire |
| G 5 | 17e | **Niel** (villa) Ternes |
| 14 | 14e | **Niepce** Pernety |
| 17 | 13e | **Nieuport** (villa) Olympiades |
| 13 | 12e | **Niger** (du) Pte de Vincennes |
| O 8 | 2e | **Nil** (du) Sentier |
| N 3 | 15e | **Nobel** Lamarck-Caul. |
| 11 | 15e | **Nocard** Bir-Hakeim |
| P 9 | 3e | **Noël** (cité) Rambuteau |
| 12 | 20e | **Noël-Ballay** Pte de Vincennes |
| O 7 | 16e | **Noisiel** (de) Pte Dauphine |
| X 6 | 20e | **Noisy-le-Sec** (de) St-Fargeau |
| L 4 | 17e | **Nollet** Pl. de Clichy, Brochant |
| K 3 | 17e | **Nollet** (sq.) Brochant |
| N 2 | 18e | **Nollez** (cité) Lamarck-Caul. |
| 11 | 11e | **Nom-de-Jésus** (cour du) Bastille |
| 10 | 4e | **Nonnains-d'Hyères** (des) Pont-Marie |
| T 4 | 19e | **Nord** (pass. du) Laumière |
| O 2 | 18e | **Nord** (du) Marcadet-Pois. |
| N 4 | 18e | **Normandie** (de) Filles-du-Calv. |
| 10 | 4e | **Norvins** Abbesses |
| 10 | 4e | **Notre-Dame** (pt) Cité |
| O 7 | 2e | **Notre-Dame-de-Bonne-Nouvelle** Bonne-Nouvelle |
| N 6 | 9e | **Notre-Dame-de-Lorette** St-Georges |
| Q 8 | 3e | **Notre-Dame-de-Nazareth** Temple, Strasbourg-St-Denis |
| O 7 | 2e | **Notre-Dame-de-Recouvrance** Bonne-Nouvelle |
| 13 | 6e | **Notre-Dame-des-Champs** St-Placide, N.-D.-des-Champs, Port-Royal |
| N 8 | 2e | **Notre-Dame-des-Victoires** Bourse |
| T 7 | 20e | **Nouveau-Belleville** (sq. du) Couronnes |

| carr. | arr. | rue / street | Métro Tramway |
|---|---|---|---|
| U 3 | 19e | **Nouveau-Conservatoire** (av. du) Pte de Pantin |
| G 6 | 8e | **Nouvelle** (villa) Ch.-de-G.-Étoile |
| W 14 | 12e | **Nouvelle-Calédonie** (de la) Pte Dorée |
| V 4 | 19e | **Noyer-Durand** Pte de Pantin |
| A 13 | 16e | **Nungesser-et-Coli** Michel-A.-Molitor |
| W 7 | 20e | **Nymphéas** (villa des) St-Fargeau |

## O

| carr. | arr. | rue / street | Métro Tramway |
|---|---|---|---|
| R 8 | 11e | **Oberkampf** Oberkampf, Parmentier, Ménilmontant |
| M 14 | 5/6/14e | **Observatoire** (av. de l') Port-Royal |
| K 13 | 15e | **Océane** (porte) Montparnasse-B. |
| W 8 | 20e | **Octave-Chanute** (pl.) Pte de Bagnolet |
| D 9 | 14e | **Octave-Feuillet** Av. H.-Martin |
| G 10 | 7e | **Octave-Gréard** (av.) Champ de Mars |
| O 9 | 1er | **Oculus** (d') "Forum des Halles" Châtelet-Les Halles |
| N 11 | 6e | **Odéon** (carr. de l') Odéon |
| N 11 | 6e | **Odéon** (pl. de l') Odéon |
| N 11 | 6e | **Odéon** (de l') Odéon |
| L 13 | 14e | **Odessa** (d') Montparnasse-B. |
| H 7 | 8e | **Odiot** (cité) George-V |
| T 3 | 19e | **Oise** (d') Crimée |
| T 3 | 19e | **Oise** (q. de l') Crimée |
| Q 9 | 3e | **Oiseaux** (des) Arts-et-Métiers |
| F 14 | 15e | **Olier** Pte de Versailles |
| Q 3 | 18e | **Olive** (d') Marx-Dormoy |
| K 11 | 7e | **Olivet** (d') Vaneau |
| G 14 | 15e | **Olivier-de-Serres** (pass.) Convention |
| G 14 | 15e | **Olivier-de-Serres** Convention, Pte de Versailles |
| S 15 | 13e | **Olivier-Messiaen** Biblioth. François Mitterrand |
| U 7 | 20e | **Olivier-Métra** Pl. des Fêtes |
| U 7 | 20e | **Olivier-Métra** (villa) Pl. des Fêtes |
| K 15 | 14e | **Olivier-Noyer** Alésia |
| Q 8 | 3e | **Olympe-de-Gouges** (pl.) Filles-du-Calv. |
| T 9 | 11e | **Omer-Talon** Père-Lachaise |
| P 17 | 13e | **Onfroy** (imp.) Tolbiac |
| P 6 | 19e | **Onze-Novembre-1918** (pl. du) Gare de l'Est |
| M 8 | 1/2e | **Opéra** (av. de l') Palais-Royal, Pyramides, Opéra |
| M 7 | 2/9e | **Opéra** (pl. de l') Opéra |
| L 7 | 9e | **Opéra-Louis-Jouvet** (sq. de l') Auber |
| E 15 | 15e | **Oradour-sur-Glane** (d') Pte d'Issy |
| P 3 | 18e | **Oran** (d') Marcadet-Pois. |
| N 9 | 1er | **Oratoire** (de l') Louvre |
| M 4 | 18e | **Orchampt** (d') Abbesses |
| O 17 | 13e | **Orchidées** (des) Stade Charléty |
| O 3 | 18e | **Ordener** Marx-Dormoy, Marcadet-Pois., Jules-Joffrin, Guy-Môquet |
| N 2 | 18e | **Ordener** (villa) Jules-Joffrin |
| N 10 | 1er | **Orfèvres** (q. des) Cité |
| O 10 | 1er | **Orfèvres** (des) Châtelet |
| U 8 | 20e | **Orfila** (imp.) Gambetta |
| V 8 | 20e | **Orfila** Gambetta, Pelleport |
| P 8 | 3e | **Orgues** (pass. des) Temple |
| S 3 | 19e | **Orgues-de-Flandre** (all. des) Riquet |
| O 9 | 1er | **Orient-Express** (de l') "Forum des Halles" Châtelet-Les Halles |
| S 7 | 11e | **Orillon** (de l') Belleville |
| M 8 | 1er | **Orléans** (galerie d') Palais-Royal |
| L 15 | 14e | **Orléans** (portiques d') Mouton-Duvernet |
| P 11 | 4e | **Orléans** (q. d') Pont-Marie |
| M 6 | 9e | **Orléans** (sq. d') Trinité |
| L 16 | 14e | **Orléans** (villa d') Alésia |
| V 6 | 19e | **Orme** (de l') Pré-St-Gervais |
| V 11 | 20e | **Ormeaux** (des) Avron |
| V 11 | 20e | **Ormeaux-Grands-Champs** (pass.) Buzenval |
| Q 10 | 4e | **Ormesson** (d') St-Paul |
| O 2 | 18e | **Ornano** (bd) Marcadet-Pois., Simplon, Pte de Clignancourt |

# Ornano

| carr. | arr. | rue / street | Métro Tramway |
|---|---|---|---|
| 0 3 | 18e | **Ornano** (sq.) Marcadet-Pois. | |
| 0 2 | 18e | **Ornano** (villa) Pte de Clignancourt | |
| K 9 | 7e | **Orsay** (quai d') Invalides, Pt de l'Alma | |
| N 4 | 18e | **Orsel** (cité d') Anvers | |
| N 4 | 18e | **Orsel** (d') Anvers | |
| V 10 | 20e | **Orteaux** (imp. des) A.-Dumas | |
| W 10 | 20e | **Orteaux** | |
| | | (des) A.-Dumas, Maraîchers, Pte de Montreuil | |
| 0 13 | 5e | **Ortolan** Place Monge | |
| F 13 | 18e | **Oscar-Roty** Boucicaut | |
| L 3 | 18e | **Oslo** (d') Guy-Môquet | |
| C 10 | 16e | **Oswaldo-Cruz** Ranelagh | |
| C 10 | 16e | **Oswaldo-Cruz** (villa) Ranelagh | |
| V 6 | 20e | **Otages** (villa des) St-Fargeau | |
| T 7 | 20e | **Ottoz** (villa) Pyrénées | |
| K 11 | 7e | **Oudinot** (imp.) Vaneau | |
| K 11 | 7e | **Oudinot** St-François-Xavier | |
| P 14 | 13e | **Oudry** Les Gobelins | |
| G 11 | 15e | **Ouessant** (d') La Motte-Picquet | |
| K 14 | 14e | **Ouest** (de l') Gaîté | |
| U 2 | 19e | **Ourcq** (galerie de l') Pte de Pantin | |
| S 2 | 19e | **Ourcq** (de l') Ourcq, Crimée | |
| S 11 | 11e | **Ours** (cour de l') Ledru-Rollin | |
| 0 9 | 3e | **Ours** (aux) Étienne-Marcel | |
| L 13 | | **Ozanam** (pl.) N.D.-des-Champs | |
| | | | |
| L 13 | 6/14e | **Pablo-Picasso** (pl.) Vavin | |
| T 10 | 11e | **Pache** Voltaire | |
| B 11 | 16e | **Padirac** (sq. de) Pte d'Auteuil | |
| X 11 | 20e | **Paganini** (de la) Pte de Montreuil | |
| N 2 | 5e | **Paillet** Luxembourg | |
| M 7 | 2e | **Paix** (de la) Opéra | |
| Q 3 | 18e | **Pajol** La Chapelle, Marx-Dormoy | |
| D 10 | 16e | **Pajou** La Muette | |
| 0 10 | 1/4e | **Palais** (bd du) Cité | |
| K 9 | 7e | **Palais-Bourbon** (pl. du) Ass. Nationale | |
| M 9 | 1er | **Palais-Royal** (pl. du) Palais-Royal | |
| U 6 | 19e | **Palais-Royal-de-Belleville** | |
| | | (cité du) Pl. des Fêtes | |
| M 11 | 6e | **Palatine** St-Sulpice | |
| U 6 | 19e | **Palestine** (de) Jourdain | |
| 0 8 | 2e | **Palestro** (de) Réaumur-Séb. | |
| S 7 | 20e | **Pali-Kao** (de) Couronnes | |
| 0 3 | 18e | **Panama** (de) Château-Rouge | |
| R 9 | 11e | **Panama** (les galeries de) Richard-Lenoir | |
| S 15 | 13e | **Panhard-et-Levassor** | |
| | | (q.) Bibliothèque François Mitterrand | |
| S 11 | 11e | **Panier-Fleuri** (cour du) Ledru-Rollin | |
| N 7 | 2e | **Panoramas** (pass. des) Grands-Boulevards | |
| N 7 | 2e | **Panoramas** (des) Bourse | |
| T 8 | 20e | **Panoyaux** (imp. des) Ménilmontant | |
| T 8 | 20e | **Panoyaux** (des) Ménilmontant | |
| 0 12 | 5e | **Panthéon (pl. des Grds Hommes)** | |
| | | (du) Luxembourg | |
| S 15 | 13e | **Pao-Casals** Bibliothèque François Mitterrand | |
| 0 6 | 9e | **Papillon** Cadet | |
| P 8 | 3e | **Papin** Réaumur-Séb. | |
| 0 6 | 10e | **Paradis** (cité) Poissonnière | |
| P 6 | 10e | **Paradis** (de) Château-d'Eau, Poissonnière | |
| D 7 | 16e | **Paraguay** (pl. du) Pte Dauphine | |
| S 6 | 19e | **Parc** (villa du) Buttes-Chaumont | |
| V 9 | 20e | **Parc-de-Charonne** (ch. du) Gambetta | |
| P 16 | 13e | **Parc-de-Choisy** (all. du) Tolbiac | |
| M 17 | 14e | **Parc-de-Montsouris** (du) Montsouris | |
| M 17 | 14e | **Parc-de-Montsouris** (v. du) Montsouris | |
| E 10 | 16e | **Parc-de-Passy** (av. du) Passy | |
| A 13 | 16e | **Parc-des-Princes** (av. du) Pte de St-Cloud | |
| R 11 | 11e | **Parchappe** (cité) Bastille | |
| 0 11 | 5e | **Parcheminerie** (de la) Cluny-La Sorbonne | |
| Q 10 | 3e | **Parc-Royal** (du) Chemin-Vert | |
| B 13 | 16e | **Parent-de-Rosan** Exelmans | |
| L 5 | 9e | **Parme** (de) Pl. de Clichy | |
| R 8 | 10/11e | **Parmentier** | |
| | | (av.) Voltaire, St-Ambroise, Parmentier, Goncourt | |
| L 13 | 14e | **Parnassiens** (gal. des) Vavin | |
| R 12 | 12e | **Parrot** Gare de Lyon | |
| U 8 | 20e | **Partants** (des) Gambetta | |
| N 4 | 18e | **Parvis-de-Sacré-Cœur** (pl. du) Abbesses | |
| 0 11 | 4e | **Parvis-Notre-Dame -** | |
| | | **Place Jean-Paul-II** Cité | |
| 0 14 | 5/13e | **Pascal** Les Gobelins | |
| R 10 | 3/4e | **Pas-de-la-Mule** (du) Bastille | |
| Q 9 | 11e | **Pasdeloup** (pl.) Filles-du-Calvaire | |
| L 6 | 8e | **Pasquier** Madeleine, St-Lazare | |
| D 10 | 16e | **Passy** (pl.de) La Muette | |
| E 10 | 16e | **Passy** (de) Passy, La Muette | |
| F 10 | 16e | **Passy** (port de) Passy | |
| D 10 | 16e | **Passy-Plaza** (gal.) Boulainvilliers | |
| J 13 | 15e | **Pasteur** (bd) Pasteur | |
| J 12 | 15e | **Pasteur** (sq.) Sèvres-Lecourbe | |
| S 9 | 11e | **Pasteur** St-Ambroise | |
| E 9 | 16e | **Pasteur-Marc-Bœgner** Rue de la Pompe | |
| R 10 | 11e | **Pasteur-Wagner** (du) Bréguet-Sabin | |
| Q 9 | 3e | **Pastourelle** Arts-et-Métiers | |
| S 16 | 13e | **Patay** (de) Bibliothèque François Mitterrand | |
| W 11 | 20e | **Patenne** (sq.) Pte de Vincennes | |
| 0 13 | 5e | **Patriarches** (pass. des) Censier-Daubenton | |
| 0 13 | 5e | **Patriarches** (des) Censier-Daubenton | |
| D 11 | 16e | **Patrice-Boudard** (villa) Jasmin | |
| W 11 | 20e | **Patrice-de-la-Tour-du-Pin** Pte de Montreuil | |
| D 12 | 16e | **Pâtures** (des) Mirabeau | |
| H 16 | 14e | **Paturle** Pte de Vanves | |
| M 2 | 18e | **Paul-Abadie** Pte de Saint-Ouen | |
| G 4 | 17e | **Paul-Adam** (av.) Pte de Champerret | |
| 0 4 | 17e | **Paul-Albert** Château-Rouge | |
| L 17 | 14e | **Paul-Appell** (av.) Pte d'Orléans | |
| H 14 | 15e | **Paul-Barruel** Vaugirard | |
| H 7 | 8e | **Paul-Baudry** St-Philippe-du-R. | |
| C 12 | 16e | **Paul-Beauregard** (pl.) Égl. d'Auteuil | |
| T 14 | 12e | **Paul-Belmondo** Cour St-Émilion | |
| T 11 | 11e | **Paul-Bert** Faidherbe-Chal. | |
| W 15 | 12e | **Paul-Blanchet** (sq.) Pte Dorée | |
| K 2 | 17e | **Paul-Bodin** Pte de Clichy | |
| H 4 | 17e | **Paul-Borel** Malesherbes | |
| P 18 | 13e | **Paul-Bourget** Pte d'Italie | |
| J 6 | 8e | **Paul-Cézanne** St-Philippe-du-R. | |
| H 12 | 15e | **Paul-Chautard** Cambronne | |
| N 12 | 6e | **Paul-Claudel** (pl.) Odéon | |
| W 13 | 12e | **Paul-Crampel** Bel-Air | |
| V 6 | 19e | **Paul-de-Kock** Télégraphe | |
| D 9 | 16e | **Paul-Delaroche** La Muette | |
| G 15 | 15e | **Paul-Delmet** Convention | |
| T 3 | 19e | **Paul-Delouvrier** (l.) Corentin-Cariou | |
| G 11 | 15e | **Paul-Déroulède** (av.) La Motte-Picquet | |
| G 9 | 7e | **Paul-Deschanel** (all.) Pt de l'Alma | |
| E 9 | 16e | **Paul-Doumer** (av.) Trocadéro, La Muette | |
| Q 8 | 3e | **Paul-Dubois** Temple | |
| U 13 | 12e | **Paul-Dukas** Daumesnil | |
| D 11 | 16e | **Paul-Dupuy** Mirabeau | |
| Q 3 | 18e | **Paul-Éluard** (pl.) Marx-Dormoy | |
| G 7 | 8e | **Paul-Émile-Victor** (pl.) George-V | |
| M 5 | 9e | **Paul-Escudier** Pigalle | |
| J 9 | 7e | **Paul-et-Jean-Lerolle** Invalides | |
| N 3 | 18e | **Paul-Féval** Lamarck-Caul. | |
| L 17 | 14e | **Paul-Fort** Pte d'Orléans | |
| 0 15 | 13e | **Paul-Gervais** Corvisart | |
| S 12 | 12e | **Paul-Henri-Grauwin** Gare de Lyon | |

| arr. | arr. | rue / street | Métro Tramway |
|------|------|--------------|---------------|
| E 12 | 15e | **Paul-Hervieu** *Javel* | |
| V 10 | 20e | **Pauline-Kergomard** *Maraîchers* | |
| J 18 | 13e | **Paulin-Enfert** *Pte d'Italie* | |
| P 15 | 13e | **Paulin-Méry** *Pl. d'Italie* | |
| V 10 | 20e | **Paul-Jean-Toulet** *Maraîchers* | |
| R 14 | 13e | **Paul-Klee** | |
| R 4 | 19e | **Paul-Laurent** *Stalingrad* | |
| G 4 | 17e | **Paul-Léautaud** (pl.) *Pereire* | |
| N 8 | 2e | **Paul-Lelong** *Bourse* | |
| L 10 | 7e | **Paul-Louis-Courier** (imp.) *Rue du Bac* | |
| L 10 | 7e | **Paul-Louis-Courier** *Rue du Bac* | |
| X 6 | 20e | **Paul-Meurice** *Pte des Lilas* | |
| N 11 | 5e | **Paul-Painlevé** (pl.) *Cluny-La Sorbonne* | |
| A 8 | 16e | **Paul-Reynaud** (pl.) *Pte de St-Cloud* | |
| E 9 | 16e | **Paul-Saunière** *Passy* | |
| M 13 | 6e | **Paul-Séjourné** *Vavin* | |
| V 8 | 20e | **Paul-Signac** (pl.) *Pelleport* | |
| W 8 | 20e | **Paul-Strauss** *Pte de Bagnolet* | |
| Q 10 | 13e | **Paul-Tortelier** (pl.) *Pte de Clichy* | |
| F 7 | 16e | **Paul-Valéry** *Victor-Hugo* | |
| P 16 | 13e | **Paul-Verlaine** (pl.) *Pl. d'Italie* | |
| U 5 | 19e | **Paul-Verlaine** (villa) *Danube* | |
| J 15 | 14e | **Pauly** *Plaisance* | |
| Q 10 | | **Pavée** *St-Paul* | |
| F 5 | 16e | **Pavillons** (av. des) *Pte Maillot* | |
| V 7 | 20e | **Pavillons** (des) *Télégraphe* | |
| Q 10 | 13e | **Payenne** *St-Paul* | |
| G 13 | 15e | **Péan** *Pte d'Ivry* | |
| G 13 | 15e | **Péclet** *Vaugirard* | |
| P 9 | 4e | **Pecquay** *Rambuteau* | |
| C 14 | 15e | **Pégoud** *Balard* | |
| L 13 | 6e | **Péguy** *Vavin* | |
| O 8 | 2e | **Peintres** (imp. des) *Étienne-Marcel* | |
| T 7 | 20e | **Pékin** (pass. de) *Couronnes* | |
| R 9 | 11e | **Pelée** *Richard-Lenoir* | |
| K 2 | 17e | **Pélerin** (imp. du) *Pte de Clichy* | |
| N 9 | 1er | **Pélican** (du) *Palais-Royal* | |
| V 7 | 20e | **Pelleport** *Pte de Bagnolet, Pelleport, Télégraphe* | |
| V 6 | 20e | **Pelleport** (villa) *Télégraphe* | |
| K 5 | 8e | **Pelouze** *Villiers* | |
| N 2 | 18e | **Penel** (pass.) *Pte de Clignancourt* | |
| V 12 | 12e | **Pensionnat** (du) *Nation* | |
| K 7 | 8e | **Penthièvre** (de) *Miromesnil* | |
| K 6 | 8e | **Pépinière** (de la) *St-Lazare* | |
| K 14 | 14e | **Perceval** (de) *Gaîté* | |
| C 12 | 16e | **Perchamps** (des) *Michel-A.-Auteuil* | |
| Q 9 | 3e | **Perche** (du) *St-Sébastien-Froissart* | |
| J 6 | 8e | **Percier** (av.) *Miromesnil* | |
| Q 4 | | **Perdonnet** *La Chapelle* | |
| C 11 | 16e | **Père-Brottier** (du) *Égl. d'Auteuil* | |
| S 10 | 11e | **Père-Chaillet** (du) *Voltaire* | |
| M 16 | 14e | **Père-Corentin** (du) *Pte d'Orléans* | |
| P 15 | 13e | **Père-Guérin** (du) *Pl. d'Italie* | |
| G 4 | 17e | **Pereire** (bd) *Malesherbes, Pereire, Pte Maillot* | |
| T 7 | 20e | **Père-Julien-Dhuit** (all. du) *Pyrénées* | |
| T 7 | 20e | **Père-Julien-Dhuit** (du) *Pyrénées* | |
| V 8 | 20e | **Père-Lachaise** (av. du) *Gambetta* | |
| E 10 | 16e | **Père-Marcellin-Champagnat** (pl. du) *Passy* | |
| W 8 | 20e | **Père-Prosper-Enfantin** (du) *Pte de Bagnolet* | |
| O 13 | 5e | **Père-Teilhard-de-Chardin** (du) *Censier-Daubenton* | |
| Q 11 | 4e | **Père-Teilhard-de-Chardin** (pl. du) *Sully-Morland* | |
| E 6 | 16e | **Pergolèse** *Argentine, Pte Maillot* | |
| G 15 | 15e | **Périchaux** (des) *Georges Brassens* | |
| J 12 | 7/15e | **Pérignon** *Ségur* | |
| W 10 | 20e | **Périgord** (sq. du) *Pte de Montreuil* | |
| U 4 | 19e | **Périgueux** (de) *Danube* | |
| Q 9 | 3e | **Perle** (de la) *St-Sébastien-Froissart* | |
| O 10 | 4e | **Pernelle** *Châtelet* | |
| S 6 | 19e | **Pernette-du-Guillet** (all.) *Belleville* | |
| K 15 | 14e | **Pernety** *Pernety* | |
| J 6 | 8e | **Pérou** (pl. du) *Miromesnil* | |
| N 9 | 1er | **Perrault** *Louvre* | |
| Q 8 | 3e | **Perrée** *Temple* | |
| W 8 | 20e | **Perreur** (pass.) *Pelleport* | |
| W 8 | 20e | **Perreur** (villa) *Pelleport* | |
| D 11 | 16e | **Perrichont** (av.) *Égl. d'Auteuil* | |
| L 10 | 7e | **Perronet** *St-Germain-des-P.* | |
| O 3 | 17e | **Pers** (imp.) *Marcadet-Pois.* | |
| E 5 | 17e | **Pershing** (bd) *Pte Maillot* | |
| O 13 | 5e | **Pestalozzi** *Place Monge* | |
| G 13 | 15e | **Pétel** *Vaugirard* | |
| F 5 | 17e | **Peterhof** (av. de) *Pte de Champerret* | |
| L 2 | 17e | **Pétiet** *Guy-Môquet* | |
| V 6 | 20e | **Pétin** (imp.) *Pré-St-Gervais* | |
| T 10 | 11e | **Petion** *Voltaire* | |
| T 4 | 19e | **Petit** *Laumière, Ourcq, Pte de Pantin* | |
| K 12 | 17e | **Petit-Cerf** (pass.) *Pte de Clichy* | |
| B 14 | 16e | **Petite-Arche** (de la) *Pt de St-Cloud* | |
| M 6 | 11e | **Petite-Boucherie** (pass. de la) *St-Germain-des-P.* | |
| U 10 | 11e | **Petite-Pierre** (de la) *Charonne* | |
| P 7 | 10e | **Petites-Écuries** (cour des) *Château-d'Eau* | |
| P 6 | 10e | **Petites-Écuries** (des) *Château-d'Eau* | |
| O 9 | 1er | **Petite-Truanderie** (de la) *Étienne-Marcel* | |
| R 8 | 11e | **Petite-Voirie** (pass. de la) *Parmentier* | |
| P 15 | 13e | **Petit-Modèle** (imp. du) *Pl. d'Italie* | |
| O 14 | 5e | **Petit-Moine** (du) *Censier-Daubenton* | |
| Q 11 | 4e | **Petit-Musc** (du) *Sully-Morland* | |
| U 6 | 19e | **Petitot** *Pl. des Fêtes* | |
| O 11 | 4/5e | **Petit-Pont** *St-Michel* | |
| O 11 | 5e | **Petit-Pont** (pl. du) *St-Michel* | |
| O 11 | 5e | **Petit-Pont** (du) *St-Michel* | |
| O 8 | 2e | **Petits-Carreaux** (des) *Sentier* | |
| M 8 | 1/2e | **Petits-Champs** (des) *Pyramides* | |
| P 6 | 10e | **Petits-Hôtels** (des) *Poissonnière* | |
| N 8 | 2e | **Petits-Pères** (pass. des) *Bourse* | |
| N 8 | 2e | **Petits-Pères** (des) *Bourse* | |
| N 8 | 2e | **Petits-Pères** (des) *Bourse* | |
| V 3 | 19e | **Petits-Ponts** (rte des) *Hoche* | |
| E 9 | 16e | **Pétrarque** *Trocadéro* | |
| E 9 | 16e | **Pétrarque** (sq.) *Trocadéro* | |
| O 5 | 9e | **Pétrelle** *Barbès-Roch.* | |
| O 5 | 9e | **Pétrelle** (sq.) *Barbès-Roch.* | |
| B 12 | 16e | **Peupliers** (av. des) *Pte d'Auteuil* | |
| P 17 | 13e | **Peupliers** (des) *Poterne des Peupliers, Tolbiac* | |
| P 16 | 13e | **Peupliers** (sq. des) *Tolbiac* | |
| T 10 | 11e | **Phalsbourg** (cité de) *Charonne* | |
| J 5 | 17e | **Phalsbourg** (de) *Monceau* | |
| H 3 | 17e | **Philibert-Delorme** *Pereire* | |
| Q 17 | 13e | **Philibert-Lucot** *Maison-Blanche* | |
| W 11 | 20e | **Philidor** *Maraîchers* | |
| W 11 | 20e | **Philidor** (imp.) *Maraîchers* | |
| U 11 | 11e | **Philippe-Auguste** (av.) *Nation, Rue des Boulets, Philippe-Auguste* | |
| U 11 | 11e | **Philippe-Auguste** (pass.) *Rue des Boulets* | |
| P 15 | 13e | **Philippe-de-Champagne** *Pl. d'Italie* | |
| Q 5 | 10/18e | **Philippe-de-Girard** *Louis-Blanc, La Chapelle, Marx-Dormoy* | |
| S 6 | 19e | **Philippe-Hecht** *Bolivar* | |
| T 10 | 11e | **Philosophe** (all. du) *Charonne* | |
| T 7 | 20e | **Piat** *Pyrénées* | |
| Q 8 | 3e | **Picardie** (de) *Filles-du-Calvaire* | |
| E 6 | 16e | **Piccini** *Pte Maillot* | |
| D 13 | 15e | **Pic-de-Barrette** (du) *Javel* | |
| E 7 | 16e | **Picot** *Victor-Hugo* | |
| V 12 | 12e | **Picpus** (bd de) *Bel-Air, Picpus, Nation* | |

| carr. | arr. | rue / street | Métro Tramway |
|---|---|---|---|
| V 13 | 12e | **Picpus** | |
| | | (de) Nation, Bel-Air, Michel-Bizot, Porte Dorée | |
| N 4 | 18e | **Piémontési** Pigalle | |
| P 9 | 4e | **Pierre-au-Lard** Rambuteau | |
| U 9 | 20e | **Pierre-Bayle** Philippe-Auguste | |
| V 9 | 20e | **Pierre-Bonnard** Gambetta | |
| U 12 | 12e | **Pierre-Bourdan** Nation | |
| G 8 | 16e | **Pierre-Brisson** (pl.) Alma-Marceau | |
| O 13 | 5e | **Pierre-Brossolette** Place Monge | |
| P 3 | 18e | **Pierre-Budin** Marcadet-Pois. | |
| P 10 | 7e | **Pierre-Bullet** J.-Bonsergent | |
| L 15 | 14e | **Pierre-Castagnou** | |
| | | (ex rue Durouchoux) Mouton Duvernet | |
| H 7 | 8e | **Pierre-Charron** F.-D.-Roosevelt | |
| Q 7 | 10e | **Pierre-Chausson** J.-Bonsergent | |
| S 15 | 13e | **Pierre-Choderlos-de-Laclos** Quai de la Gare | |
| N 3 | 18e | **Pierre-Dac** Lamarck-Caul. | |
| N 18 | 13/14e | **Pierre-de-Coubertin** (av.) Stade Charléty | |
| G 4 | 17e | **Pierre-Demours** Ternes, Pereire | |
| Q 5 | 10e | **Pierre-Dupont** Louis-Blanc | |
| M 11 | 6e | **Pierre-Dux** (pl.) Odéon, Luxembourg | |
| N 12 | 5e | **Pierre-et-Marie-Curie** Luxembourg | |
| W 7 | 20e | **Pierre-Foncin** St-Fargeau | |
| M 5 | 9e | **Pierre-Fontaine** Blanche | |
| L 4 | 18e | **Pierre-Ginier** La Fourche | |
| L 4 | 18e | **Pierre-Ginier** (villa) La Fourche | |
| S 4 | 19e | **Pierre-Girard** Laumière | |
| R 15 | 13e | **Pierre-Gourdault** Chevaleret | |
| C 11 | 16e | **Pierre-Guérin** Michel-A.-Auteuil | |
| M 4 | 9e | **Pierre-Haret** Blanche | |
| T 3 | 19e | **Pierre-Jean-Jouve** Ourcq | |
| S 17 | 13e | **Pierre-Joseph-Desault** Pte d'Ivry | |
| L 12 | 6e | **Pierre-Lafue** (pl.) N.-D.-des-Champs | |
| N 13 | 5e | **Pierre-Lampué** (pl.) Censier-Daubenton | |
| J 11 | 7e | **Pierre-Laroque** École-Militaire | |
| J 16 | 14e | **Pierre-Larousse** Plaisance | |
| O 8 | 2e | **Pierre-Lazareff** (all. et pl.) Sentier | |
| H 6 | 8e | **Pierre-Le-Grand** Ternes | |
| P 4 | 18e | **Pierre-l'Ermite** La Chapelle | |
| K 12 | 7e | **Pierre-Leroux** Vaneau | |
| J 16 | 14e | **Pierre-Le-Roy** Didot | |
| O 9 | 1er | **Pierre-Lescot** Châtelet-Les Halles | |
| R 8 | 11e | **Pierre-Levée** (de la) Parmentier | |
| G 10 | 7e | **Pierre-Loti** (av.) École-Militaire | |
| D 11 | 16e | **Pierre-Louÿs** Mirabeau | |
| Q 2 | 18e | **Pierre-Mac-Orlan** (pl.) Pte de la Chapelle | |
| M 18 | 14e | **Pierre-Massé** (av.) Montsouris | |
| R 14 | 13e | **Pierre-Mendès-France** | |
| | | (av.) Quai de la Gare, Gare d'Austerlitz | |
| F 15 | 15e | **Pierre-Mille** Pte de Versailles | |
| R 1 | 19e | **Pierre-Mollaret** (all.) Pte de la Chapelle | |
| W 8 | 20e | **Pierre-Mouillard** Pte de Bagnolet | |
| N 13 | 5e | **Pierre-Nicole** Port-Royal | |
| O 4 | 18e | **Pierre-Picard** Barbès-Roch. | |
| G 8 | 8/16e | **Pierre-1er-de-Serbie** (av.) Iéna, Alma-Marceau | |
| W 8 | 20e | **Pierre-Quillard** Pte de Bagnolet | |
| K 1 | 17e | **Pierre-Rebière** Pte de Clichy | |
| S 4 | 19e | **Pierre-Reverdy** Laumière | |
| N 11 | 6e | **Pierre-Sarrazin** Cluny-La Sorbonne | |
| O 5 | 19e | **Pierre-Semard** Poissonnière | |
| X 7 | 20e | **Pierre-Soulié** Pte des Lilas | |
| W 9 | 20e | **Pierre-Vaudrey** (pl.) Pte de Bagnolet | |
| S 16 | 13e | **Pierre-Vidal-Naquet** | |
| | | (esplanade) Bibliothèque François Mitterrand | |
| H 9 | 7e | **Pierre-Villey** École-Militaire | |
| D 12 | 15e | **Piet-Mondrian** Javel | |
| M 5 | 9e | **Pigalle** (cité) Pigalle | |
| M 5 | 9e | **Pigalle** (pl.) Pigalle | |
| R 9 | 11e | **Pihet** Parmentier | |
| C 9 | 16e | **Pilâtre-de-Rozier** (all.) La Muette | |
| U 9 | 20e | **Pilier** (imp. du) Ph.-Auguste | |
| O 9 | 1er | **Piliers** (des) | |
| | | "Forum des Halles" Châtelet-Les Halles | |
| M 7 | 9e | **Pillet-Will** Chaussée-d'Antin | |
| L 3 | 18e | **Pilleux** (cité) La Fourche | |
| Q 15 | 13e | **Pinel** (pl.) Nationale | |
| P 15 | 13e | **Pinel** Nationale | |
| P 14 | 13e | **Pirandello** Campo-Formio | |
| T 15 | 12e | **Pirogues-de-Bercy** (des) Cour St-Émilion | |
| O 9 | 1er | **Pirouette** | |
| | | "Forum des Halles" Châtelet-Les Halles | |
| H 3 | 17e | **Pissarro** Pereire | |
| R 7 | 11e | **Piver** (imp.) Belleville | |
| R 7 | 11e | **Piver** (pass.) Belleville | |
| U 7 | 20e | **Pixérécourt** Pl. des Fêtes | |
| W 11 | 20e | **Plaine** (de la) Buzenval, Maraîchers | |
| K 15 | 14e | **Plaisance** (de) Pernety | |
| V 7 | 20e | **Planchart** (pass.) St-Fargeau | |
| V 11 | 20e | **Planchat** Avron, A.-Dumas | |
| P 8 | 2e | **Planchette** (imp. de la) Strasbourg-St-Denis | |
| T 14 | 12e | **Planchette** (ruelle de la) Dugommier | |
| L 15 | 14e | **Plantes** (des) Alésia | |
| K 15 | 14e | **Plantes** (villa des) Alésia | |
| T 7 | 20e | **Plantin** (pass.) Jourdain | |
| M 4 | 18e | **Platanes** (des) Blanche | |
| O 9 | 1er | **Plat-d'Étain** (du) Châtelet | |
| T 5 | 19e | **Plateau** (pass. du) Buttes-Chaumont | |
| T 6 | 19e | **Plateau** (du) Buttes-Chaumont | |
| J 14 | 15e | **Platon** Volontaires | |
| P 9 | 4e | **Plâtre** (du) Hôtel-de-Ville | |
| U 8 | 20e | **Platrières** (des) Ménilmontant | |
| F 13 | 15e | **Plélo** (de) Boucicaut | |
| U 13 | 12e | **Pleyel** Dugommier | |
| T 9 | 11e | **Plichon** Père-Lachaise | |
| J 14 | 15e | **Plumet** Volontaires | |
| L 13 | 14e | **Poinsot** Edgar-Quinet | |
| V 10 | 20e | **Pointe** (sentier de la) Buzenval | |
| Q 17 | 13e | **Pointe-d'Ivry** (de la) Pte de Choisy | |
| H 7 | 8e | **Point-Show** (gal.) F.-D.-Roosevelt | |
| H 13 | 15e | **Poirier** (villa) Volontaires | |
| L 17 | 14e | **Poirier-de-Narçay** Pte d'Orléans | |
| Q 10 | 4e | **Poissonnerie** (imp. de la) St-Paul | |
| O 7 | 2/9e | **Poissonnière** | |
| | | (bd) Bonne-Nouvelle, Grands-Boulevards | |
| O 7 | 2e | **Poissonnière** Bonne-Nouvelle | |
| O 4 | 18e | **Poissonnière** (villa) Barbès-Roch. | |
| O 3 | 18e | **Poissonniers** (des) Château-Rouge, | |
| | | Marcadet-Pois., Pte de la Chapelle | |
| P 11 | 5e | **Poissy** (de) Cardinal-Lemoine | |
| N 11 | 6e | **Poitevins** (des) St-Michel | |
| L 10 | 7e | **Poitiers** (de) Musée d'Orsay | |
| Q 9 | 3e | **Poitou** (de) St-Sébastien-Froissart | |
| N 2 | 18e | **Pôle-Nord** (du) Jules-Joffrin | |
| Q 13 | 13e | **Poliveau** St-Marcel | |
| D 7 | 16e | **Pologne** (av. de) Pte Dauphine | |
| P 4 | 18e | **Polonceau** Barbès-Roch. | |
| D 8 | 16e | **Pomereu** (de) Rue de la Pompe | |
| T 14 | 12e | **Pommard** (de) Cour St-Émilion | |
| D 9 | 16e | **Pompe** | |
| | | (de la) La Muette, Rue de la Pompe, Victor-Hugo | |
| O 8 | 2e | **Ponceau** (pass. du) Réaumur-Séb. | |
| O 8 | 2e | **Ponceau** (du) Réaumur-Séb. | |
| G 5 | 17e | **Poncelet** (pass.) Ternes | |
| G 5 | 17e | **Poncelet** Ternes | |
| G 11 | 15e | **Pondichéry** (de) La Motte-Picquet | |
| U 15 | 12e | **Poniatowski** (bd) Pte de Charenton, Porte Dorée | |
| R 16 | 13e | **Ponscarme** Olympiades | |
| L 1 | 17e | **Pont-à-Mousson** (de) Pte de St-Ouen | |
| P 8 | 3e | **Pont-aux-Biches** (pass. du) Temple | |
| Q 9 | 3e | **Pont-aux-Choux** (du) St-Sébastien-Froissart | |

| arr. | arr. | rue / street | Métro Tramway |
|---|---|---|---|
| O 10 | 6e | Pont-de-Lodi (du) *Odéon* | |
| J 7 | 8e | Ponthieu (du) *F.-D.-Roosevelt* | |
| 10 | 4e | Pont-Louis-Philippe (du) *Pont-Marie* | |
| 12 | 15e | Pont-Mirabeau (rd-pt du) *Javel* | |
| 10 | 1er | Pont-Neuf (pl. du) *Pont-Neuf* | |
| N 9 | 1er | Pont-Neuf (du) *Pont-Neuf, Les Halles* | |
| O 9 | 1er | Pont-Neuf (porte) | |
| | | "Forum des Halles" *Châtelet-Les Halles* | |
| 11 | 5e | Pontoise (de) *Maubert* | |
| S 9 | 11e | Popincourt (cité) *St-Ambroise* | |
| S 9 | 11e | Popincourt (imp.) *St-Ambroise* | |
| 11 | 11e | Popincourt *St-Ambroise* | |
| O 9 | 1er | Poquelin *Châtelet-Les Halles* | |
| K 6 | 8e | Portalis *St-Augustin* | |
| 18 | 13e | Port-au-Prince (pl. de) *Pte de Choisy* | |
| 16 | 15e | Pte-Brancion (av. de la) *Brancion* | |
| V 4 | 19e | Pte-Brunet (av. de la) *Danube* | |
| V 4 | 19e | Pte-Chaumont (av. de la) *Pte de Pantin* | |
| H 3 | 17e | Pte-d'Asnières (av. de la) *Wagram* | |
| R 1 | 18/19e | Pte-d'Aubervilliers | |
| | | (av. de la) *Pte de la Chapelle* | |
| A 12 | 16e | Pte-d'Auteuil (av. de la) *Pte d'Auteuil* | |
| A 12 | 16e | Pte-d'Auteuil (pl. de la) *Pte d'Auteuil* | |
| W 8 | 20e | Pte-de-Bagnolet (av. de la) *Pte de Bagnolet* | |
| W 8 | 20e | Pte-de-Bagnolet (pl. de la) *Pte de Bagnolet* | |
| F 4 | 17e | Pte-de-Champerret | |
| | | (av. de la) *Pte de Champerret* | |
| F 4 | 17e | Pte-de-Champerret | |
| | | (pl. de la) *Pte de Champerret* | |
| 15 | 14e | Pte-de-Charenton (av. de la) *Pte de Charenton* | |
| 17 | 14e | Pte-de-Châtillon (av. de la) *Jean Moulin* | |
| 17 | 14e | Pte-de-Châtillon (pl. de la) *Jean Moulin* | |
| 18 | 13e | Pte-de-Choisy (av. de la) *Pte de Choisy* | |
| J 2 | 17e | Pte-de-Clichy (av. de la) *Pte de Clichy* | |
| N 1 | 18e | Pte-de-Clignancourt | |
| | | (av. de la) *Pte de Clignancourt* | |
| Q 1 | 18e | Pte-de-la-Chapelle | |
| | | (av. de la) *Pte de la Chapelle* | |
| 16 | 15e | Pte-de-la-Plaine (av. de la) *Georges Brassens* | |
| T 1 | 19e | Pte-de-la-Villette (av. de la) *Pte de la Villette* | |
| W 7 | 20e | Pte-de-Ménilmontant (av. de la) *St-Fargeau* | |
| M 1 | 18e | Pte-de-Montmartre | |
| | | (av. de la) *Pte de Clignancourt* | |
| K 11 | 20e | Pte-de-Montreuil (av. de la) *Pte de Montreuil* | |
| X 10 | 20e | Pte-de-Montreuil (pl. de la) *Pte de Montreuil* | |
| X 17 | 14e | Pte-de-Montrouge (av. de la) *Pte d'Orléans* | |
| V 3 | 19e | Pte-de-Pantin (av. de la) *Pte de Pantin* | |
| U 3 | 19e | Pte-de-Pantin (pl. de la) *Pte de Pantin* | |
| C 10 | 16e | Pte-de-Passy (pl. de la) *Ranelagh* | |
| G 16 | 15e | Pte-de-Plaisance (av. de la) *Georges Brassens* | |
| D 14 | 15e | Pte-de-Sèvres (av. de la) *Balard* | |
| W 6 | 19/20e | Pte-des-Lilas (av. de la) *Pte des Lilas* | |
| O 1 | 18e | Pte-des-Poissonniers | |
| | | (av. de la) *Pte de la Chapelle* | |
| A 14 | 16e | Pte-de-St-Cloud (av. de la) *Pte de St-Cloud* | |
| B 14 | 16e | Pte-de-St-Cloud (pl. de la) *Pte de St-Cloud* | |
| E 5 | 17e | Pte-des-Ternes (av. de la) *Pte Maillot* | |
| L 1 | 17/18e | Pte-de-St-Ouen (av. de la) *Pte de St-Ouen* | |
| H 16 | 14e | Pte-de-Vanves (av. de la) *Pte de Vanves* | |
| H 16 | 14e | Pte-de-Vanves (pl. de la) *Pte de Vanves* | |
| H 16 | 14e | Pte-de-Vanves (sq. de la) *Pte de Vanves* | |
| F 15 | 15e | Pte-de-Versailles (pl. de la) *Pte de Versailles* | |
| F 4 | 17e | Pte-de-Villiers (av. de la) *Pte de Champerret* | |
| K 12 | 12/20e | Pte-de-Vincennes (av. de la) *Pte de Vincennes* | |
| S 17 | 13e | Pte-de-Vitry (av. de la) *Pte d'Ivry* | |
| J 16 | 14e | Pte-Didot (av. de la) *Didot* | |
| E 15 | 15e | Pte-d'Issy (av. de la) *Desnouettes, Pte d'Issy* | |
| Q 18 | 13e | Pte-d'Italie (av. de la) *Pte d'Italie* | |
| R 17 | 13e | Pte-d'Ivry (av. de la) *Pte d'Ivry* | |
| M 15 | 12e | Pte-Dorée (villa de la) *Pte Dorée* | |
| L 17 | 14e | Pte-d'Orléans (av. de la) *Pte d'Orléans* | |
| V 5 | 19e | Pte-du-Pré-St-Gervais | |
| | | (av. de la) *Pré-St-Gervais* | |
| P 8 | 3e | Portefoin *Arts-et-Métiers* | |
| E 6 | 17e | Pte-Maillot (pl. de la) *Pte Maillot* | |
| A 12 | 16e | Pte-Molitor (av. de la) *Michel-A.-Molitor* | |
| A 12 | 16e | Pte-Molitor (pl. de la) *Pte d'Auteuil* | |
| K 1 | 17e | Pte-Pouchet (av. de la) *Pte de St-Ouen* | |
| O 3 | 18e | Portes-Blanches (des) *Marcadet-Pois.* | |
| M 7 | 2e | Port-Mahon (de) *Quatre septembre* | |
| O 14 | 5/13/14e | Port-Royal (bd de) *Les Gobelins, Port-Royal* | |
| N 14 | 13e | Port-Royal (villa de) *Les Gobelins* | |
| N 14 | 13e | Port-Royal (sq. de) *Port-Royal* | |
| F 7 | 16e | Portugais (av. des) *Kléber* | |
| D 9 | 16e | Possoz (pl.) *La Muette* | |
| O 13 | 5e | Postes (pass. des) *Censier-Daubenton* | |
| O 13 | 5e | Pot-de-Fer (du) *Place Monge* | |
| M 2 | 18e | Poteau (pass. du) *Pte de Clignancourt* | |
| N 2 | 18e | Poteau (du) *Jules-Joffrin* | |
| P 18 | 13e | Poterne-des-Peupliers | |
| | | (de la) *Poterne des Peupliers* | |
| M 8 | 1er | Potier (pass.) *Palais-Royal* | |
| R 3 | 19e | Pottier (cité) *Crimée* | |
| K 2 | 17e | Pouchet (pass.) *Pte de St-Ouen* | |
| K 2 | 17e | Pouchet *Brochant, Pte de St-Ouen* | |
| N 4 | 18e | Poulbot *Abbesses* | |
| V 11 | 20e | Poule (imp.) *Avron* | |
| O 4 | 18e | Poulet *Château-Rouge* | |
| P 11 | 4e | Poulletier *Pont-Marie* | |
| B 12 | 16e | Poussin *Michel-A.-Auteuil* | |
| O 16 | 13e | Pouy (de) *Corvisart* | |
| T 6 | 19e | Pradier *Buttes-Chaumont* | |
| P 7 | 10e | Prado (pass. du) *Strasbourg-St-Denis* | |
| S 11 | 12e | Prague (de) *Ledru-Rollin* | |
| W 9 | 20e | Prairies (des) *Gambetta* | |
| Q 2 | 18e | Pré (du) *Pte de la Chapelle* | |
| T 6 | 19e | Préault *Buttes-Chaumont* | |
| D 11 | 16e | Pré-aux-Chevaux (du) *Av. du Pdt-Kennedy* | |
| L 10 | 7e | Pré-aux-Clercs (du) *Rue du Bac* | |
| O 9 | 1er | Prêcheurs (des) *Les Halles* | |
| C 10 | 16e | Préfet Claude-Érignac (place) *Ranelagh* | |
| G 7 | 8/16e | Presbourg (de) *Ch.-de-G.-Étoile* | |
| S 7 | 11e | Présentation (de la) *Belleville* | |
| K 9 | 7e | Président-Éd.-Herriot (pl. du) *Ass. Nationale* | |
| F 10 | 16e | Président-Kennedy | |
| | | (av. du) *Passy, Av. du Pdt-Kennedy* | |
| J 11 | 7e | Président-Mithouard | |
| | | (pl. du) *St-François-Xavier* | |
| G 8 | 8/16e | Président-Wilson | |
| | | (av. du) *Alma-Marceau, Iéna, Trocadéro* | |
| G 11 | 15e | Presles (imp. de) *Dupleix* | |
| G 11 | 15e | Presles (de) *Dupleix* | |
| T 7 | 20e | Pressoir (du) *Couronnes* | |
| V 5 | 19e | Pré-St-Gervais (du) *Pré-St-Gervais* | |
| E 8 | 16e | Prêtres (imp. des) *Trocadéro* | |
| N 9 | 1er | Prêtres-St-Germain-l'Auxerrois | |
| | | (des) *Pont-Neuf* | |
| O 11 | 5e | Prêtres-St-Séverin (des) *St-Michel* | |
| H 16 | 14e | Prévost-Paradol *Didot* | |
| Q 10 | 4e | Prévôt (du) *St-Paul* | |
| U 4 | 19e | Prévoyance (de la) *Danube* | |
| P 15 | 13e | Primatice *Pl. d'Italie* | |
| R 10 | 11e | Primevères (imp. des) *Chemin-Vert* | |
| S 15 | 13e | Primo-Levi *Bibliothèque François Mitterrand* | |
| N 7 | 2e | Princes (pass. des) *Richelieu-Drouot* | |
| M 11 | 6e | Princesse *Mabillon* | |
| D 11 | 16e | Pré-aux-Chevaux (du) *Av. du Pdt-Kennedy* | |
| J 4 | 17e | Printemps (du) *Malesherbes* | |
| L 16 | 14e | Prisse-d'Avennes *Pte d'Orléans* | |
| J 14 | 15e | Procession (de la) *Volontaires* | |

| carr. | arr. | rue / street | *Métro Tramway* |
|---|---|---|---|
| X 14 | 20e | **Professeur-André-Lemierre** (av. du) *Pte de Montreuil* | |
| D 14 | 15e | **Professeur-Florian-Delbarre** *Bd Victor* | |
| O 1 | 18e | **Professeur-Gosset** (du) *Pte de Clignancourt* | |
| L 17 | 14e | **Professeur-Hyacinthe-Vincent** (du) *Pte d'Orléans* | |
| P 17 | 13e | **Professeur-Louis-Renault** (du) *Poterne des Peupliers* | |
| U 5 | 19e | **Progrès** (villa du) *Danube* | |
| H 5 | 17e | **Prony** (de) *Monceau, Wagram, Pereire* | |
| K 5 | 17/18e | **Prosper-Goubaux** (pl.) *Villiers* | |
| T 11 | 11e | **Prost** (cité de) *Charonne* | |
| U 14 | 12e | **Proudhon** *Dugommier* | |
| N 9 | 1er | **Prouvaires** (des) *Les Halles* | |
| M 6 | 9e | **Provence** (av. de) *Chaussée-d'Antin* | |
| N 6 | 8/9e | **Provence** (de) *Le Peletier, Chaussée-d'Antin, Havre-Caum.* | |
| L 6 | 9e | **Provence** (pass. de) *Havre-Caumartin* | |
| V 10 | 20e | **Providence** (pass. de la) *Buzenval* | |
| O 16 | 13e | **Providence** (de la) *Corvisart* | |
| C 10 | 16e | **Prudhon** (av.) *La Muette* | |
| U 8 | 20e | **Pruniers** (des) *Père-Lachaise* | |
| M 4 | 18e | **Puget** *Blanche* | |
| P 13 | 5e | **Puits-de-l'Ermite** (pl. du) *Place Monge* | |
| P 13 | 5e | **Puits-de-l'Ermite** (du) *Place Monge* | |
| J 4 | 17e | **Pusy** (cité de) *Wagram* | |
| L 7 | 8e | **Puteaux** (pass.) *Havre-Caum.* | |
| K 4 | 17e | **Puteaux** *Rome* | |
| P 10 | 4e | **Putigneux** (imp.) *Pont-Marie* | |
| H 4 | 17e | **Puvis-de-Chavannes** *Pereire* | |
| W 8 | 20e | **Py** (de la) *Pte de Bagnolet* | |
| M 9 | 1er | **Pyramides** (pl. des) *Tuileries* | |
| M 8 | 1er | **Pyramides** (des) *Pyramides* | |
| V 9 | 20e | **Pyrénées** (des) *Pte de Vincennes, Maraîchers, Gambetta, Jourdain, Pyrénées* | |
| W 11 | 20e | **Pyrénées** (villa des) *Maraîchers* | |

### Q

| carr. | arr. | rue / street | *Métro Tramway* |
|---|---|---|---|
| P 7 | 10e | **Quarante-Neuf-Fg-St-Martin** (imp. du) *Château d'Eau* | |
| P 17 | 13e | **Quarante-Quatre-Enfants-d'Izieu** (pl. des) *Maison-Blanche* | |
| P 13 | 5e | **Quatrefages** (pl.) *Place Monge* | |
| P 9 | 3e | **Quatre-Fils** (des) *Rambuteau* | |
| E 12 | 15e | **Quatre-Frères-Peignot** (des) *Charles-Michels* | |
| M 7 | 2e | **Quatre-Septembre** (du) *Quatre septembre* | |
| N 11 | 6e | **Quatre-Vents** (des) *Odéon* | |
| M 11 | 6e | **Québec** (pl. du) *St-Germain-des-P.* | |
| R 11 | 11e | **Quellard** (cour) *Ledru-Rollin* | |
| G 7 | 8e | **Quentin-Bauchart** *George-V* | |
| W 11 | 20e | **Quercy** (sq. du) *Pte de Montreuil* | |
| S 8 | 11e | **Questre** (imp.) *Couronnes* | |
| G 12 | 15e | **Quinault** *Commerce* | |
| O 9 | 3/4e | **Quincampoix** *Rambuteau* | |

### R

| carr. | arr. | rue / street | *Métro Tramway* |
|---|---|---|---|
| J 7 | 8e | **Rabelais** *F.-D.-Roosevelt* | |
| B 11 | 16e | **Racan** (sq.) *Pte d'Auteuil* | |
| M 4 | 18e | **Rachel** (av.) *Blanche* | |
| B 13 | 16e | **Racine** (imp.) *Michel-A.-Molitor* | |
| N 11 | 6e | **Racine** *Odéon* | |
| N 8 | 1er | **Radziwill** *Bourse* | |
| A 13 | 16e | **Raffaëlli** *Exelmans* | |
| C 11 | 16e | **Raffet** (imp.) *Jasmin* | |
| C 11 | 16e | **Raffet** *Jasmin* | |
| S 12 | 12e | **Raguinot** (pass.) *Gare de Lyon* | |
| W 13 | 12e | **Rambervillers** (de) *Bel-Air* | |
| S 13 | 12e | **Rambouillet** (de) *Reuilly-Diderot* | |
| P 9 | 1/3/4e | **Rambuteau** *Rambuteau, Les Halles* | |
| O 9 | 1er | **Rambuteau** (porte) "Forum des Halles" *Châtelet-Les Halles* | |
| M 8 | 2e | **Rameau** *Quatre septembre* | |
| O 3 | 18e | **Ramey** (pass.) *Marcadet-Pois.* | |
| O 4 | 18e | **Ramey** *Château-Rouge, J.-Joffrin* | |
| S 6 | 19e | **Rampal** *Belleville* | |
| R 8 | 11e | **Rampon** *Oberkampf* | |
| S 7 | 20e | **Ramponeau** *Belleville* | |
| V 9 | 20e | **Ramus** *Gambetta* | |
| V 10 | 20e | **Rançon** (imp.) *Buzenval* | |
| C 10 | 16e | **Ranelagh** (av. du) *La Muette* | |
| E 11 | 16e | **Ranelagh** (du) *Av. du Pdt-Kennedy, Ranelagh* | |
| C 10 | 16e | **Ranelagh** (sq. du) *Ranelagh* | |
| V 14 | 12e | **Raoul** *Daumesnil* | |
| K 13 | 15e | **Raoul-Dautry** (pl.) *Montparnasse-B.* | |
| U 8 | 20e | **Raoul-Dufy** *Gambetta* | |
| Q 6 | 10e | **Raoul-Follereau** (pl.) *Gare de l'Est* | |
| W 5 | 19e | **Raoul-Wallenberg** *Porte des Lilas* | |
| R 13 | 12e | **Râpée** (port de la) *Gare de Lyon* | |
| R 13 | 12e | **Râpée** (q. de la) *Gare de Lyon, Quai de la Râpée* | |
| C 9 | 16e | **Raphaël** (av.) *La Muette* | |
| H 9 | 7e | **Rapp** (av.) *Pont de l'Alma* | |
| H 10 | 7e | **Rapp** (sq.) *Pont de l'Alma* | |
| L 12 | 6/7/14e | **Raspail** (bd) *Rue du Bac, Sèvres-Babylone, Rennes, N.-D.-des-Champs, Vavin, Raspail, Denfert-Roch.* | |
| W 10 | 20e | **Rasselins** (des) *Pte de Montreuil* | |
| O 13 | 5e | **Rataud** *Censier-Daubenton* | |
| S 10 | 11e | **Rauch** (pass.) *Ledru-Rollin* | |
| N 4 | 18e | **Ravignan** *Abbesses* | |
| T 14 | 13e | **Raymond-Aron** *Quai de la Gare* | |
| K 14 | 14e | **Raymond-Losserand** *Gaîté, Pernety, Plaisance, Pte de Vanves* | |
| G 3 | 17e | **Raymond-Pitet** *Pereire* | |
| F 8 | 16e | **Raymond-Poincaré** (av.) *Trocadéro, Victor-Hugo* | |
| Q 2 | 18e | **Raymond-Queneau** *Pte de la Chapelle* | |
| R 3 | 19e | **Raymond-Radiguet** *Crimée* | |
| E 10 | 16e | **Raynouard** *Passy, Av. du Pdt-Kennedy* | |
| E 10 | 16e | **Raynouard** (sq.) *Passy* | |
| O 9 | 1er | **Réale** (pass. de la) "Forum des Halles" *Châtelet-Les Halles* | |
| P 8 | 2/3e | **Réaumur** *Arts-et-Métiers, Réaumur-Séb., Sentier* | |
| T 6 | 19e | **Rébeval** *Belleville, Pyrénées* | |
| L 11 | 7e | **Récamier** *Sèvres-Babylone* | |
| P 6 | 10e | **Récollets** (pass. des) *Gare de l'Est* | |
| Q 6 | 10e | **Récollets** (des) *Gare de l'Est* | |
| D 11 | 16e | **Recteur-Poincaré** (av. du) *Jasmin* | |
| O 15 | 13e | **Reculettes** (des) *Pl. d'Italie* | |
| H 3 | 17e | **Redon** *Pereire* | |
| F 10 | 7e | **Refuzniks** (all. des) *Champ de Mars* | |
| L 12 | 6e | **Regard** (du) *St-Placide* | |
| L 12 | 6e | **Régis** *St-Placide* | |
| W 10 | 20e | **Réglises** (des) *Pte de Montreuil* | |
| N 11 | 6e | **Regnard** *Odéon* | |
| R 17 | 13e | **Regnault** *Pte d'Ivry, Bibliothèque François Mitterrand* | |
| P 7 | 10e | **Reilhac** (pass.) *Château-d'Eau* | |
| N 16 | 14e | **Reille** (av.) *Glacière, Montsouris* | |
| N 16 | 14e | **Reille** (imp.) *Glacière* | |
| G 3 | 17e | **Reims** (bd de) *Pte de Champerret* | |
| R 16 | 13e | **Reims** (de) *Bibliothèque François Mitterrand* | |
| K 8 | 8e | **Reine** (cours la) *Ch.-Élysées-C.* | |
| H 8 | 8e | **Reine-Astrid** (pl. de la) *Alma-Marceau* | |
| P 14 | 13e | **Reine-Blanche** (de la) *Les Gobelins* | |
| O 8 | 1er | **Reine-de-Hongrie** (pass. de la) *Les Halles* | |
| J 6 | 8e | **Rembrandt** *Monceau* | |
| S 4 | 19e | **Rémi-Belleau** (villa) *Laumière* | |

| arr. | arr. | rue / street | Métro Tramway | carr. | arr. | rue / street | Métro Tramway |
|---|---|---|---|---|---|---|---|
| 12 | 16e | **Rémusat** (de) Mirabeau | | M 8 | 1er | **Richelieu** (pass. de) Palais-Royal | |
| S 6 | 19e | **Remy-de-Gourmont** Bolivar | | N 7 | 1/2e | **Richelieu** (de) Palais-Royal, Bourse, Richelieu-Drouot | |
| M 5 | 14e | **Remy-Dumoncel** Alésia | | R 16 | 13e | **Richemont** (de) Olympiades | |
| H 8 | 8e | **Renaissance** (de la) Alma-Marceau | | O 6 | 9e | **Richer** Cadet | |
| U 5 | 19e | **Renaissance** (villa de la) Danube | | Q 7 | 10e | **Richerand** (av.) Goncourt | |
| P 9 | 14e | **Renard** (du) Hôtel-de-Ville | | O 4 | 18e | **Richomme** Château-Rouge | |
| G 5 | 17e | **Renaudes** (des) Ternes | | J 15 | 14e | **Ridder** (de) Plaisance | |
| J 12 | 12e | **Rendez-Vous** (cité du) Picpus | | U 13 | 13e | **Riesener** Montgallet | |
| J 12 | 12e | **Rendez-Vous** (du) Picpus | | V 6 | 19e | **Rigaunes** (imp. des) Télégraphe | |
| C 11 | 16e | **René-Bazin** Jasmin | | K 6 | 8e | **Rigny** (de) St-Augustin | |
| N 1 | 18e | **René-Binet** Pte de Clignancourt | | U 7 | 20e | **Rigoles** (des) Jourdain | |
| Q 8 | 10e | **René-Boulanger** République | | T 5 | 19e | **Rimbaud** (villa) Danube | |
| E 10 | 16e | **René-Boylesve** (av.) Passy | | L 16 | 14e | **Rimbaut** (pass.) Alésia | |
| D 11 | 5e | **René-Capitant** (promenade) St-Michel-Notre-Dame | | Q 2 | 18e | **Rimski-Korsakov** (all.) Marx-Dormoy | |
| N 9 | 1er | **René-Cassin** (pl.) Les Halles | | J 6 | 8e | **Rio-de-Janeiro** (pl. de) Monceau | |
| L 10 | 7e | **René-Char** (pl.) Rue du Bac | | S 3 | 18/19e | **Riquet** Riquet, Marx-Dormoy | |
| 1 16 | 14e | **René-Coty** (av.) Denfert-Roch., Mouton-Duvernet, Alésia | | P 7 | 10e | **Riverin** (cité) Strasbourg-St-Denis | |
| W 5 | 19e | **René-Fonck** (av.) Pte des Lilas | | P 10 | 1/4e | **Rivoli** (de) St-Paul, Hôtel-de-Ville, Châtelet, Louvre, Palais-Royal, Tuileries, Concorde | |
| S 13 | 13e | **René-Goscinny** Bibliothèque François Mitterrand | | N 2 | 18e | **Robert** (imp.) Pte de Clignancourt | |
| P 14 | 13e | **René-Panhard** St-Marcel | | S 16 | 13e | **Robert-Antelme** (pl.) Bibliothèque Fr. Mitterrand | |
| C 14 | 15e | **René-Ravaud** Bd Victor | | Q 6 | 10e | **Robert-Blache** Château-Landon | |
| T 9 | 11e | **René-Villermé** Père-Lachaise | | E 11 | 15e | **Robert-de-Flers** Charles-Michels | |
| P 9 | 3e | **Renée-Vivien** (pl.) Rambuteau | | R 6 | 10e | **Robert-Desnos** (imp.) Colonel-Fabien | |
| G 5 | | **Rennequin** Ternes | | R 16 | 13e | **Robert-Doisneau** (villa) Olympiades | |
| M 11 | 6e | **Rennes** (de) St-Germain, St-Sulpice, St-Placide, Montparnasse-B. | | J 9 | 7e | **Robert-Esnault-Pelterie** Invalides | |
| J 10 | 20e | **Repos** (du) Philippe-Auguste | | H 7 | 8e | **Robert-Estienne** F.-D.-Roosevelt | |
| T 9 | 11e | **République** (av. de la) République, Parmentier, Rue St-Maur, Père-Lachaise | | U 16 | 12e | **Robert-Etlin** (pl.) Cour de Charenton | |
| Q 8 | 3/10/11e | **République** (pl. de la) République | | U 10 | 11e | **Robert-et-Sonia-Delaunay** A.-Dumas | |
| H 5 | 8/17e | **République-de-l'Équateur** (pl. de la) Courcelles | | H 13 | 15e | **Robert-Fleury** Cambronne | |
| J 12 | 15e | **République de Panama** (pl. de la) Sèvres-Lecourbe | | E 14 | 15e | **Robert-Guillemard** (pl.) Balard | |
| | | | | S 7 | 11e | **Robert-Houdin** Belleville | |
| J 5 | 8/17e | **République-Dominicaine** (pl. de la) Monceau | | D 10 | 16e | **Robert-Le-Coin** Ranelagh | |
| S 16 | 13e | **Résal** Bibliothèque François Mitterrand | | G 15 | 15e | **Robert-Lindet** Convention | |
| H 9 | 7e | **Résistance** (pl. de la) Pont de l'Alma | | G 15 | 15e | **Robert-Lindet** (villa) Convention | |
| M 4 | 18e | **Retiro** (cité du) Madeleine | | M 4 | 18e | **Robert-Planquette** Blanche | |
| U 7 | 20e | **Retrait** (pass. du) Gambetta | | J 9 | 7e | **Robert-Schuman** (av.) Invalides | |
| U 8 | 20e | **Retrait** (du) Gambetta | | C 11 | 16e | **Robert-Turquan** Jasmin | |
| J 13 | 12e | **Reuilly** (bd de) Dugommier, Daumesnil | | K 2 | 17e | **Roberval** Guy-Môquet | |
| J 13 | 12e | **Reuilly** (de la) Faidherbe-Chal., Reuilly-Diderot, Montgallet, Daumesnil | | H 10 | 7e | **Robiac** (sq. de) Latour-Maub. | |
| J 10 | 20e | **Réunion** (pl. de la) A.-Dumas | | U 8 | 20e | **Robineau** Gambetta | |
| J 11 | 20e | **Réunion** (de la) Maraîchers, A.-Dumas | | L 13 | 6e | **Robiquet** (imp.) Montparnasse-B. | |
| H 6 | 8e | **Révérend Père Carré** (place du) Ch.-de-G.-Étoile | | B 11 | 16e | **Rocamadour** (sq. de) Pte d'Auteuil | |
| M 11 | 6e | **Révérend Père Michel Riquet** (allée du) St-Sulpice, Mabillon | | G 8 | 16e | **Rochambeau** (pl.) Iéna | |
| | | | | O 6 | 9e | **Rochambeau** Cadet | |
| K 11 | 20e | **Reynaldo-Hahn** Pte de Montreuil | | S 9 | 11e | **Rochebrune** (pass.) Rue St-Maur | |
| T 4 | 19e | **Rhin** (du) Laumière | | S 9 | 11e | **Rochebrune** Voltaire | |
| S 4 | 19e | **Rhin-et-Danube** (place) Danube | | O 4 | 9/18e | **Rochechouart** (bd) Barbès-Roch., Anvers, Pigalle | |
| G 3 | 17e | **Rhône** (sq. du) Pereire | | O 5 | 9e | **Rochechouart** (de) Cadet, Anvers | |
| C 11 | 16e | **Ribéra** Jasmin | | K 6 | 8e | **Rocher** (du) St-Lazare, Europe, Villiers | |
| M 10 | 12e | **Ribérolle** (villa) A.-Dumas | | O 5 | 10e | **Rocroy** (de) Gare du Nord | |
| S 12 | 15e | **Ribet** (pass.) Cambronne | | N 15 | 14e | **Rodenbach** (allée) St-Jacques | |
| W 9 | 20e | **Riblette** (de) Pte de Bagnolet | | N 5 | 9e | **Rodier** Anvers | |
| S 8 | 11e | **Ribot** (cité) Couronnes | | D 9 | 16e | **Rodin** (av.) Rue de la Pompe | |
| O 6 | 9e | **Ribouté** Cadet | | C 11 | 16e | **Rodin** (pl.) Jasmin | |
| Q 16 | 13e | **Ricaut** Pl. d'Italie | | L 14 | 14e | **Roger** Denfert-Roch. | |
| H 15 | 19e | **Richard** (imp.) Plaisance | | F 5 | 17e | **Roger-Bacon** Pte de Champerret | |
| K 4 | 17e | **Richard-Baret** (pl.) Rome | | W 10 | 20e | **Roger-Bissière** Maraîchers | |
| G 7 | 16e | **Richard-de-Coudenhove-Kalergi** (pl.) Kléber | | H 12 | 15e | **Roger-Cahen** (av.) Cambronne | |
| | | | | S 8 | 11e | **Roger-Linet** (espl.) Couronnes | |
| R 10 | 11e | **Richard-Lenoir** (bd) Bastille, Bréguet-Sabin, Richard-Lenoir, Oberkampf | | Q 10 | 4e | **Roger-Priou-Valjean** (pl.) Pont-Marie | |
| | | | | Q 10 | 4e | **Roger-Verlomme** Chemin-Vert | |
| | | | | N 6 | 6e | **Rohan** (cour de) Odéon | |
| | | | | M 9 | 1er | **Rohan** (de) Palais-Royal | |
| | | | | O 2 | 18e | **Roi-d'Alger** (pass. du) Simplon | |
| | | | | O 2 | 18e | **Roi-d'Alger** (du) Simplon | |
| T 10 | 11e | **Richard-Lenoir** Voltaire | | Q 10 | 4e | **Roi-de-Sicile** (du) St-Paul | |
| | | | | Q 9 | 3e | **Roi-Doré** (du) St-Sébastien-Froissart | |
| | | | | O 8 | 2e | **Roi-François** (cour du) Réaumur-Séb. | |

# Roland-Barthès

| carr. | arr. | rue / street | Métro Tramway |
|---|---|---|---|
| S 13 | 12e | **Roland-Barthès** Gare de Lyon | |
| N 3 | 18e | **Roland-Dorgelès** (carr.) Lamarck-Caul. | |
| W 8 | 20e | **Roland-Garros** (sq.) Pelleport | |
| N 17 | 14e | **Roli** Stade Charléty | |
| V 11 | 20e | **Rolleboise** (imp.) Avron | |
| O 12 | 5e | **Rollin** Place Monge | |
| G 15 | 15e | **Romain-Gary** Georges Brassens | |
| L 18 | 14e | **Romain-Rolland** (bd) Pte d'Orléans | |
| V 6 | 19e | **Romainville** (de) Télégraphe | |
| P 8 | 3e | **Rome** (cour de) Arts-et-Métiers | |
| L 6 | 8e | **Rome** (cour de) St-Lazare | |
| L 6 | 8/17e | **Rome** (de) St-Lazare, Europe, Rome | |
| U 8 | 20e | **Rondeaux** (pass. des) Gambetta | |
| V 9 | 20e | **Rondeaux** (des) Gambetta | |
| T 12 | 12e | **Rondelet** Reuilly-Diderot | |
| V 9 | 20e | **Rondonneaux** (des) Gambetta | |
| T 3 | 19e | **Rond Point des Canaux** (pl. du) Ourcq | |
| N 4 | 18e | **Ronsard** Anvers | |
| J 13 | 15e | **Ronsin** (imp.) Pasteur | |
| K 7 | 8e | **Roquépine** St-Augustin | |
| R 10 | 11e | **Roquette** (cité de la) Bastille | |
| S 10 | 11e | **Roquette** | |
| | | (de la) Bastille, Voltaire, Philippe-Auguste | |
| J 12 | 15e | **Rosa-Bonheur** Sèvres-Lecourbe | |
| H 15 | 15e | **Rosenwald** Plaisance | |
| Q 2 | 18e | **Roses** (des) Marx-Dormoy | |
| Q 2 | 18e | **Roses** (villa des) Marx-Dormoy | |
| F 12 | 15e | **Rosière** (de la) Charles-Michels | |
| Q 10 | 4e | **Rosiers** (des) St-Paul | |
| P 18 | 13e | **Rosny-Aîné** (sq.) Pte d'Italie | |
| N 7 | 9e | **Rossini** Richelieu-Drouot | |
| L 3 | 18e | **Rothschild** (imp.) La Fourche | |
| T 2 | 19e | **Rotonde** (esplanade de la) Pte de la Villette | |
| O 9 | 1er | **Rotonde** (pl. de la) "Forum des Halles" | |
| | | Châtelet-Les Halles | |
| N 11 | 6e | **Rotrou** Odéon | |
| W 14 | 12e | **Rottembourg** Michel-Bizot | |
| P 5 | 10e | **Roubaix** (pl. de) Gare du Nord | |
| T 11 | 11e | **Roubo** Faidherbe-Chal. | |
| F 11 | 15e | **Rouelle** Dupleix | |
| R 4 | 19e | **Rouen** (de) Riquet | |
| L 16 | 14e | **Rouet** (imp. du) Alésia | |
| O 7 | 9e | **Rougemont** (cité) Grands-Boulevards | |
| O 7 | 9e | **Rougemont** Grands-Boulevards | |
| L 8 | 1er | **Rouget-de-l'Isle** Concorde | |
| N 9 | 1er | **Roule** (du) Louvre | |
| G 6 | 8e | **Roule** (sq. du) Ternes | |
| K 12 | 7e | **Rousselet** Vaneau | |
| T 2 | 19e | **Rouvet** Corentin-Cariou | |
| B 12 | 16e | **Rouvray** (av. de) Michel-A.-Molitor | |
| G 5 | 17e | **Roux** (pass.) Ternes | |
| K 6 | 8e | **Roy** St-Augustin | |
| L 9 | 1/7e | **Royal** (pt) Musée d'Orsay | |
| L 7 | 8e | **Royale** Concorde, Madeleine | |
| K 8 | 8e | **Royale** (gal.) Concorde | |
| N 12 | 5e | **Royer-Collard** (imp.) Luxembourg | |
| N 12 | 5e | **Royer-Collard** Luxembourg | |
| P 15 | 13e | **Rubens** Pl. d'Italie | |
| F 6 | 16e | **Rude** Ch.-de-G.-Étoile | |
| H 3 | 17e | **Rudolf-Noureev** Pte de Clichy | |
| P 4 | 18e | **Ruelle** (pass.) La Chapelle | |
| E 5 | 17e | **Ruhmkorff** Pte Maillot | |
| N 2 | 18e | **Ruisseau** (du) Lamarck-Caul., Pte de Clignancourt | |
| U 7 | 20e | **Ruisseau de Ménilmontant** | |
| | | (pass. du) Gambetta | |
| O 17 | 13e | **Rungis** (pl. de) Stade Charléty | |
| O 17 | 13e | **Rungis** (de) Stade Charléty | |
| S 13 | 12e | **Rutebeuf** (pl.) Gare de Lyon | |
| J 6 | 8e | **Ruysdaël** (av.) Monceau | |

| carr. | arr. | rue / street | Métro Tramway |
|---|---|---|---|

## S

| carr. | arr. | rue / street | Métro Tramway |
|---|---|---|---|
| L 15 | 14e | **Sablière** (de la) Pernety | |
| E 8 | 16e | **Sablons** (des) Trocadéro | |
| E 5 | 17e | **Sablonville** (de) Pte Maillot | |
| M 11 | 6e | **Sabot** (du) St-Sulpice | |
| N 4 | 18e | **Sacré-Cœur** (cité du) Anvers | |
| U 5 | 19e | **Sadi-Carnot** (villa) Danube | |
| R 5 | 19e | **Sadi-Lecointe** Bolivar | |
| W 13 | 12e | **Sahel** (du) Bel-Air | |
| W 13 | 12e | **Sahel** (villa du) Bel-Air | |
| E 7 | 16e | **Saïd** (villa) Pte Dauphine | |
| G 15 | 15e | **Saïda** (de la) Georges Brassens | |
| F 6 | 16e | **Saïgon** (de) Argentine | |
| L 15 | 14e | **Saillard** Mouton-Duvernet | |
| L 17 | 14e | **St-Alphonse** (imp.) Pte d'Orléans | |
| H 14 | 15e | **St-Amand** Plaisance | |
| S 9 | 11e | **St-Ambroise** (pass.) St-Ambroise | |
| S 9 | 11e | **St-Ambroise** St-Ambroise | |
| N 11 | 6e | **St-André-des-Arts** (pl.) St-Michel | |
| N 11 | 6e | **St-André-des-Arts** St-Michel | |
| L 12 | 17e | **St-Ange** (pass.) Pte de St-Ouen | |
| L 2 | 17e | **St-Ange** (villa) Pte de St-Ouen | |
| S 11 | 11e | **St-Antoine** (pass.) Ledru-Rollin | |
| Q 11 | 4e | **St-Antoine** Bastille, St-Paul | |
| K 6 | 8e | **St-Augustin** (pl.) St-Augustin | |
| M 7 | 2e | **St-Augustin** Quatre septembre | |
| M 10 | 6e | **St-Benoît** St-Germain-des-P. | |
| S 11 | 11e | **St-Bernard** (q.) Ledru-Rollin | |
| Q 12 | 5e | **St-Bernard** (q.) Gare d'Austerlitz, Jussieu | |
| T 11 | 11e | **St-Bernard** Faidherbe-Chal. | |
| W 9 | 20e | **St-Blaise** (pl.) Gambetta | |
| W 10 | 20e | **St-Blaise** Pte de Montreuil | |
| O 10 | 4e | **St-Bon** Hôtel-de-Ville | |
| P 4 | 18e | **St-Bruno** La Chapelle | |
| E 12 | 15e | **St-Charles** (villa) Charles-Michels | |
| F 12 | 15e | **St-Charles** (pl.) Charles-Michels | |
| E 13 | 15e | **St-Charles** (rd-pt) Charles-Michels | |
| E 12 | 15e | **St-Charles** | |
| | | Dupleix, Charles-Michels, Lourmel, Balard | |
| U 12 | 12e | **St-Charles** (sq.) Reuilly-Diderot | |
| S 6 | 19e | **St-Chaumont** (cité) Belleville | |
| E 12 | 15e | **St-Christophe** Javel | |
| Q 9 | 3e | **St-Claude** (imp.) St-Sébastien-Froissart | |
| Q 9 | 3e | **St-Claude** St-Sébastien-Froissart | |
| P 7 | 2/3/10e | **St-Denis** (bd) Strasbourg-St-Denis | |
| O 8 | 2e | **St-Denis** (imp.) Réaumur-Séb. | |
| P 7 | 2/10e | **St-Denis** (porte) Strasbourg-St-Denis | |
| O 9 | 1/2e | **St-Denis** Châtelet, Étienne-Marcel, Réaumur-Séb., | |
| | | Strasbourg-St-Denis | |
| E 8 | 16e | **St-Didier** Victor-Hugo | |
| J 9 | 7e | **St-Dominique** Solférino, Invalides, Latour-Maub., | |
| | | Pt de l'Alma | |
| N 4 | 18e | **St-Éleuthère** Abbesses | |
| T 12 | 12e | **St-Éloi** (cour) Reuilly-Diderot | |
| T 15 | 12e | **St-Émilion** (cour) Cour St-Émilion | |
| T 15 | 12e | **St-Émilion** (pass.) Cour St-Émilion | |
| T 15 | 12e | **St-Estèphe** (place) Cour St-Émilion | |
| S 11 | 11e | **St-Esprit** (cour) Ledru-Rollin | |
| O 12 | 5e | **St-Étienne-du-Mont** Cardinal-Lemoine | |
| O 8 | 1er | **St-Eustache** (imp.) Les Halles | |
| O 9 | 1er | **St-Eustache** (balc. et pte) | |
| | | "Forum des Halles" Châtelet-Les Halles | |
| C 14 | 16e | **St-Exupéry** (q.) Pte de St-Cloud | |
| W 7 | 20e | **St-Fargeau** (pl.) St-Fargeau | |
| W 7 | 20e | **St-Fargeau** St-Fargeau | |
| V 7 | 20e | **St-Fargeau** (villa) St-Fargeau | |
| F 6 | 17e | **St-Ferdinand** (pl.) Pte Maillot | |
| F 5 | 17e | **St-Ferdinand** Pte Maillot | |

| rr. | arr. | rue / street | Métro Tramway |
|---|---|---|---|
| 9 | 4e | **St-Fiacre** (imp.) *Châtelet* | |
| 7 | 2e | **St-Fiacre** *Grands-Boulevards* | |
| 8 | 1/8e | **St-Florentin** *Concorde* | |
| 2 | 18e | **St-François** (imp.) *Pte de Clignancourt* | |
| 5 | 9e | **St-Georges** (pl.) *St-Georges* | |
| 6 | 9e | **St-Georges** *N.-D.-de-Lorette, St-Georges* | |
| 11 | 5/6/7e | **St-Germain** (bd) *Maubert-Mutualité, Cluny, Odéon, Mabillon, St-Germain-des-P., Rue du Bac, Solférino, Ass. Nationale* | |
| 10 | 6e | **St-Germain-des-Prés** *St-Germain-des-P.* | |
| 10 | 1er | **St-Germain-l'Auxerrois** *Pont-Neuf* | |
| 10 | 4e | **St-Gervais** (pl.) *Hôtel-de-Ville* | |
| 10 | 3e | **St-Gilles** *Chemin-Vert* | |
| 16 | 14e | **St-Gothard** (du) *St-Jacques* | |
| 10 | 7e | **St-Guillaume** *Rue du Bac* | |
| 14 | 13e | **St-Hippolyte** *Les Gobelins* | |
| 8 | 1/8e | **St-Honoré** *Louvre, Palais-Royal, Tuileries, Madeleine* | |
| 8 | 16e | **St-Honoré-d'Eylau** (av.) *Victor-Hugo* | |
| 8 | 11e | **St-Hubert** *Rue St-Maur* | |
| 8 | 2e | **St-Hyacinthe** *Pyramides* | |
| 9 | 11e | **St-Irénée** (sq.) *St-Ambroise* | |
| 15 | 14e | **St-Jacques** (bd) *Glacière, St-Jacques* | |
| 15 | 14e | **St-Jacques** (pl.) *St-Jacques* | |
| 12 | 5e | **St-Jacques** *Cluny, Luxembourg, Port-Royal* | |
| 11 | 5e | **St-Jacques** (villa) *St-Jacques* | |
| 3 | 17e | **St-Jean** (pl.) *La Fourche* | |
| 3 | 17e | **St-Jean** *La Fourche* | |
| 12 | 6e | **St-Jean-Baptiste-de-la-Salle** *Vaneau* | |
| 8 | 2e | **St-Jérôme** *La Chapelle* | |
| 9 | 1er | **St-John-Perse** (all.) *Les Halles* | |
| 8 | 11e | **St-Joseph** (cour) *Ledru-Rollin* | |
| 8 | 2e | **St-Joseph** *Sentier* | |
| 11 | 5e | **St-Jules** (pass.) *Pte de Clignancourt* | |
| 11 | 5e | **St-Julien-le-Pauvre** *St-Michel* | |
| 2 | 17e | **St-Just** *Pte de Clichy* | |
| 15 | | **St-Lambert** *Convention* | |
| 6 | 10e | **St-Laurent** *Gare de l'Est* | |
| 8/9 | 8e | **St-Lazare** *N.-D.-de-Lorette, Trinité* | |
| 11 | 11e | **St-Louis** (cour) *Bastille* | |
| 11 | 4e | **St-Louis** (pt) *Pont-Marie* | |
| 11 | 4e | **St-Louis-en-l'Île** *Pont-Marie* | |
| 4 | 18e | **St-Luc** *Barbès-Roch.* | |
| 12 | 12e | **St-Mandé** *(av. de) Nation, Picpus, Pte de Vincennes* | |
| 12 | 12e | **St-Mandé** (villa de) *Picpus* | |
| 7 | 2e | **St-Marc** (gal.) *Grands-Boulevards* | |
| 7 | 2e | **St-Marc** *Richelieu-Drouot* | |
| 3 | 17e | **St-Marceaux** (de) *Pereire* | |
| 14 | 5/13e | **St-Marcel** (bd) *St-Marcel, Les Gobelins* | |
| 8 | 3/10e | **St-Martin** (bd) *République* | |
| 7 | 10e | **St-Martin** (cité) *Château-d'Eau* | |
| 7 | 3/10e | **St-Martin** (porte) *Strasbourg-St-Denis* | |
| 8 | 3/4e | **St-Martin** *Châtelet, Rambuteau, Réaumur-Séb., Strasbourg-St-Denis* | |
| 4 | 18e | **St-Mathieu** *La Chapelle* | |
| 7 | 2e | **St-Maur** (pass.) *Rue St-Maur* | |
| 8 | 10/11e | **St-Maur** *Voltaire, Rue St-Maur, Goncourt* | |
| 3 | 5e | **St-Médard** *Place Monge* | |
| 9 | 4e | **St-Merri** *Hôtel-de-Ville* | |
| 11 | 5/6e | **St-Michel** *(bd) St-Michel, Cluny, Luxembourg, Port-Royal* | |
| 3 | 17e | **St-Michel** (pass.) *La Fourche* | |
| 11 | 5/6e | **St-Michel** (pl.) *St-Michel* | |
| 10 | 1/4/5/6e | **St-Michel** (pt) *St-Michel* | |
| 11 | 5e | **St-Michel** (q.) *St-Michel* | |
| 3 | 18e | **St-Michel** (villa) *La Fourche* | |
| 11 | 11e | **St-Nicolas** (cour) *Faidherbe-Chal.* | |
| 11 | 12e | **St-Nicolas** *Ledru-Rollin* | |

| carr. | arr. | rue / street | Métro Tramway |
|---|---|---|---|
| L 2 | 17/18e | **St-Ouen** *(av. de) La Fourche, Guy-Môquet, Pte de St-Ouen* | |
| L 2 | 17e | **St-Ouen** (imp. de) *Guy-Môquet* | |
| V 10 | 20e | **St-Paul** (imp.) *Maraîchers* | |
| Q 10 | 4e | **St-Paul** (pass.) *St-Paul* | |
| Q 11 | 4e | **St-Paul** *St-Paul* | |
| M 10 | 6/7e | **Sts-Pères** (des) *Sèvres-Babylone* | |
| M 10 | 6/7e | **Sts-Pères** (des) *Musée d'Orsay* | |
| L 5 | 8e | **St-Petersbourg** *Europe, Pl. de Clichy* | |
| O 7 | 2e | **St-Philippe** *Sentier* | |
| J 7 | 8e | **St-Phillipe-du-Roule** (pass.) *St-Philippe-du-R.* | |
| J 7 | 8e | **St-Phillipe-du-Roule** *St-Philippe-du-R.* | |
| L 4 | 17e | **St-Pierre** (cour) *La Fourche* | |
| V 10 | 20e | **St-Pierre** (imp.) *Buzenval* | |
| N 4 | 18e | **St-Pierre** *Anvers* | |
| R 9 | 11e | **St-Pierre-Amelot** (pass.) *Oberkampf* | |
| L 12 | 5e | **St-Placide** *St-Placide* | |
| P 5 | 10e | **St-Quentin** (de) *Gare du Nord* | |
| M 8 | 1er | **St-Roch** (pass.) *Pyramides* | |
| M 8 | 1er | **St-Roch** *Pyramides* | |
| K 12 | 6e | **St-Romain** *Vaneau* | |
| K 12 | 6e | **St-Romain** (sq.) *Vaneau* | |
| N 4 | 18e | **St-Rustique** *Abbesses* | |
| R 10 | 11e | **St-Sabin** (pass.) *Bréguet-Sabin* | |
| R 10 | 11e | **St-Sabin** *Bréguet-Sabin, St-Sébastien-Froissart* | |
| F 11 | 15e | **St-Saëns** *Bir-Hakeim* | |
| O 8 | 2e | **St-Sauveur** *Réaumur-Séb.* | |
| R 9 | 11e | **St-Sébastien** (imp.) *St-Sébastien-Froissart* | |
| R 9 | 11e | **St-Sébastien** (pass.) *St-Sébastien-Froissart* | |
| R 9 | 11e | **St-Sébastien** *St-Sébastien-Froissart* | |
| G 5 | 17e | **St-Senoch** (de) *Ternes* | |
| O 11 | 5e | **St-Séverin** *St-Michel* | |
| L 10 | 7e | **St-Simon** (de) *Rue du Bac* | |
| V 7 | 20e | **St-Simoniens** (pass.) *Télégraphe* | |
| O 8 | 2e | **St-Spire** *Réaumur-Séb.* | |
| M 11 | 6e | **St-Sulpice** (pl.) *St-Sulpice* | |
| M 11 | 6e | **St-Sulpice** *Odéon* | |
| L 10 | 7e | **St-Thomas-d'Aquin** (pl.) *Rue du Bac* | |
| L 10 | 7e | **St-Thomas-d'Aquin** *Rue du Bac* | |
| O 12 | 5e | **St-Victor** *Cardinal-Lemoine* | |
| T 6 | 19e | **St-Vincent** (imp.) *Buttes-Chaumont* | |
| N 3 | 18e | **St-Vincent** *Lamarck-Caul.* | |
| P 5 | 10e | **St-Vincent-de-Paul** *Gare du Nord* | |
| T 15 | 12e | **St-Vivant** (pass.) *Cour St-Emilion* | |
| M 16 | 14e | **St-Yves** *Montsouris* | |
| Q 9 | 3e | **Ste-Anastase** *St-Sébastien-Froissart* | |
| M 8 | 2e | **Ste-Anne** (pass.) *Quatre septembre* | |
| M 8 | 1/2e | **Ste-Anne** *Quatre septembre* | |
| R 10 | 11e | **Ste-Anne-Popincourt** (pass.) *Bréguet-Sabin* | |
| P 7 | 2/3e | **Ste-Apolline** *Strasbourg-St-Denis* | |
| P 9 | 3e | **Ste-Avoie** (pass.) *Rambuteau* | |
| L 13 | 6e | **Ste-Beuve** *N.-D.-des-Champs* | |
| O 7 | 2e | **Ste-Cécile** *Grands-Boulevards* | |
| T 13 | 12e | **Ste-Claire-Deville** *Montgallet* | |
| L 2 | 17e | **Ste-Croix** (villa) *Guy-Môquet* | |
| P 10 | 4e | **Ste-Croix-de-la-Bretonnerie** *Hôtel-de-Ville* | |
| P 10 | 4e | **Ste-Croix-de-la-Bretonnerie** (sq.) *Hôtel-de-Ville* | |
| Q 8 | 3e | **Ste-Élisabeth** (pass.) *Temple* | |
| Q 8 | 3e | **Ste-Élisabeth** *Temple* | |
| G 14 | 15e | **Ste-Eugénie** (av.) *Convention* | |
| H 14 | 15e | **Ste-Félicité** *Vaugirard* | |
| O 8 | 2e | **Ste-Foy** (pass.) *Strasbourg-St-Denis* | |
| O 7 | 2e | **Ste-Foy** *Strasbourg-St-Denis* | |
| O 12 | 5e | **Ste-Geneviève** (pl.) *Cardinal-Lemoine* | |
| P 18 | 13e | **Ste-Hélène** (de) *Poterne des Peupliers* | |
| N 2 | 18e | **Ste-Henriette** (imp.) *Pte de Clignancourt* | |
| N 2 | 18e | **Ste-Isaure** *Jules-Joffrin* | |
| K 15 | 14e | **Ste-Léonie** (imp.) *Pernety* | |
| E 12 | 15e | **Ste-Lucie** *Charles-Michels* | |

# Ste-Marie

| carr. | arr. | rue / street *Métro Tramway* | carr. | arr. | rue / street *Métro Tramway* |
|---|---|---|---|---|---|
| X 14 | 12e | **Ste-Marie** (av.) *Pte Dorée* | J 8 | 8e | **Selves** (av. de) *Ch.-Élysées-C.* |
| W 7 | 20e | **Ste-Marie** (villa) *St-Fargeau* | M 11 | 6e | **Séminaire** (all. du) *St-Sulpice* |
| R 6 | 10e | **Ste-Marthe** (pl.) *Belleville* | T 7 | 20e | **Sénégal** (du) *Couronnes* |
| R 6 | 10e | **Ste-Marthe** (imp.) *Belleville* | G 4 | 17e | **Senlis** (de) *Pte de Champerret* |
| R 6 | 10e | **Ste-Marthe** *Belleville* | O 7 | 2e | **Sentier** (du) *Sentier* |
| L 2 | 18e | **Ste-Monique** (imp.) *Guy-Môquet* | K 14 | 14e | **Séoul** (pl. de) *Pernety* |
| O 9 | 1er | **Ste-Opportune** (pl.) *Châtelet* | V 3 | 19e | **Sept-Arpents** (des) *Hoche* |
| O 9 | 1er | **Ste-Opportune** *Châtelet* | U 12 | 12e | **Septième Art** (cours du) *Montgallet* |
| Q 8 | 3e | **Saintonge** (de) *Filles-du-Calvaire* | G 5 | 17e | **Sergent-Hoff** (du) *Ternes* |
| W 10 | 20e | **Salamandre** (sq. de la) *Maraîchers* | A 13 | 16e | **Sergent-Maginot** (du) *Pte de St-Cloud* |
| R 10 | 11e | **Salarnier** (pass.) *Bréguet-Sabin* | C 10 | 16e | **Serge-Prokofiev** *Ranelagh* |
| O 11 | 5e | **Salembrière** (imp.) *St-Michel* | N 11 | 6e | **Serpente** *Odéon* |
| J 4 | 17e | **Salneuve** *Villiers* | X 9 | 20e | **Serpollet** *Pte de Bagnolet* |
| P 8 | 3e | **Salomon-de-Caus** *Strasbourg-St-Denis* | F 13 | 15e | **Serret** *Boucicaut* |
| E 5 | 17e | **Salonique** (av. de) *Pte Maillot* | W 6 | 19e | **Sérurier** (bd) *Pte des Lilas, Pré-St-Gervais,* |
| J 10 | 7e | **Salvador-Allende** (pl.) *Latour-Maub.* | | | *Danube, Pte de Pantin* |
| R 6 | 10e | **Sambre-et-Meuse** (de) *Colonel-Fabien* | T 9 | 11e | **Servan** *Rue St-Maur* |
| O 16 | 13e | **Samson** *Corvisart* | T 9 | 11e | **Servan** (sq.) *Père-Lachaise* |
| M 16 | 14e | **Samuel-Beckett** (allée) *Alésia, Mouton-Duvernet* | M 11 | 6e | **Servandoni** *St-Sulpice* |
| V 15 | 12e | **Sancerrois** (sq. du) *Pte de Charenton* | M 16 | 14e | **Seurat** (villa) *Alésia* |
| L 7 | 9e | **Sandrié** (imp.) *Auber* | L 15 | 14e | **Severo** *Mouton-Duvernet* |
| N 14 | 13e | **Santé** (imp. de la) *Glacière* | N 4 | 18e | **Seveste** *Anvers* |
| N 14 | 13/14e | **Santé** (de la) *Port-Royal, Glacière* | Q 10 | 3/4e | **Sévigné** (de) *St-Paul* |
| V 13 | 12e | **Santerre** *Bel-Air* | K 12 | 6/7/15e | **Sèvres** (de) *Sèvres-Babylone, Vaneau, Duroc,* |
| P 13 | 5e | **Santeuil** *Censier-Daubenton* | | | *Sèvres-Lecourbe* |
| J 10 | 7e | **Santiago-du-Chili** (pl.) *Latour-Maub.* | F 11 | 15e | **Sextius-Michel** *Bir-Hakeim* |
| H 15 | 15e | **Santos-Dumont** *Plaisance* | L 7 | 8/9e | **Sèze** (de) *Madeleine* |
| H 15 | 15e | **Santos-Dumont** (villa) *Plaisance* | E 7 | 16e | **Sfax** (de) *Victor-Hugo* |
| L 16 | 14e | **Saône** (de la) *Alésia* | D 9 | 16e | **Siam** (de) *Rue de la Pompe* |
| F 13 | 15e | **Sarasate** *Boucicaut* | N 16 | 14e | **Sibelle** |
| M 16 | 14e | **Sarrette** *Alésia* | | | (av. de la) *Cité Universitaire, Montsouris, Glac.* |
| V 10 | 20e | **Satan** (imp.) *Maraîchers* | P 6 | 10e | **Sibour** *Gare de l'Est* |
| K 3 | 17e | **Sauffroy** *Brochant* | V 13 | 12e | **Sibuet** *Picpus* |
| U 10 | 20e | **Saulaie** (villa de la) *A.-Dumas* | V 14 | 12e | **Sidi-Brahim** *Daumesnil* |
| N 3 | 18e | **Saules** (des) *Lamarck-Caul.* | O 16 | 13e | **Sigaud** (pass.) *Corvisart* |
| N 6 | 9e | **Saulnier** *Cadet* | V 5 | 19e | **Sigmund-Freud** *Pré-St-Gervais* |
| K 7 | 8e | **Saussaies** (pl. des) *Miromesnil* | G 9 | 7e | **Silvestre-de-Sacy** *École-Militaire* |
| K 7 | 8e | **Saussaies** (des) *Miromesnil* | G 15 | 15e | **Silvia-Monfort** (espl.) *Brancion* |
| G 5 | 17e | **Saussier-Leroy** *Ternes* | O 3 | 18e | **Simart** *Marcadet-Pois.* |
| K 4 | 17e | **Saussure** (de) *Villiers* | S 14 | 12/13e | **Simone-de-Beauvoir** (passerelle) *Quai de* |
| N 9 | 1er | **Sauval** *Louvre* | | | *Gare, Bercy* |
| V 10 | 20e | **Savart** (pass.) *Buzenval* | T 6 | 19e | **Simon-Bolivar** |
| U 7 | 20e | **Savies** (de) *Jourdain* | | | (av.) *Pyrénées, Buttes-Chaumont, Bolivar* |
| N 10 | 6e | **Savoie** (de) *St-Michel* | M 3 | 18e | **Simon-Dereure** *Lamarck-Caul.* |
| H 10 | 7e | **Savorgnan-de-Brazza** *École-Militaire* | O 16 | 13e | **Simonet** *Corvisart* |
| J 12 | 7/15e | **Saxe** (av. de) *Sèvres-Lecourbe* | J 12 | 7/15e | **Simone-Michel-Lévy** |
| J 11 | 7e | **Saxe** (villa de) *Ségur* | | | (pl.) *Duroc, Sèvres-Lecourbe* |
| R 10 | 11e | **Scarron** *Chemin-Vert* | Q 17 | 13e | **Simone-Weil** *Pte d'Ivry* |
| E 9 | 16e | **Scheffer** *Rue de la Pompe* | P 9 | 4e | **Simon-le-Franc** *Rambuteau* |
| E 9 | 16e | **Scheffer** (villa) *Rue de la Pompe* | O 2 | 18e | **Simplon** (du) *Simplon* |
| Q 12 | 4e | **Schomberg** (de) *Sully-Morland* | D 10 | 16e | **Singer** (pass.) *La Muette* |
| X 11 | 20e | **Schubert** *Pte de Montreuil* | D 10 | 16e | **Singer** *La Muette* |
| F 11 | 15e | **Schutzenberger** *Dupleix* | P 9 | 4e | **Singes** (pass. des) *Hôtel-de-Ville* |
| P 14 | 5e | **Scipion** *Les Gobelins* | H 3 | 17e | **Sisley** *Pereire* |
| M 7 | 9e | **Scribe** *Opéra* | L 15 | 14e | **Sivel** *Denfert-Roch.* |
| L 10 | 7e | **Sébastien-Bottin** *Rue du Bac* | U 5 | 19e | **Sizerins** (villa des) *Danube* |
| E 13 | 15e | **Sébastien-Mercier** *Javel* | R 1 | 19e | **Skanderbeg** (pl.) *Pte de la Chapelle* |
| P 8 | 1/2e | **Sébastopol** (bd de) *Châtelet, Étienne-Marcel,* | N 15 | 14e | **Sœur-Catherine-Marie** *Glacière* |
| | | *Réaumur-Séb., Strasbourg-St-Denis* | P 15 | 13e | **Sœur-Rosalie** (av. de la) *Pl. d'Italie* |
| S 5 | 19e | **Secrétan** (av.) *Jean-Jaurès, Bolivar* | O 4 | 18e | **Sofia** (de) *Barbès-Roch.* |
| G 12 | 15e | **Sécurité** (pass.) *La Motte-Picquet* | R 4 | 19e | **Soissons** (de) *Stalingrad* |
| S 10 | 11e | **Sedaine** (cour) *Bréguet-Sabin* | U 6 | 20e | **Soleil** (du) *Pl. des Fêtes* |
| S 10 | 11e | **Sedaine** *Bréguet-S., Voltaire* | H 13 | 15e | **Soleil-d'Or** (cour du) *Volontaires* |
| H 10 | 7e | **Sedillot** *Pte de l'Alma* | U 8 | 20e | **Soleillet** *Gambetta* |
| H 10 | 7e | **Sedillot** (sq.) *Pte de l'Alma* | L 9 | 7e | **Solférino** (de) *Solférino* |
| N 11 | 6e | **Séguier** *St-Michel* | L 9 | 1/7e | **Solférino** (passerelle) *Musée d'Orsay* |
| J 11 | 7/15e | **Ségur** (av. de) *St-François-Xavier, Ségur* | L 9 | 9e | **Solférino** (port de) *Musée d'Orsay* |
| J 11 | 7e | **Ségur** (villa de) *Ségur* | U 4 | 19e | **Solidarité** (de la) *Danube* |
| S 3 | 19e | **Seine** (q. de la) *Stalingrad, Riquet* | U 6 | 20e | **Solitaires** (des) *Pl. des Fêtes* |
| M 11 | 6e | **Seine** (de) *Odéon* | | | |

| rr. | arr. | rue / street | Métro Tramway |
|---|---|---|---|
| F 4 | 17e | **Somme** (bd de la) *Pte de Champerret* | |
| 14 | 16e | **Sommeiller** (villa) *Pte de St-Cloud* | |
| 11 | 5e | **Sommerard** (du) *Maubert-Mutualité* | |
| 15 | 20e | **Sommet-des-Alpes** (du) *Brancion* | |
| T 3 | 19e | **Sonatine** (villa) *Ourcq* | |
| E 7 | 16e | **Sontay** (de) *Victor-Hugo* | |
| 15 | 14e | **Sophie-Germain** *Mouton-Duvernet* | |
| U 8 | 20e | **Sorbier** *Gambetta* | |
| 12 | 6e | **Sorbonne** (pl. de la) *Odéon* | |
| 11 | 5e | **Sorbonne** (de la) *Odéon* | |
| N 8 | 20e | **Souchet** (villa) *Pelleport* | |
| E 9 | 16e | **Souchier** (villa) *Rue de la Pompe* | |
| 13 | 18e | **Soudan** (du) *La Motte-Picquet* | |
| 12 | 5e | **Soufflot** *Luxembourg* | |
| 10 | 20e | **Souhaits** (imp. des) *Avron* | |
| 16 | 13e | **Souham** (pl.) *Olympiades* | |
| 12 | 12e | **Soult** (bd) *Pte Dorée, Pte de Vincennes* | |
| V 8 | 20e | **Soupirs** (pass. des) *Gambetta* | |
| 11 | 16e | **Source** (de la) *Jasmin* | |
| T 7 | 20e | **Sources-du-Nord** (pl. des) *Ménilmontant* | |
| 13 | 3e | **Sourdis** (ruelle) *St-Sébastien-Froissart* | |
| A 16 | 14e | **Soutine** (villa) *Alésia, Cité Universitaire* | |
| A 11 | 7e | **Souvenir-Français** | |
| | | (esplanade du) *St-François-Xavier* | |
| T 11 | 11e | **Souzy** (cité) *Rue des Boulets* | |
| T 9 | 11e | **Spinoza** *Père-Lachaise* | |
| D 7 | 16e | **Spontini** *Pte Dauphine* | |
| D 8 | 16e | **Spontini** (villa) *Pte Dauphine* | |
| 11 | 18e | **Square** (av. du) *Michel-A.-Auteuil* | |
| M 3 | 18e | **Square-Carpeaux** (du) *Guy-Môquet* | |
| 13 | 15e | **Staël** (de) *Pasteur* | |
| 13 | 6e | **Stanislas** *N.-D.-des-Champs* | |
| W 7 | 20e | **Stanislas-Meunier** *Pte de Bagnolet* | |
| S 2 | 19e | **Station** (sentier de la) *Corentin-Cariou* | |
| N 4 | 18e | **Steinkerque** (de) *Anvers* | |
| M 3 | 18e | **Steinlen** *Guy-Môquet* | |
| S 6 | 19e | **Stemler** (cité) *Belleville* | |
| V 9 | 20e | **Stendhal** (pass.) *Gambetta* | |
| V 9 | 20e | **Stendhal** *Gambetta* | |
| V 9 | 20e | **Stendhal** (villa) *Gambetta* | |
| H 3 | 17e | **Stéphane-Grappelli** *Pte de Clichy* | |
| F 4 | 17e | **Stéphane-Mallarmé** (av.) *Pte de Champerret* | |
| P 15 | 13e | **Stéphen-Pichon** (av.) *Pl. d'Italie* | |
| P 4 | 18e | **Stéphenson** *La Chapelle* | |
| R 16 | 13e | **Sthrau** *Olympiades* | |
| T 12 | 12e | **Stinville** (pass.) *Montgallet* | |
| K 6 | 8e | **Stockholm** (de) *St-Lazare* | |
| P 6 | 10e | **Strasbourg** (bd de) *Strasbourg-St-Denis,* | |
| | | *Château-d'Eau, Gare de l'Est* | |
| F 4 | 17e | **Stuart-Merrill** (pl.) *Pte de Champerret* | |
| B 10 | 16e | **Suchet** (bd) *Av. H.-Martin, Ranelagh, Pte d'Auteuil* | |
| T 4 | 19e | **Sud** (pass. du) *Laumière* | |
| V 10 | 20e | **Suez** (imp. de) *A.-Dumas* | |
| O 4 | 18e | **Suez** (de) *Château-Rouge* | |
| H 12 | 7/15e | **Suffren** (av. de) *Champ de Mars,* | |
| | | *La Motte-Picquet, Cambronne, Ségur* | |
| F 10 | 7/15e | **Suffren** (port de) *Champ de Mars* | |
| N 11 | 6e | **Suger** *St-Michel* | |
| J 5 | 14e | **Suisses** (des) *Plaisance* | |
| Q 11 | 4/5e | **Sully** (pt de) *Sully-Morland* | |
| Q 11 | 4e | **Sully** (de) *Sully-Morland* | |
| W 8 | 20e | **Sully-Lombard** (pl.) *Pte de Bagnolet* | |
| J 9 | 7e | **Sully-Prudhomme** (av.) *Invalides* | |
| J 9 | 7e | **Surcouf** *Latour-Maub.* | |
| K 7 | 8e | **Surène** (de) *Madeleine* | |
| W 7 | 20e | **Surmelin** (pass. du) *St-Fargeau* | |
| W 7 | 20e | **Surmelin** (du) *St-Fargeau* | |
| N 4 | 18e | **Suzanne-Valadon** (pl.) *Anvers* | |
| B 11 | 16e | **Sycomores** (av. des) *Michel-A.-Auteuil* | |
| F 10 | 15e | **Sydney** (pl. d') *Champ de Mars* | |

| carr. | arr. | rue / street | Métro Tramway |
|---|---|---|---|
| | | **T** | |
| O 10 | 4e | **Tacherie** (de la) *Châtelet* | |
| V 7 | 20e | **Taclet** *Pelleport* | |
| P 17 | 13e | **Tage** (du) *Maison-Blanche* | |
| Q 17 | 13e | **Tagore** (d') *Italie* | |
| U 6 | 20e | **Taillade** (av.) *Jourdain* | |
| S 11 | 11e | **Taillandiers** (pass. des) *Ledru-Rollin* | |
| S 10 | 11e | **Taillandiers** (des) *Ledru-Rollin* | |
| V 11 | 11e | **Taillebourg** (av. de) *Nation* | |
| M 14 | 12e | **Taine** *Daumesnil* | |
| M 6 | 9e | **Taitbout** *Chaussée-d'Antin, St-Georges* | |
| V 13 | 12e | **Taïti** (de) *Bel-Air* | |
| K 10 | 7e | **Talleyrand** (de) *Varenne* | |
| D 10 | 16e | **Talma** *La Muette* | |
| M 2 | 18e | **Talus** (imp. du) *Pte de St-Ouen* | |
| S 4 | 19e | **Tandou** *Laumière* | |
| R 3 | 19e | **Tanger** (de) *Stalingrad* | |
| O 15 | 13e | **Tanneries** (des) *Glacière* | |
| H 3 | 17e | **Tapisseries** (des) *Wagram* | |
| J 4 | 17e | **Tarbé** *Villiers* | |
| N 4 | 18e | **Tardieu** *Anvers* | |
| G 3 | 17e | **Tarn** (sq. du) *Pte de Champerret* | |
| D 8 | 16e | **Tattegrain** (pl.) *Av. H.-Martin* | |
| P 7 | 10e | **Taylor** *J.-Bonsergent* | |
| Q 2 | 18e | **Tchaïkovski** *Marx-Dormoy* | |
| J 6 | 8e | **Téhéran** (de) *Miromesnil* | |
| V 6 | 20e | **Télégraphe** (pass. du) *Télégraphe* | |
| V 7 | 20e | **Télégraphe** (du) *Télégraphe* | |
| Q 8 | 3/11e | **Temple** (bd du) *Filles-du-Calvaire, République* | |
| P 9 | 3/4e | **Temple** (du) *Hôtel-de-Ville, Rambuteau,* | |
| | | *Arts-et-Métiers, Temple* | |
| L 15 | 14e | **Tenaille** (pass.) *Mouton-Duvernet* | |
| L 2 | 18e | **Tennis** (des) *Guy-Môquet* | |
| R 8 | 11e | **Ternaux** *Parmentier* | |
| G 6 | 17e | **Ternes** (av. des) *Ternes, Pte Maillot* | |
| G 6 | 8/17e | **Ternes** (pl. des) *Ternes* | |
| F 5 | 17e | **Ternes** (des) *Pte Maillot* | |
| F 5 | 17e | **Ternes** (villa des) *Pte Maillot* | |
| Q 6 | 10e | **Terrage** (du) *Château-Landon* | |
| J 5 | 17e | **Terrasse** (de la) *Villiers* | |
| J 5 | 17e | **Terrasse** (villa de la) *Villiers* | |
| V 10 | 20e | **Terre-Neuve** (de) *A.-Dumas* | |
| R 17 | 13e | **Terres-au-Curé** (des) *Olympiades* | |
| T 15 | 12e | **Terroirs-de-France** (av. des) *Cour St-Emilion* | |
| N 4 | 18e | **Tertre** (imp. du) *Abbesses* | |
| N 4 | 18e | **Tertre** (pl. du) *Abbesses* | |
| H 13 | 15e | **Tessier** *Volontaires* | |
| R 7 | 10e | **Tesson** *Goncourt* | |
| K 14 | 14e | **Texel** (du) *Gaîté* | |
| J 5 | 17e | **Thann** (de) *Monceau* | |
| G 12 | 15e | **Théâtre** (du) *Charles-Michels, Émile-Zola* | |
| O 11 | 5e | **Thénard** *Maubert-Mutualité* | |
| G 5 | 17e | **Théodore-de-Banville** *Pereire* | |
| F 14 | 15e | **Théodore-Deck** *Convention* | |
| F 14 | 15e | **Théodore-Deck** (villa) *Convention* | |
| V 15 | 12e | **Théodore-Hamont** *Pte de Charenton* | |
| P 8 | 3e | **Théodore-Herzl** (pl.) *Arts-et-Métiers* | |
| H 12 | 15e | **Théodore-Judlin** (sq.) *Cambronne* | |
| C 12 | 16e | **Théodore-Rivière** (pl.) *Égl. d'Auteuil* | |
| C 11 | 16e | **Théodore-Rousseau** (av.) *Ranelagh* | |
| H 5 | 17e | **Théodule-Ribot** *Courcelles* | |
| D 11 | 16e | **Théophile-Gautier** (av.) *Égl. d'Auteuil* | |
| C 12 | 16e | **Théophile-Gautier** (sq.) *Égl. d'Auteuil* | |
| S 11 | 12e | **Théophile-Roussel** *Ledru-Rollin* | |
| G 13 | 15e | **Théophraste-Renaudot** *Commerce* | |
| M 8 | 1er | **Thérèse** *Pyramides* | |
| K 15 | 14e | **Thermopyles** (des) *Pernety* | |
| L 25 | 14e | **Thibaud** *Alésia* | |

# Thiboumery

| carr. | arr. | rue / street | Métro Tramway |
|---|---|---|---|
| H 14 | 15e | **Thiboumery** Vaugirard | |
| S 11 | 11e | **Thiéré** (pass.) Ledru-Rollin | |
| D 8 | 16e | **Thiers** Rue de la Pompe | |
| D 8 | 16e | **Thiers** (sq.) Rue de la Pompe | |
| G 4 | 17e | **Thimeraís** (sq. du) Pte de Champerret | |
| O 5 | 9e | **Thimonnier** Anvers | |
| T 3 | 19e | **Thionville** (pass. de) Ourcq | |
| T 3 | 19e | **Thionville** (de) Ourcq | |
| M 4 | 18e | **Tholozé** Abbesses | |
| M 16 | 14e | **Thomas-Francine** Cité Universitaire | |
| S 16 | 13e | **Thomas-Mann** Bibliothèque François Mitterrand | |
| O 18 | 13e | **Thomire** Stade Charléty | |
| H 11 | 7e | **Thomy-Thierry** (all.) La Motte-Picquet | |
| O 7 | 2e | **Thorel** Bonne-Nouvelle | |
| E 14 | 15e | **Thoreton** (villa) Lourmel | |
| Q 9 | 3e | **Thorigny** (pl. de) St-Sébastien-Froissart | |
| Q 9 | 3e | **Thorigny** (de) St-Sébastien-Froissart | |
| T 15 | 12e | **Thorins** (de) Cour St-Emilion | |
| O 12 | 5e | **Thouin** Cardinal-Lemoine | |
| G 12 | 15e | **Thuré** (cité) Commerce | |
| F 15 | 15e | **Thureau-Dangin** Georges Brassens | |
| P 17 | 13e | **Tibre** (du) Maison-Blanche | |
| B 11 | 16e | **Tilleuls** (av. des) Michel-A.-Auteuil | |
| G 6 | 8/17e | **Tilsitt** (de) Ch.-de-G.-Étoile | |
| G 12 | 15e | **Tiphaine** La Motte-Picquet | |
| O 8 | 2e | **Tiquetonne** Etienne-Marcel | |
| P 10 | 4e | **Tiron** St-Paul | |
| E 13 | 15e | **Tisserand** Lourmel | |
| P 14 | 13e | **Titien** Campo-Formio | |
| T 11 | 11e | **Titon** Faidherbe-Chal. | |
| T 8 | 20e | **Tlemcen** (de) Père-Lachaise | |
| T 3 | 19e | **Toccata** (villa) Ourcq | |
| J 5 | 17e | **Tocqueville** (de) Malesherbes | |
| H 3 | 17e | **Tocqueville** (sq. de) Wagram | |
| G 8 | 16e | **Tokyo** (pl. de) Iéna | |
| W 11 | 20e | **Tolain** Maraîchers | |
| S 15 | 12/13e | **Tolbiac** (pt de) Cour St-Emilion | |
| T 16 | 13e | **Tolbiac** (port de) Bibliothèque François Mitterrand | |
| R 16 | 13e | **Tolbiac** (de) Bibliothèque François Mitterrand, Olympiades, Tolbiac, Glacière | |
| R 16 | 13e | **Tolbiac** (villa) Olympiades | |
| B 11 | 16e | **Tolstoï** (sq.) Jasmin | |
| M 16 | 14e | **Tombe-Issoire** (de la) St-Jacques, Alésia, Pte d'Orléans | |
| P 4 | 18e | **Tombouctou** (de) La Chapelle | |
| Q 3 | 18e | **Torcy** (pl. de) Marx-Dormoy | |
| Q 3 | 18e | **Torcy** (de) Marx-Dormoy | |
| F 5 | 17e | **Torricelli** Ternes | |
| V 14 | 12e | **Toul** (de) Michel-Bizot | |
| N 12 | 5e | **Toullier** Luxembourg | |
| U 4 | 19e | **Toulouse** (de) Pte de Pantin | |
| L 1 | 17e | **Toulouse-Lautrec** Pte de St-Ouen | |
| E 9 | 16e | **Tour** (de la) Passy, Rue de la Pompe, Av. H.-Martin | |
| D 9 | 16e | **Tour** (villa de la) Rue de la Pompe | |
| M 6 | 9e | **Tour-des-Dames** (de la) Trinité | |
| L 14 | 14e | **Tour-de-Vanves** (pass. de la) Gaîté | |
| W 6 | 20e | **Tourelles** (pass. des) Pte des Lilas | |
| W 6 | 20e | **Tourelles** (des) Pte des Lilas | |
| M 4 | 18e | **Tourlaque** Blanche | |
| O 13 | 5e | **Tournefort** Place Monge | |
| P 11 | 4/5e | **Tournelle** (pt de la) Pont-Marie | |
| P 11 | 5e | **Tournelle** (port de la) Pont-Marie | |
| P 11 | 5e | **Tournelle** (q. de la) Maubert-Mutualité | |
| Q 10 | 3/4e | **Tournelles** (des) Bastille, Chemin-Vert | |
| V 14 | 12e | **Tourneux** (imp.) Daumesnil | |
| V 14 | 12e | **Tourneux** Daumesnil | |
| M 11 | 6e | **Tournon** (de) Odéon | |
| G 12 | 15e | **Tournus** Émile-Zola | |
| S 7 | 20e | **Tourtille** (de) Belleville | |
| J 11 | 7e | **Tourville** (av.) St-F.-Xavier, Éc. Militaire | |

| carr. | arr. | rue / street | Métro Tramway |
|---|---|---|---|
| P 16 | 13e | **Toussaint-Féron** Tolbiac | |
| N 11 | 6e | **Toustain** Odéon | |
| P 8 | 2e | **Tracy** (de) Réaumur-Séb. | |
| O 2 | 18e | **Traëger** (cité) Marcadet-Pois. | |
| F 7 | 16e | **Traktir** (de) Ch.-de-G.-Étoile | |
| T 7 | 20e | **Transvaal** (du) Couronnes | |
| R 12 | 12e | **Traversière** Gare de Lyon, L.-Rollin | |
| J 6 | 8e | **Treilhard** Miromesnil | |
| P 10 | 4e | **Trésor** (du) St-Paul | |
| N 3 | 18e | **Trétaigne** (de) Jules-Joffrin | |
| O 6 | 9e | **Trévise** (cité de) Poissonnière | |
| O 6 | 9e | **Trévise** (de) Cadet | |
| O 8 | 2e | **Trinité** (pass. de la) Réaumur-Séb. | |
| M 6 | 9e | **Trinité** (de la) Trinité | |
| F 5 | 17e | **Tristan-Bernard** (pl.) Ternes | |
| Q 2 | 18e | **Tristan-Tzara** Pte de la Chapelle | |
| F 9 | 16e | **Trocadéro et du 11 Novembre** (pl. du) Trocadéro | |
| E 9 | 16e | **Trocadéro** (sq. du) Trocadéro | |
| R 8 | 11e | **Trois-Bornes** (cité des) Parmentier | |
| R 8 | 11e | **Trois-Bornes** (des) Parmentier | |
| S 8 | 11e | **Trois-Couronnes** (des) Couronnes | |
| S 7 | 20e | **Trois-Couronnes** (villa des) Couronnes | |
| S 11 | 11e | **Trois-Frères** (cour des) Ledru-Rollin | |
| N 4 | 18e | **Trois-Frères** (des) Abbesses | |
| O 11 | 5e | **Trois-Portes** (des) Maubert-Mutualité | |
| S 10 | 11e | **Trois-Sœurs** (imp. des) Voltaire | |
| R 16 | 13e | **Trolley-de-Prévaux** Olympiades | |
| L 7 | 8/9e | **Tronchet** Havre-Caum. | |
| V 12 | 11/12e | **Trône** (av. du) Nation | |
| V 11 | 11e | **Trône** (pass. du) Nation | |
| L 7 | 8e | **Tronson-du-Coudray** St-Augustin | |
| S 11 | 11e | **Trousseau** Ledru-Rollin | |
| G 6 | 17e | **Troyon** Ch.-de-G.-Étoile | |
| O 17 | 13e | **Trubert-Bellier** (pass.) Tolbiac | |
| O 5 | 9e | **Trudaine** (av.) Anvers | |
| N 5 | 9e | **Trudaine** (sq.) St-Georges | |
| K 4 | 17e | **Truffaut** Brochant, La Fourche | |
| R 9 | 11e | **Truillot** (imp.) St-Ambroise | |
| L 9 | 1er | **Tuileries** (des) Musée d'Orsay | |
| P 9 | 1er | **Tuileries** (q. des) Tuileries | |
| M 9 | 1er | **Tuileries** (terrasse des) Palais-Royal | |
| N 2 | 18e | **Tulipes** (villa des) Pte de Clignancourt | |
| U 11 | 11e | **Tunis** (de) Nation | |
| T 5 | 19e | **Tunnel** (du) Buttes-Chaumont | |
| P 8 | 1/2/3e | **Turbigo** (de) Étienne-Marcel, Arts-et-Métiers, Temple | |
| Q 8 | 3/4e | **Turenne** (de) St-Paul, Chemin-Vert, St-Sébastien-Froissart, Filles-du-Calvaire | |
| O 5 | 9e | **Turgot** Anvers | |
| L 5 | 8e | **Turin** (de) Liège, Rome | |
| U 11 | 11e | **Turquetil** (pass.) Rue des Boulets | |

### U

| carr. | arr. | rue / street | Métro Tramway |
|---|---|---|---|
| O 12 | 5e | **Ulm** (d') Luxembourg | |
| H 10 | 7e | **Union** (pass. de l') École-Militaire | |
| F 8 | 16e | **Union** (sq. de l') Boissière | |
| L 10 | 7e | **Université** (de l') Rue du Bac, Solférino, Invalides, Pt de l'Alm | |
| B 11 | 16e | **Urfé** (sq. d') Pte d'Auteuil | |
| O 10 | 4e | **Ursins** (des) Cité | |
| N 13 | 5e | **Ursulines** (des) Luxembourg | |
| G 7 | 16e | **Uruguay** (pl. de l') Kléber | |
| N 7 | 2e | **Uzès** (d') Grds-Boulevards | |

| arr. | arr. | rue / street | Métro Tramway |
|---|---|---|---|
| | | **V** | |
| J 10 | 7e | **Valadon** École-Militaire | |
| K 13 | 5e | **Val-de-Grâce** (du) Port-Royal | |
| J 18 | 13e | **Val-de-Marne** (du) Stade Charléty, Poterne des Peupliers | |
| H 14 | 5e | **Valence** (de) Censier-Daubenton | |
| P 5 | 10e | **Valenciennes** (pl. de) Gare du Nord | |
| P 6 | 10e | **Valenciennes** (de) Gare du Nord | |
| Q 1 | 18e | **Valentin-Abeille** (all.) Pte de la Chapelle | |
| J 12 | 5e | **Valentin-Haüy** Sèvres-Lecourbe | |
| K 14 | 13e | **Valéry-Larbaud** Quai de la Gare | |
| J 12 | 5e | **Valette** Maubert-Mutualité | |
| J 13 | 5/13e | **Valhubert** (pl.) Austerlitz | |
| J 14 | 12e | **Vallée-de-Fécamp** (imp. de la) Pte de Charenton | |
| K 15 | 13e | **Vallet** (pass.) Nationale | |
| K 10 | 7e | **Valmy** (imp. de) Rue du Bac | |
| Q 7 | 10e | **Valmy** (q. de) République, J.-Bonsergent, Château-Landon, Louis-Blanc | |
| J 5 | 8e | **Valois** (av. de) Monceau | |
| N 8 | 1er | **Valois** (gal. de) Palais-Royal | |
| N 9 | 1er | **Valois** (pl. de) Palais-Royal | |
| N 8 | 1er | **Valois** (de) Palais-Royal | |
| M 16 | 14e | **Vandal** (imp.) Pte de Vanves | |
| L 13 | 14e | **Vandamme** Gaîté | |
| P 16 | 13e | **Vandrezanne** (pass.) Tolbiac | |
| P 16 | 13e | **Vandrezanne** Tolbiac | |
| H 6 | 8e | **Van-Dyck** (av.) Courcelles | |
| K 10 | 7e | **Vaneau** (cité) Varenne | |
| K 11 | 7e | **Vaneau** Vaneau, Varenne | |
| R 13 | 12e | **Van-Gogh** Gare de Lyon | |
| C 13 | 16e | **Van-Loo** Chardon-Lagache | |
| J 14 | 12e | **Van-Vollenhoven** (sq.) Pte Dorée | |
| K 12 | 20e | **Var** (sq. du) Pte de Vincennes | |
| K 11 | 7e | **Varenne** (cité de) Rue du Bac | |
| K 11 | 7e | **Varenne** (de) Varenne | |
| E 13 | 15e | **Varet** Lourmel | |
| N 7 | 2e | **Variétes** (gal. des) Grds-Boulevards | |
| B 13 | 16e | **Varize** (de) Exelmans | |
| F 9 | 16e | **Varsovie** (pl. de) Trocadéro | |
| E 14 | 15e | **Vasco-de-Gama** Lourmel | |
| J 12 | 12e | **Vassou** (imp.) Pte de Vincennes | |
| J 11 | 7e | **Vauban** (pl.) St-François-Xavier | |
| P 8 | 3e | **Vaucanson** Arts-et-Métiers | |
| G 3 | 17e | **Vaucluse** (sq. du) Pte de Champerret | |
| S 7 | 18e | **Vaucouleurs** Couronnes | |
| G 15 | 15e | **Vaugelas** Convention | |
| K 13 | 15e | **Vaugirard** (bd de) Montparnasse-B. | |
| K 13 | 15e | **Vaugirard** (galerie) Pasteur | |
| N 12 | 6/15e | **Vaugirard** (de) Luxembourg, St-Placide, Falguière, Pasteur, Volontaires, Vaugirard, Convention, Pte de Versailles | |
| O 13 | 5e | **Vauquelin** Censier-Daubenton | |
| M 2 | 18e | **Vauvenargues** Guy-Môquet, Pte de St-Ouen | |
| L 2 | 18e | **Vauvenargues** (villa) Pte de St-Ouen | |
| N 9 | 1er | **Vauvilliers** Les Halles | |
| J 13 | 6e | **Vavin** (av.) Vavin | |
| J 12 | 6e | **Vavin** Vavin | |
| V 14 | 12e | **Véga** (de la) Michel-Bizot | |
| J 5 | 8e | **Velasquez** (av.) Monceau | |
| S 17 | 13e | **Velay** (sq. du) Pte d'Ivry | |
| L 11 | 7e | **Velpeau** Sèvres-Babylone | |
| V 15 | 12e | **Vendée** (sq. de la) Pte de Charenton | |
| L 8 | 1er | **Vendôme** (cour) Opéra | |
| Q 8 | 3e | **Vendôme** (pass.) République | |
| L 8 | 1er | **Vendôme** (pl.) Opéra | |
| O 17 | 13e | **Vénétie** (pl. de) Pte de Choisy | |
| E 7 | 16e | **Vénézuela** (pl. du) Victor-Hugo | |

| carr. | arr. | rue / street | Métro Tramway |
|---|---|---|---|
| O 9 | 4e | **Venise** (de) Rambuteau | |
| M 8 | 1er | **Ventadour** (de) Pyramides | |
| K 14 | 14e | **Vercingétorix** Gaîté, Pernety, Plaisance, Pte de Vanves | |
| N 7 | 9e | **Verdeau** (pass.) Grds-Boulevards | |
| C 12 | 16e | **Verderet** Égl. d'Auteuil | |
| D 9 | 16e | **Verdi** La Muette | |
| Q 6 | 10e | **Verdun** (av. de) Gare de l'Est | |
| S 4 | 17e | **Verdun** (pass. de) Crimée | |
| E 5 | 17e | **Verdun** (pl. de) Pte Maillot | |
| Q 6 | 10e | **Verdun** (sq. du) Gare de l'Est | |
| H 14 | 15e | **Vergennes** (sq.) Vaugirard | |
| U 15 | 12e | **Vergers** (all. des) Pte de Charenton | |
| O 16 | 13e | **Vergniaud** Glacière | |
| N 15 | 14e | **Verhaeren** (all.) St-Jacques | |
| N 9 | 1er | **Vérité** (pass.) Palais-Royal | |
| V 5 | 19e | **Vermandois** (sq. du) Pré-St-Gervais | |
| O 13 | 5e | **Vermenouze** (sq.) Censier-Daubenton | |
| H 7 | 8e | **Vernet** George-V | |
| M 10 | 7e | **Verneuil** (de) Rue du Bac | |
| F 4 | 17e | **Vernier** Pte de Champerret | |
| H 4 | 17e | **Verniquet** Pereire | |
| N 9 | 1er | **Vero-Dodat** (gal.) Louvre | |
| M 4 | 18e | **Véron** (cité) Blanche | |
| M 4 | 18e | **Véron** Abbesses | |
| P 15 | 13e | **Véronèse** Pl. d'Italie | |
| P 10 | 4e | **Verrerie** (de la) Hôtel-de-Ville | |
| O 9 | 1er | **Verrières** (pass. des) "Forum des Halles" Châtelet-Les Halles | |
| D 11 | 16e | **Versailles** (av. de) Av. du Pdt-Kennedy, Mirabeau, Exelmans, Pte de St-Cloud | |
| N 2 | 18e | **Versigny** Simplon | |
| P 8 | 3e | **Vertbois** (du) Temple | |
| R 9 | 11e | **Verte** (all.) Richard-Lenoir | |
| P 8 | 3e | **Vertus** (des) Arts-et-Métiers | |
| F 5 | 17e | **Verzy** (de) Pte Maillot | |
| P 14 | 5e | **Vésale** Les Gobelins | |
| V 5 | 19e | **Vexin** (sq. du) Danube | |
| J 6 | 8e | **Vézelay** (de) Villiers | |
| F 11 | 15e | **Viala** Dupleix | |
| S 10 | 11e | **Viallet** (pass.) Voltaire | |
| N 9 | 1er | **Viarmes** (de) Louvre | |
| G 15 | 15e | **Vichy** (de) Convention | |
| R 6 | 10e | **Vicq-d'Azir** Colonel-Fabien | |
| N 6 | 9e | **Victoire** (de la) Le Peletier, Trinité | |
| N 8 | 1/2e | **Victoires** (pl. des) Bourse | |
| E 15 | 15e | **Victor** (bd) Balard | |
| L 16 | 14e | **Victor-et-Hélène-Basch** (pl.) Alésia | |
| V 13 | 12e | **Victor-Chevreuil** Bel-Air | |
| M 14 | 14e | **Victor-Considérant** Denfert-Roch. | |
| N 12 | 5e | **Victor-Cousin** Luxembourg | |
| W 8 | 20e | **Victor-Dejeante** Pte de Bagnolet | |
| G 14 | 15e | **Victor-Duruy** Convention | |
| H 15 | 15e | **Victor-Galland** Brancion | |
| T 8 | 11e | **Victor-Gelez** Ménilmontant | |
| F 7 | 16e | **Victor-Hugo** (av.) Ch.-de-Gaulle-Étoile, Victor-Hugo, Av. H.-Martin | |
| E 7 | 16e | **Victor-Hugo** (pl.) Victor-Hugo | |
| E 8 | 16e | **Victor-Hugo** (villa) Rue de la Pompe | |
| M 14 | 14e | **Victor-Schœlcher** Denfert-Roch. | |
| O 10 | 1/4e | **Victoria** (av.) Châtelet | |
| C 13 | 16e | **Victorien-Sardou** Chardon-Lagache | |
| C 13 | 16e | **Victorien-Sardou** (sq.) Chardon-Lagache | |
| C 13 | 16e | **Victorien-Sardou** (villa) Chardon-Lagache | |
| T 8 | 20e | **Victor-Letalle** Ménilmontant | |
| N 16 | 13e | **Victor-Marchand** (pass.) Glacière | |
| N 5 | 9e | **Victor-Massé** Pigalle | |
| W 9 | 20e | **Victor-Ségalen** Pte de Bagnolet | |

# Vidal-de-la-Blache

| carr. | arr. | rue / street | Métro Tramway |
|---|---|---|---|
| W 7 | 20e | **Vidal-de-la-Blache** St-Fargeau | |
| N 8 | 2e | **Vide-Gousset** Bourse | |
| Q 9 | 3/4e | **Vieille-du-Temple** | |
| | | Hôtel-de-Ville, St-Sébastien-Froissart | |
| K 6 | 8e | **Vienne** (de) Europe | |
| H 10 | 7e | **Vierge** (pass. de la) École-Militaire | |
| H 4 | 17e | **Viète** Malesherbes | |
| R 16 | 13e | **Vieux-Chemin-d'Ivry** | |
| | | (villa du) Olympiades | |
| M 11 | 6e | **Vieux-Colombier** (du) St-Sulpice | |
| J 14 | 15e | **Vigée-Lebrun** Volontaires | |
| D 10 | 16e | **Vignes** (des) La Muette | |
| V 10 | 20e | **Vignoles** (imp. des) Buzenval | |
| V 10 | 20e | **Vignoles** (des) Buzenval | |
| L 7 | 8/9e | **Vignon** Madeleine | |
| R 11 | 11e | **Viguès** (cour) Ledru-Rollin | |
| T 7 | 20e | **Vilin** Couronnes | |
| C 13 | 16e | **Villa-la-Réunion** | |
| | | (grande avenue de la) Chardon-Lagache | |
| H 15 | 15e | **Villafranca** (de) Brancion | |
| G 11 | 15e | **Village-Suisse** La Motte-Picquet | |
| F 6 | 17e | **Villaret-de-Joyeuse** Argentine | |
| F 6 | 17e | **Villaret-de-Joyeuse** (sq.) Argentine | |
| J 11 | 7e | **Villars** (av. de) St-François-Xavier | |
| G 5 | 17e | **Villebois-Mareuil** Ternes | |
| M 8 | 1er | **Villedo** Pyramides | |
| Q 10 | 3e | **Villehardouin** Chemin-Vert | |
| K 7 | 8e | **Ville-l'Évêque** (de la) Madeleine | |
| K 15 | 14e | **Villemain** (av.) Plaisance | |
| O 7 | 2e | **Ville-Neuve** (de la) Bonne-Nouvelle | |
| L 10 | 7e | **Villersexel** (de) Solferino | |
| S 6 | 10e | **Villette** (bd de la) Belleville, Colonel-Fabien, | |
| | | Jaurès, Stalingrad | |
| T 3 | 19e | **Villette** (gal. de la) Pte de la Villette | |
| T 5 | 19e | **Villette** (de la) Botzaris | |
| J 5 | 17e | **Villiers** (av. de) Villiers, Malesherbes, Wagram, | |
| | | Pereire, Pte de Champerret | |
| V 7 | 20e | **Villiers-de-l'Isle-Adam** Gambetta | |
| S 13 | 12e | **Villiot** Bercy | |
| R 15 | 13e | **Vimoutiers** (de) Chevaleret | |
| Q 7 | 10e | **Vinaigriers** (des) J.-Bonsergent | |
| W 12 | 12/20e | **Vincennes** | |
| | | (cours de) Nation, Pte de Vincennes | |
| R 14 | 13e | **Vincent-Auriol** (bd) Quai de la Gare, Chevaleret, | |
| | | Nationale, Pl. d'Italie | |
| N 2 | 18e | **Vincent-Compoint** Pte de Clignancourt | |
| X 13 | 12e | **Vincent-d'Indy** (av.) Pte de Vincennes | |
| S 4 | 19e | **Vincent-Scotto** Laumière | |
| E 9 | 16e | **Vineuse** Passy | |
| L 17 | 14e | **Vingt-Cinq-Août-44** (pl. du) Pte d'Orléans | |
| F 4 | 17e | **Vingt-Deux-Novembre-1943** | |
| | | (pl. du) Pte de Champerret | |
| M 8 | 1er | **Vingt-Neuf-Juillet** (du) Tuileries | |
| T 15 | 12e | **Vins-de-France** | |
| | | (pl. des) Cour St-Émilion | |
| L 5 | 9e | **Vintimille** (de) Pl. de Clichy | |
| F 12 | 15e | **Violet** (pl.) Commerce | |
| F 12 | 15e | **Violet** Émile-Zola | |
| F 13 | 15e | **Violet** (villa) Commerce | |
| N 5 | 9e | **Viollet-le-Duc** Pigalle | |
| C 10 | 16e | **Vion-Whitcomb** (av.) Ranelagh | |
| L 17 | 14e | **Virginie** (villa) Pte d'Orléans | |
| G 13 | 15e | **Viroflay** (de) Vaugirard | |
| M 10 | 6e | **Visconti** St-Germain-des-P. | |
| L 10 | 7e | **Visitation** (pass. de la) Rue du Bac | |
| Q 17 | 13e | **Vistule** (de la) Maison-Blanche | |
| E 9 | 16e | **Vital** La Muette | |
| W 9 | 20e | **Vitruve** Maraîchers | |
| W 9 | 20e | **Vitruve** (sq.) Pte de Bagnolet | |
| U 13 | 12e | **Vivaldi** (all.) Daumesnil | |

| carr. | arr. | rue / street | Métro Tramway |
|---|---|---|---|
| F 4 | 17e | **Vivarais** (sq. du) Pte de Champerret | |
| N 8 | 2e | **Vivienne** (gal.) Bourse | |
| N 7 | 1/2e | **Vivienne** Bourse | |
| W 11 | 20e | **Volga** (du) Maraîchers | |
| L 7 | 2e | **Volney** Opéra | |
| J 13 | 15e | **Volontaires** (des) Volontaires | |
| P 8 | 3e | **Volta** Arts-et-Métiers | |
| S 9 | 11e | **Voltaire** (bd) Oberkampf, St-Ambroise, Voltaire, | |
| | | Charonne, Rue des Boulets, Nation | |
| U 11 | 11e | **Voltaire** (cité) Rue des Boulets | |
| B 13 | 16e | **Voltaire** (imp.) Michel-A.-Auteuil | |
| M 10 | 7e | **Voltaire** (q.) Rue du Bac | |
| U 11 | 11e | **Voltaire** Rue des Boulets | |
| N 17 | 13e | **Volubilis** (des) Stade Charléty | |
| Q 10 | 3/4e | **Vosges** (pl. des) Chemin-Vert | |
| J 15 | 15e | **Vouillé** (de) Plaisance | |
| U 8 | 20e | **Voûte** (cité de la) Gambetta | |
| W 12 | 12e | **Voûte** (pass. de la) Pte de Vincennes | |
| W 12 | 12e | **Voûte** (de la) Pte de Vincennes | |
| O 15 | 13e | **Vulpian** Glacière | |

## W

| H 4 | 8/17e | **Wagram** | |
| | | (av. de) Ch.-de-Gaulle-Étoile, Ternes, Wagram | |
| H 4 | 17e | **Wagram** (pl. de) Wagram | |
| G 6 | 8e | **Wagram-St-Honoré** (villa) Ternes | |
| F 5 | 17e | **Waldeck-Rousseau** Pte Maillot | |
| Q 14 | 13e | **Wallons** (des) St-Marcel | |
| H 6 | 8e | **Washington** George-V | |
| J 14 | 15e | **Wassily-Kandinsky** (pl.) Volontaires | |
| T 16 | 13e | **Watt** Bibliothèque François Mitterrand | |
| P 14 | 13e | **Watteau** Campo-Formio | |
| S 2 | 19e | **Watteaux** (pass.) Crimée | |
| V 14 | 12e | **Wattignies** (imp.) Pte de Charenton | |
| V 14 | 12e | **Wattignies** (de) Dugommier, M.-Bizot | |
| Q 7 | 10e | **Wauxhall** (cité du) République | |
| E 6 | 16e | **Weber** Pte Maillot | |
| U 8 | 20e | **Westermann** Gambetta | |
| H 16 | 14e | **Wilfrid-Laurier** Pte de Vanves | |
| C 12 | 16e | **Wilhem** Mirabeau | |
| J 8 | 8e | **Winston-Churchill** (av.) Ch.-Élysées-C. | |
| N 16 | 13e | **Wurtz** Glacière | |

## X

| R 16 | 13e | **Xaintrailles** Bibliothèque François Mitterrand | |
| O 11 | 5e | **Xavier-Privas** St-Michel | |

## Y

| Q 15 | 13e | **Yéo-Thomas** Nationale | |
| T 15 | 12e | **Yonne** (pass. de l') Cours-St-Émilion | |
| F 4 | 17e | **Yser** (bd de l') Pte de Champerret | |
| H 14 | 15e | **Yvart** Vaugirard | |
| F 5 | 17e | **Yves-du-Manoir** (av.) Pte Maillot | |
| Q 7 | 10e | **Yves-Toudic** République | |
| C 11 | 16e | **Yvette** (de l') Jasmin | |
| F 6 | 17e | **Yvon-et-Claire-Morandat** (pl.) Argentine | |
| N 4 | 18e | **Yvonne-Le-Tac** Abbesses | |
| F 7 | 17e | **Yvon-Villarceau** Victor-Hugo | |

## Z

| R 15 | 13e | **Zadkine** Chevaleret | |
| U 3 | 19e | **Zénith** (all. du) Pte-de-Pantin | |

# légende

| | | | | |
|---|---|---|---|---|
| Boulevard périphérique avec sortie | Ring road with exit | Circunvalación con salida | Ringstraße mit Ausfahrt | Circonvallazione con uscita |
| Rue à sens unique | One-way street | Calle de sentido único | Einbahnstraße | Strada a senso unico |
| Rue interdite | No entry | Calle de dirección prohibida | Gesperrte Straße | Strada sbarrata |
| Rue piétonne ou réglementée | Pedestrian street | Calle peatonal o regulada | Fußgängerzone | Strada pedonale |
| Allée | Lane | Paseo | Allee | Viale |
| Limite de commune | District boundary | Límite de comuna | Gemeindegrenze | Limite di comune |
| Station Vélib' Station Vélib'Bonus | Vélib' station Vélib'Bonus station | Estación Vélib' Estación Vélib'Bonus | Vélib' Station Vélib'Bonus Station | Stazione di Vélib' Stazione di Vélib'Bonus |
| Station de métro | Métro station | Estación de metro | Metrostation (U-Bahn) | Stazione di metro. |
| Station RER | Regional express network station | Estación RER | RER (S-bahn) | Stazione di RER |
| Tramway | Tramway | Tranvía | Straßenbahn | Tramway |

*\* Stations tramway ouverture 2e semestre 2012, noms provisoires - Tram stops opening 2nd semester 2012, provisional names*

| | | | | |
|---|---|---|---|---|
| Piscine | Swimming pool | Piscina | Schwimmbad | Piscina |
| Batobus | Batobus | Barco-bus | Batobus | Batobus |
| Principales stations de taxi | Main taxi ranks | Principales paradas de taxis | Größere Taxistation | Principali stazione di taxi |
| Parking | Parking | Aparcamiento | Parkplatz | Parcheggio |
| Accès d'autoroute | Access to motorway | Acceso de autopista | Autobahnan-schlussstelle | Accesso di autostrada |
| Bureau de poste | Post office | Oficina de correos | Postamt | Ufficio postale |
| Hôpital, clinique | Hospital, private clinic | Hospital, clínica | Krankenhaus, Klinik | Ospedal, clinica |
| Salle de spectacle | Theatre | Sala de espectáculos | Schauspielhaus | Locale di spettacolo |
| Musée | Museum | Museo | Museum | Museo |

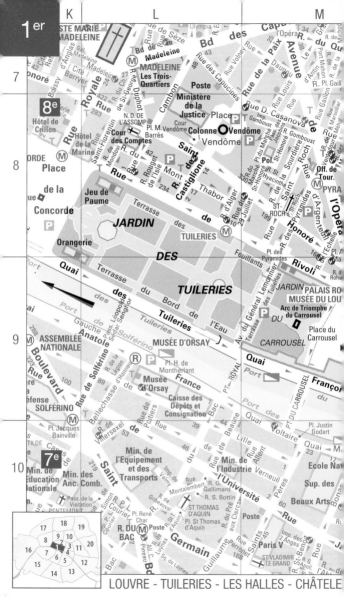

LOUVRE - TUILERIES - LES HALLES - CHÂTELE

BOURSE - MONTORGUEIL - BONNE NOUVELLE

0

6

7

8

9

**Cité Paradis** 33

**10e** 36

Rue des Petites Ecuries

R. Martel

**GRDS BOULEVARDS**

Musée Grévin

Cité Bergère

R. Saul

Folies Bergère

R. Bergère

Imp. B.-Rouge

Rue

R. Boule-Rouge

Cité de R. A. Tre Thomas

Richer

ST EUGÈNE

Rue Gabriel Laumain

Rue des

R. G. Marie

R. de Montyon

Cour des Petites Ecuries

Rue Faubourg

R. Ste Cécile

Conservatoire

d'Hauteville

Petites Ecuries

Faubourg 67

Reilly

**Conserv. Nat. d'Art Dramatique**

**Poste**

Rue Bergère

Rue du 53

Rue

Cour des Petites Ecuries 2

**BONNE NOUVELLE** 44

d'Enghien

Imp. de de Bonne Nouvelle

Pass.

l'Échiquier

Pass. de l'Industrie

**Bd Poissonnière**

Rue d'Uzès

**M**

**Bd Bonne Nouvelle**

Rue de Mazagran

R. de Metz

Pte St Denis

**STRASBOU ST-DENIS**

**Poste**

St Fiacre

R. Thorel

R. Beauregard

Lune

Rue de la Ville-N.

R. Nouvelle

**Bd St**

R. des Jeûneurs

R. N.D. de Recouvrance

R. des Degrés

Philippe

d'Aboukir

Rue Ste

**Police**

Rue du Croissant

Mulhouse

Rue P. de Cléry

Cléry

Ste Foy

R. St Spire

Chénier

Rue Ste

Apol

R. L.

R. St Joseph

Pl. du Caire

R. d'Alexandrie

Pass. Lemoine

Blond

**SENTIER**

Carreaux

Gal. Caire

Pass. du Caire

R. de Tracy

Rue du Mail

d'Aboukir

R. des Petits

du Nil

Damiette

Rue

R. des Forges

Dussoubs

C. du Roi François

Pass. du Ponceau

R. Papin

**Réaumur**

Pierre

Pl. P. Lazareff

R. du Ponceau

Palestro

**M**

R. Léopold Bellan

Ben Kiran

R. G. Boisseau

**Poste**

R. Bachaumont

Cité Beaurepaire

Rue Saint Sauveur

Lazareff

Pass. Basfour

**REAUMUR SEBASTOPOL**

R. ST DES

Rue Mandar

Montorgueil

Pl. Imp. St Denis C. Greneta

Pass. Trinité

Greneta

**M**

Hôtel des Postes

Rue Goldoni

Rue Marie Stuart

Greneta

Pass. Bourg l'Abbé

Etienne

Montmartre

Pass. R. de Hongrie

Rue Française

**Tour de Jean sans Peur**

Tiquetonne

Pl. Mauconseil

Pass. du Grand Cerf

Rue

de

**ETIENNE MARCEL**

Imp. Peintres

Ancre

**3e**

**M**

R. du Bourg l'Abbé

Rousseau

Pass. R.

Marcel

Mondétour

**Police**

R. aux Ours

du Grenier St-Lazare

Rue du Jour

**ST EUSTACHE**

R. Ety.

Rue

R. du Cygne

R. de la Petite Truanderie

R. aux Ours

Quincampoix

Pass. du Bourg

**Bourse de Commerce**

Cassin

**JARDIN DES HALLES**

**R.**

R. de la Grande Truanderie

**ST LEU**

Molière

Beaubourg

Imp.

Rambuteau

**LES HALLES**

R. des Prêcheurs

R. de la

Maure

R. St Denis

Pl. M. Quentin

Carême

Forum

**CHÂTELET Les Halles**

**Poste**

**R**

**Police**

Rue Cossonnerie

R. de Venise

Carême

**M**

# 3e

## 2e

**O**

**P**

R. de
Cléry
R. des
Degrés
R. de
Cléry
R. Beauregard
R. Chénier
Bd St Denis
Rue Ste
**M** Apolline
Denis
Pte St Bd
Martin
Saint
R. Philippe
Pl. du Caire
R. Ste Foy
Pass.
Lemoine
Blondel
Imp. de la Planchette
Rue
Pass. des
Orgues
R. du Pl. du
Pt. St Biches
René
du Caire
d'Aboukir
Rue
R. St Spire
Pass.
R. d'Alexandrie
R. de
Tracy
Pass. du
Ponceau
Martin
Notre
Dame
N.
Carreaux
N
Damiette
R. du Caire
Ste Foy
R. du
R. du Roi François
C. du Roi François
R. des
Forges
R. G. Boisseau
R. du Ponceau
Sébastopol
R. Papin
Conservatoire
des Arts et
Métiers
Vertb°
Montgolfier
R. Borda
R. Volta
Lycée
Turgot
R. des
Temp
**Réaumur**
Petits
All.
Réaumur
Lazareff
Pass.
Basfour
Poste
Vaucanson
R. Montgolfier
Pl. Bdu
Lazare
**ARTS ET MÉTIERS**
Rue
Saint
Cité
Beaurepaire
Imp. St Denis
C. Greneta
Sauveur
Pass.
Ste Trinité
**M**
**REAUMUR**
**SÉBASTOPOL**
**P**
**R** ST NICOLAS
DES CHAMPS
Pl. St
Herzl
R. Conté
Réaumur
Rue
Goldoni
Greneta
Pass. du
Grand Cerf
Greneta
R.C. Gridaine
Rue
R. Bailly
Maire
R. des
Vertus
Marie Stuart
Tour de
Jean
sans Peur
Pass. de
Tiquetonne
de
43
Rue
au
R. de Rome
Pass.
Barois
Pass.
Aubert
Pl. de
Rome
française
R. Marcel
conser°
**ETIENNE MARCEL**
**M**
Imp.
des
Peintres
Ancre
232
Beaubourg
des
Pass. Alombert
Gravilliers
Rue
Rue
aux Ours
Rue
88 R. du
Bourg
l'Abbé
Saint
de
**Police**
R. Cygne
de la
Truanderie
R. du Grenier
St-Lazare
Pass. St
Martin
Chapon
Pass.
Gravilliers
Rue
**P**
Poste
**1er**
R. Mondétour
Rue
**ST LEU**
Quincampoix
Imp.
Clairvaux
R. Beaubourg
B. Michel le Comte
Montmorency
de
R. de la Petite
Truanderie
**P**
**LES HALLES**
Poste
Rambuteau
R. des Prêcheurs
42
Rue
Molière
R. des
Pass. Beaubourg
Imp. du Maure
Imp. de
l'Horloge
Jardin
St-Aignan
R. de
Haudriettes
R. des Archives
R. Archives
um **R**
TELET
Halles
Poste
R. de
Cossonnerie
R. de
Venise
Centre
G. Pompidou
(Beaubourg)
Pass. des
Ménétriers
Jardin
Anne Frank
Cité
Bertaud
Pl. R.
Vivien
Temple
R. de Braque
**9**
**M**
Berger
gerie
Pl. du Bellay
Fontaine des
Innocents
des Innocents
Pass. Molière
R.A. le
Bouchat
Pl. E.
Michelet
Pl. G.
Pompidou
**P**
**RAMBUTEAU**
R. G. l'Angevin
Rambuteau
R. Ste
Avoie
**Archives**
**Nationales**
R. de la Reynie
Imp. P.I.R.
Stravinsky
R. P.I.R.
Brisemiche
Le Franc
au Lard
R. Pecquay
R. Ste
Hôt
de Ro
des
R. de la
Ferronnerie
Lombards
R. St
Merri
Renard
Merri
R. du
Plâtre
**Crédit**
**Municipal**
Blancs
R. des
Blancs-
Manteaux
N.D. DES BLANCS
MANTEAUX
Impasse
R. Courtalon
Imp. P.
Fiacre
R. de
Venise
R. St
Bon
R. Brantôme
R. du
Cloître
R. J. Lantier
R. des
Lombards
Pass.
**P**
**CHÂTELET**
Bd
Tour St-
Jacques
Rue
**M**
Th. de
la Ville
Pl. du
**4e**
R. de la
Coutellerie
R. Aubriot
Sq.
Ste Croix de la
Bretonnerie
R. Ste-Croix-de-la-Bretonnerie
TEMPLE DES
BILLETTES
la
Verrerie
Rue du
Bourg
Tibourg
R. de Moussy
Garçons
R. Ste
Croix
R. des
Mauvais
Poste
**P**
R. Pavée
**Victoria**
Pl. de
l'Hôtel
de Ville
**HÔTEL DE**
**VILLE**
Poste
B.H.V.
Hôtel
de
Ville
Pl. du
Grenier
sur l'Eau
Place
St-Gervais
Pl.
Baudoyer
**Mairie**
du 4e
**Police**
R. du
Trésor
Imp. d'Argenson
Rue
Rivoli
**10**

| 17 | 18 | 19 |
| 8 | 9 2 10 | 20 |
| 16 | 7 3 11 | |
| 15 | 6 5 4 12 | |
| | 14 13 | |

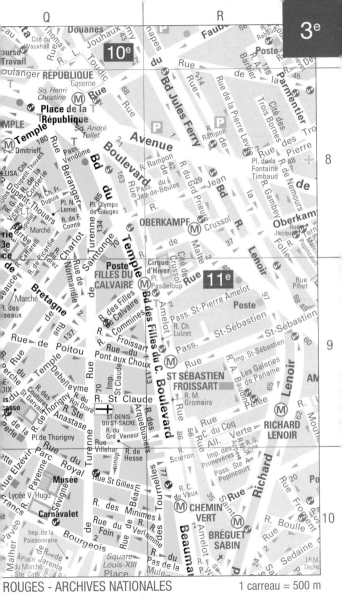

ROUGES - ARCHIVES NATIONALES          1 carreau = 500 m

HÔTEL DE VILLE - CENTRE POMPIDOU - PLACE

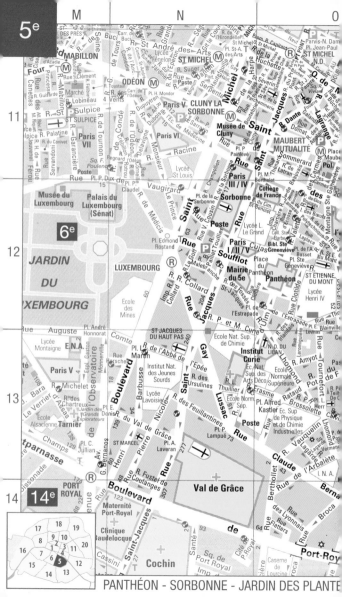

M  N  O

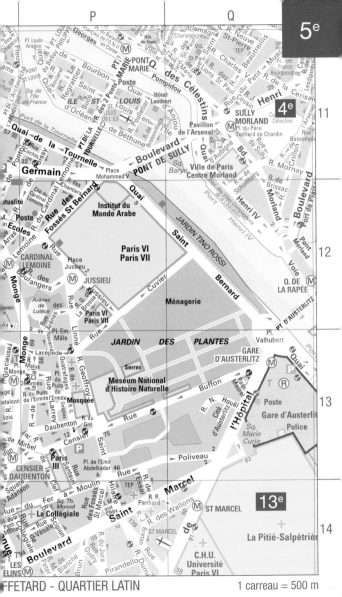

P        Q

Pl. du Bataillon Français de l'O.N.U. en Corée

Pl. Louis Aragon

Georges

PHILIPPE

de Bourbon

Pl. de Bellay

PONT ST-LOUIS

Le Regrattier

PTE DE L'ARCHEVÊCHÉ

PONT ST LOUIS

PT DE LA TOURNELLE

Saint

des 2 Ponts

PONT MARIE

MARIE PONT Q.

des Célestins

Charlemagne

Pompidou

Hôt. de Sens

St-Pierre

St Paul

VILL

R. Charles

R. des Lions St Paul

R. St Paul

R. Petit

Henri

R. Beautreillis

R. Neuve St-Pierre

TEP

R. de la Cerisaie

R. des Francs Bourgeois

R. Cha.

Poste

Hôtel Lambert

Pl. du Père Teilhard de Chardin

SULLY MORLAND

4<sup>e</sup>

11

ILE ST-LOUIS EN L'ILE

Quai d'Orléans

Pl. Louis

R. St Louis

de Bretonvilliers

Pavillon de l'Arsenal

Célestins

R. Bassompierre

R. Crillon

Quai de la Tournelle

R. Cochin

32

ST LOUIS

R. Poulletier

Quai d'Anjou

de Béthune

Boulevard PONT DE SULLY

Quai d'Aubigny

R. de Sully

Bd

R. Mornay

Germain

Place Mohammed V

R. de Schomberg

R. de Brissac

BOULEVARD

Pont Morland

Rue des Fossés St Bernard

Institut du Monde Arabe

Quai

Saint

JARDIN TINO ROSSI

Ville de Paris Centre Morland

Henri IV Morland

Port de Plais

Cité du Cardinal Lemoine

Poste

Écoles

R. des Chantiers

9

Paris VI Paris VII

Bernard

Port

Henri IV

Pont Morland

Voie

Q. DE LA RAPÉE

12

CARDINAL LEMOINE

M

Rue

Place Jussieu

JUSSIEU

M

R. de Jussieu

R. G. JUSSIEU

R. LA FOSSAYE

Cuvier

Ménagerie

Monge

Boulangers

Arènes de Lutèce

des

Paris VI Paris VII

R. de

Linné

Pl. Em. Mâle

JARDIN DES PLANTES

Pl. Valhubert

GARE D'AUSTERLITZ

M

Quai

P

T R

PT D'AUSTERLITZ

Monge

Gracieuse

R. Rollin

R. de Navarre

Lacépède

R. Geoffroy

Serres

Museum National d'Histoire Naturelle

Buffon

Cité d'Austerlitz

R. M. Houël

l'Hôpital

13

Poste Gare d'Austerlitz

Police

R. Malus

R. de Quatrefages

R. du Puits de l'Ermite

Mosquée

Ermite

R. Larrey

R. Daubenton

R. du Gril

75

Rue

Sq. Marie Curie

R. N. Houël

R. de Mirbel

Censier

P

Saint

2

Poliveau

83

CENSIER DAUBENTON

M

Paris III

R. Santeuil

Pl. de l'Emir Abdelkader 46

Rue

Marcel

13<sup>e</sup>

R. Daubenton

Sq. Adanson

R. du Fer à Moulin

Sq. Th. Monod

TEP

R. de l'Essai

R.R. Panhard

ST MARCEL

M

ST MARCEL

La Pitié-Salpêtrière

14

La Collégiale

R. des Fossés St Marcel

Hilaire

R. Chevaleret

R. des Wallons

Saint

Boulevard

R. Vésale

R. Scipion

R. du Jura

R. Jean Dunois

de

C.H.U. Université Paris VI

LES GOBELINS

M

R. de Blanche

R. Oudry

Pirandello

R. Brun

58

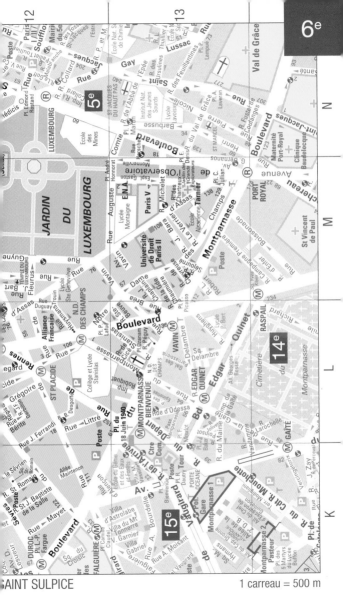

6ᵉ

12

13

Paris 12

Souffl

Rue du 5e

Mairie
du 5e

R. Edmond
Rostand

Pl. Edmond
Rostand

R. Royer-Collard

Gay

Lussac

Saint

Rue

Ecole Nat. Sup. de Chimie

Ecole Nat. Sup. de Chimie

Thuillier

Ecole

Rue

5ᵉ

60

Institut Nat.
des Jeunes
Sourds

St. des Ursulines

R. des Feuillantines

R. de l'Abbé de l'Épée

Rue des Fossés St-Jacques

R. P. et M.

Val de Grâce

R. P. A.
Lavoisin

ST-JACQUES
DU HAUT PAS

R. du Val de Grâce

Boulevard

Berthollet

Avenue

de

l'Observatoire

ENA

Paris V

R. Michelet

R. d'Assas

Alphonse

Tanier

138

ST-MARCEL

Clinique
Baudelocque

Maternité
Port-Royal

St Vincent
de Paul

PORT
ROYAL

Boulevard

Pierre

Rue

R. Fustel de
Coulanges

307

R. Nicole

Pl. A.
Laveran

Val de Grâce

123

Port-Royal

93

JARDIN
DU
LUXEMBOURG

Rue

Guynemer

Auguste

Comte

Rue

Honorat

Michelet

Pl. André
Honorat

Esp. Gaston
Monnerville

R. des
Chartreux

Champs

Montparnasse

Boissonade

R. Campagne Première

Maternité

Poste

de

Rue

Université
de Droit
Paris II

Lycée
Montaigne

R. J. Bara

Vavin

Rue

Vavin

Rue

N.D.
DES CHAMPS

Huysmans

Rue

d'Assas

Duguay

Lycée
Ste Geneviève

Trouin

Rue

de

Rennes

Alliance
Française

106

Rue

ST PLACIDE

Collège et Lycée
Stanislas

de

Rue

J. Ferrandi

Rue

Littré

Boulevard

Montparnasse

Bréa

Dame

Pl. Picasso

R. Le Verrier

Ecole
Alsacienne

R.

R. Joseph

sourcine

Robert

Poste

234

Richard

RASPAIL

Quinet

Cimetière

du

Montparnasse

14ᵉ

VAVIN

R. Delambre

Edgar

Quinet

Sq.
Delambre

R. EDGAR
QUINET

Gal Georges
Bessé

N.D.
DES
CHAMPS

R. Ozanam

R. J. Péguy

Bd

Edgar

du

Maine

R. de la Gaîté

imp. de la Gaîté

GAITÉ

R. Larochelle

Bienvenue

R. Notre

R.

Rue

Blaise

Desgoffe

Pl. du
18 Juin 1940

MONTPARNASSE
BIENVENÜE

Départ

Ctre
Com

R. du Départ

R. d'Odessa

Bd de Vaugirard

PORTE
OCÉANE

Tour

Montparnasse 1

Poste

Gare

Montparnasse

Av.

de

Vaugirard

15ᵉ

R. du Cdt R. Mouchotte

Bd

Montparnasse 2

Pasteur

DUROC

FALGUIÈRE

Boulevard

Fargue

Sq.
du Croisic

P.L.P.L.

Rue

Mayet

St J. Baptiste
de la Salle

Rue

Boulevard

Pl. des
5 Martyrs
du Lycée Buffon

N

M

L

K

SAINT SULPICE

1 carreau = 500 m

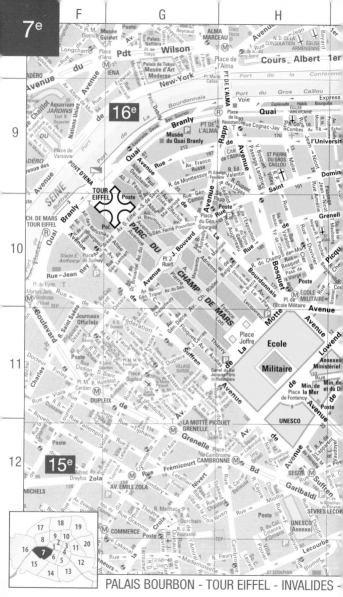

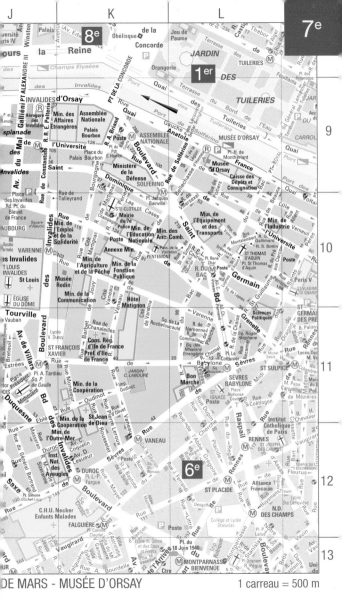

DE MARS - MUSÉE D'ORSAY · · · · · · · · · 1 carreau = 500 m

ÉLYSÉE - ST LAZARE - MONTAIGNE - MADELEINE

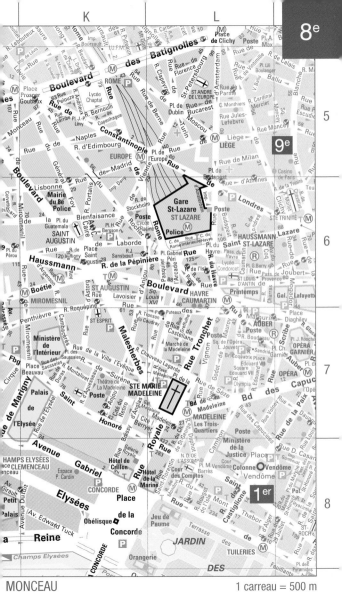

PL. DE
CLICHY
Lycée
J. Ferry
Pl. Puget
Villa des
Platanes
50
R. du Mdi
Prom. G. L.
Blvd
Boulevard
Harel
Blanche
Place
de Clichy
83
71
Pl. A.
Max
Rue de
Bruxelles
BLANCHE
R. Fromentin
Poste
Poste
Batignolles
R. Clapeyron
45
99
Rue de
Florence
St-Petersbourg
Amsterdam
Rue de
Vintimille
R. de Calais
37
R. Mansart
V. Ballu
Ballu
Blanche
Rue P.
Escudier
R. Cardinal
Mercier
556
Rue
C. Monthiers
Rue Jules-
Lefebvre
Rue Moncey
Sq.
Moncey
Pl. André
Breton
Cité
Chaptal
Chaptal
Cité
Pigalle
Fontaine
58
R. Notr
ST ANDRÉ
DE L'EUROPE
Pl. de
Dublin
Turin
Rue de
Parme
Pl. de
Bucarest
Rue de
Moscou
Pl. Lili
Boulanger
55
Rue
Jean-Baptiste
Sq. La
Bruyère
R. de La Rochefoucauld
R. Henner
Bruyère
Rue d'Au

5

de Berne
12
Rue
Turin
Rue de
Liège
LIÈGE
1
Sq. La
Bruyère
Rue
P

Pl. de
l'Europe
40
60
Rue
Rue de Milan
31
d'Amsterdam
Casino
de Paris
Rue de la
Tour des Dames
82
P
d'Or

8e

Pl. de
Budapest
Rue d'Athènes
R. de la Trinité
STE TRINITÉ
R. de
Clauzel
R. Moriot
54
Rue
Saint

Gare
St-Lazare
ST LAZARE
Poste
Rue de Budapest
Londres
C. de
Londres
Clichy
2
TRINITÉ
Rue
N-D
40
Taitbout
63

Police
Rome
C. du
Rome Intérieure
Havre
Pl. du
Havre
Saint
106
Pass. du
Havre
Av. du
Coq
HAUSSMANN
ST-LAZARE
Lazare
68
Pl. d'Estienne
d'Orves
Rue
34
70
de
77
Av. de
Provence

niève
Péri
2
Pl. Gabriel
46
125
Rue
de l'Isly
Lycée
Condorcet
Pl. G. Berry
ST LOUIS
D'ANTIN
98
Rue
Pass. de
Provence
80
de Joubert
Mogador
Provence
Cité
d'Antin
Rue

Boulevard
Sq.
Louis
XVI
HAVRE
CAUMARTIN
46
R. du Havre
Rue
des
Printemps
R.
Charras
Gal. Lafayette
Place
Diaghilev
P
46
CHAUSSÉE
D'ANTIN
Pl. A.
Haus

Tronson
Coudray
Pass. Puteaux
Rue Tronchet
de
Greffulhe
Rue de
Castellane
Rue
Mathurins
Mauroy
AUBER
R. Boudreau
R
Scribe
Pl. J. Rouché
Pl. Ch.
Garnier
R. Gluck
R. Halévy
d'Antin
R. Meyerbeer
Rue du Helder
R. des
Italiens
Haus

7

MARIE
LEINE
Marché de
la Madeleine
Chauveau Lagarde
Pass.
Madeleine
Les Trois
Pl. de la
Rue Vignon
Godot
Rue de Seze
Sq. de l'Opéra
L. Jouvet
Br. Coquatrix
Place
Edouard VII
Square
Edouard VII
Olympia
R. Sandrie
R. Edouard VII
Imp.
Rue
OPÉRA
Pl. de
12
OPÉRA
GARNIER
Auber
Rue
des
Capucines
Bd
de l'Opéra
34
Avenue
de la
Paix
R. Danou
R. de Hanovre
29
R. de la Chaussée
Choiseul
Bd
du Quatre
43

MADELEINE
Bd
de
Madeleine
43
Rue des
Rue Volney
Rue
Port Mahon

OPÉRA - FBG MONTMARTRE - GRDS MAGASINS - ST GEORGES

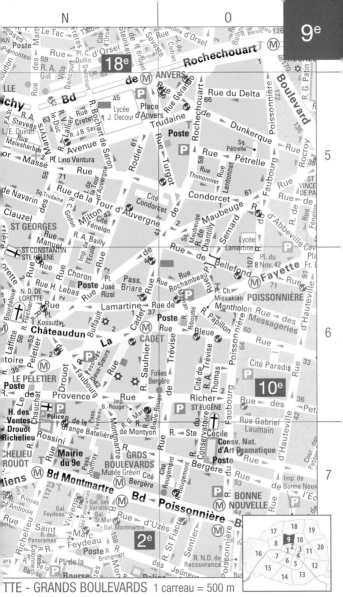

N                    0

Le Tac                    Rue d'Orsel
Frères
Pl. C. d'Orsel                    Steinkerque
Dullin                    Rochechouart                    M
18e
de    M    ANVERS                    Boulevard    R. Patin

Lycée
J. Decour                    Place
d'Anvers                    Rue du Delta                    Sq.
Pétrelle
Poste                    Rochechouart    de    Dunkerque    Rue    Rocroy

Avenue                    Pétrelle    ST
VINCE
5
Pl. Lino Ventura                    Thimonnier    Lentonnet    DE PA
Rue                    Rodier                    Condorcet                    Rue
Sq. Trudaine                    de
Rue de la Tour d'Auvergne    Maubeuge                    d'Abbeville    Cav

Cité
Condorcet                    Chantilly    Lycée
ST GEORGES                    Milton    Cité                    Lamartine    Pl. du
Fénelon                    8 Nov. 42
Manuel    R.A. Bailly                    Rue    de    Maubeuge    Bellefond    Fayette
ST CONSTANTIN                    Imp. de                    POISSONNIÈRE
STE HÉLÈNE    Choron    L'École                    Rochambeau    Pl. Ch.
N.D. DE    Rue H. Lebas                    Pl.                    Missakian    Montholon    des
LORETTE                    José                    R. Papillon    Messageries
Rizal                    d'Hauteville
Lamartine    Rue de                    Riboutté                    Rue
6
Kossuth                    Cadet    Poste
Châteaudun    La    CADET    Bleue
Buffault    Trévise                    Poissonnière
Folies                    Cité
Passage    des                    Bergère    Cité Paradis
Deux-Sœurs                    R.A. Thomas
LE PELETIER    Faubourg                    10e                    Pet
Poste                    Rue                    Richer    Rue    des
Provence    Imp.                    ST EUGÈNE
B.-Rouge                    Rue Gabriel
H. des                    R.G. Marc                    Boule-Rouge    Laumain
Ventes    Police    de la    Passage                    ST
Drouot    Grange Batelière    de Montyon    R.    Ste    Cécile    Conserv. Nat.
Richelieu    Rossini                    Conservatoire    d'Art Dramatique
CHELIEU    Mairie    Passage                    Poste
ROUOT    du 9e    Jouffroy                    Rue    Bergère    Rue
Musée Grévin    Cité    GRDS                    Imp. de
Bd Montmartre    M    Bergère    BOULEVARDS                    de Bonne Nouv
Gal.                    BONNE
Princes    Feydeau    Bd    Poissonnière    NOUVELLE    l'Ec
d'Amboise    Gal. des                    M    B
Variétés    Gal.                    7
Rue    St Marc    Rue    d'Uzès
Saint    Gal. Montmartre                    St Fiacre
R. des                    2e
Panoramas                    R.N.D. de
Marc    Recouvrance
Feydeau
Pl. de la                    Sentier
Bourse

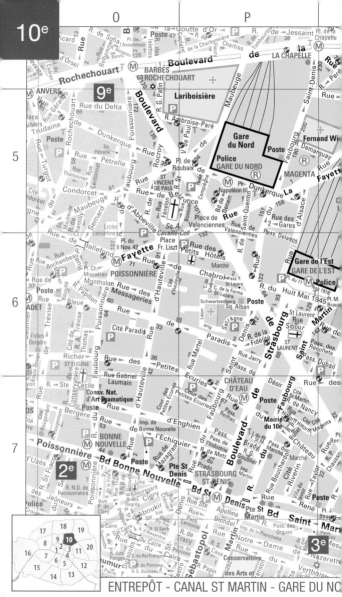

0    P

R. Ricard    R. de Sofia    Pl. de l'Assommoir    R. de la Goutte d'Or    R. de    Jessaint    Pl. de la Chapelle
R.    Pl. de    Poste 47    Bte    R. de Tombouctou    38    R.
R. Bellefonds    R. de l'Assommoir    Pl. des    Isettes    R. de la Charbonnière    Chartres    R. de    de    LA CHAPELLE

Rue    de    Boulevard    de    LA CHAPELLE

Rochechouart    BARBÈS    53    ROCHECHOUART

ANVERS    R. G. Patin    Lariboisière

9e    Rue du Delta    172

Boulevard    R. Ambroise-Paré    Gare    du Nord    Fernand Wi

5    Poste    Dunkerque    135    GARE DU NORD    Demarquay

Pétrelle    Pl. de    Roubaix    Police    MAGENTA    Fayett

Condorcet    61    VINCENT DE PAUL    Pl.    Napoléon III    La

d'Abbeville    Place de    Dunkerque    Rue des    157    158

Fénelon    Valenciennes    2 Gares    Rue d'Alsace

Pl. du 8 Nov. 42    107    Cavaillé-Coll    132    Pass. Delanos

Fayette    71    Place    Fr. Liszt    Rue des    Gare de l'Est

POISSONNIÈRE    Petits Hôtels    GARE DE L'EST    Police

Montholon    Chabrol    Rue du Huit Mai 1945    PL. M.

Rue    des    Messageries    Schwartzenberg    St Alban    St Laurent    Sibour    Rue

6    Bleue    Paradis    Léon    Satragne    R. de la    ST    Pass. des Recollets

Cité Paradis    33    Denis    Fidélité    LAURENT    Pass. Dubail

Richer    Rue    des    Petites    36    Rue Jarry

ST EUGÈNE    Ecuries    Désir    Rue

Rue Gabriel    44    Pass. St    Cité    de Nancy

Laumain    42    Ecuries    CHÂTEAU    du    Mairie

Consv. Nat.    Cour des    D'EAU    Poste    du 10e

d'Art Dramatique    Petites Écuries    Reilhac    Faubourg    Château

Bergère    53    d'Enghien    Imp. de l'Industrie    Boulevard    Brady

BONNE    R. de la    Pass.    R.G.

NOUVELLE    l'Echiquier    Barette    Goublier

Poissonnière    de Nazareth    STRASBOURG    Marché

7    Bd Bonne Nouvelle    ST DENIS    Poste

2e    Poste    Bd    St    René

R.N.D. de    Denis    Pte St    Bd    Saint

Recouvrance    Denis    Apolline    Mart

R. St Fiacre    Rue    Blondel    Pl. J.

Police    R. Ste    R. de Cléry    Lemoine    Notre    Dame    Mar

R. Croissac    Caire    R. St Spire    Passp

Pl. Caire    R. du Caire    R. de Tracy

Forges    C. du Roi François    R. St Sauveur    Conservatoire    du

R. G. Boisseau    Papin    des Arts et    Verbris

3e

17  18  19
9   8   10  20
16      2  3  11
    1  4
15  7  5   12
    6
14  13

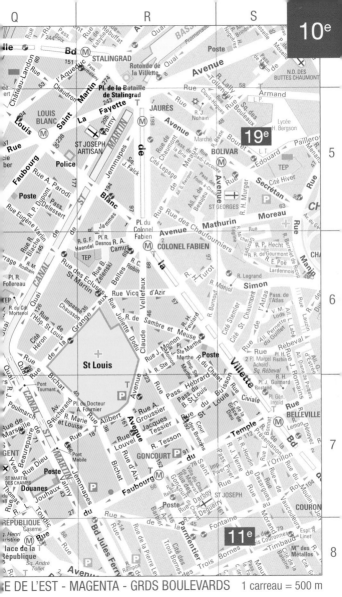

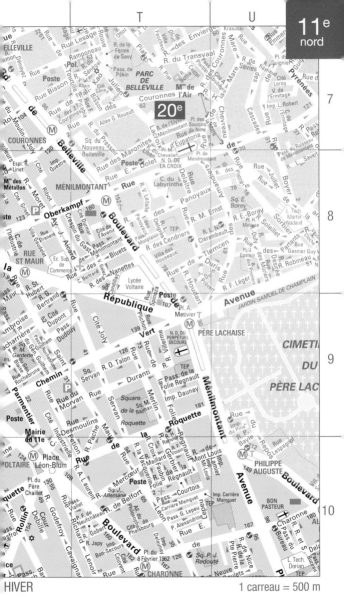

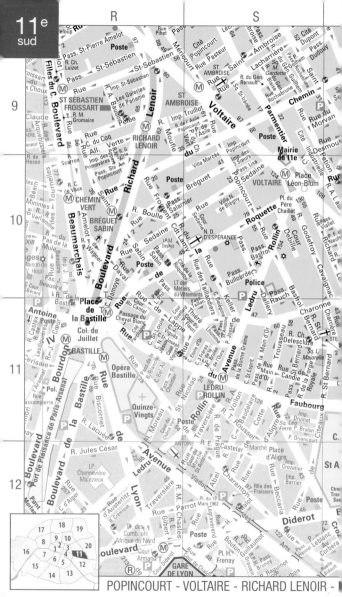

POPINCOURT - VOLTAIRE - RICHARD LENOIR -

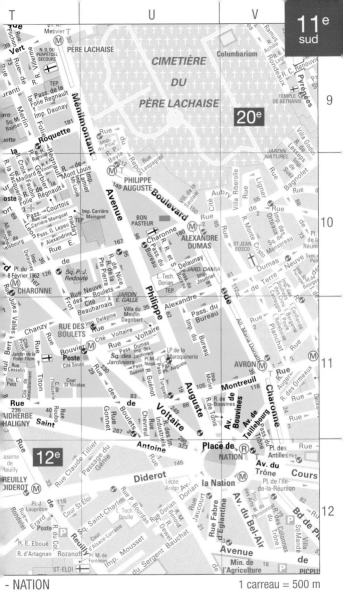

- NATION

1 carreau = 500 m

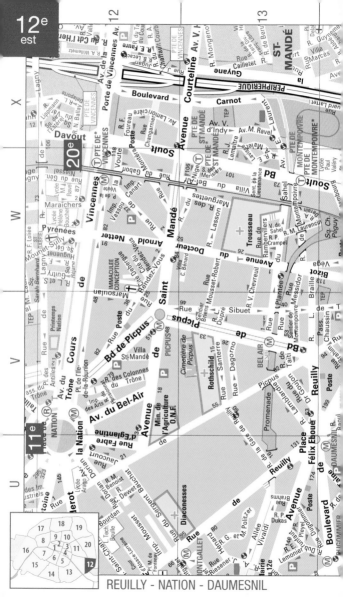

1 carreau = 500 m

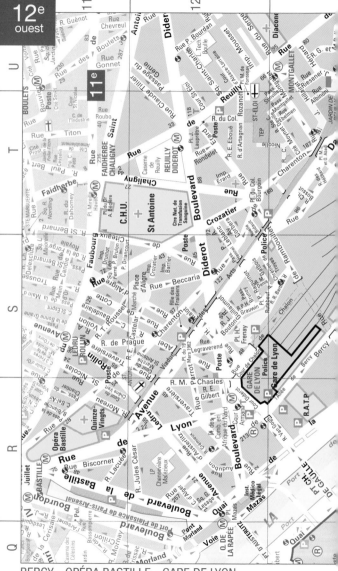

BERCY - OPÉRA BASTILLE - GARE DE LYON

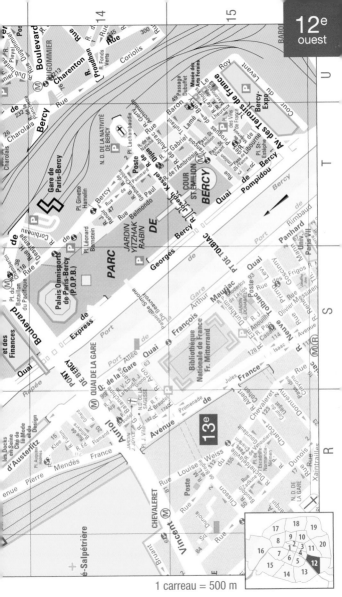

1 carreau = 500 m

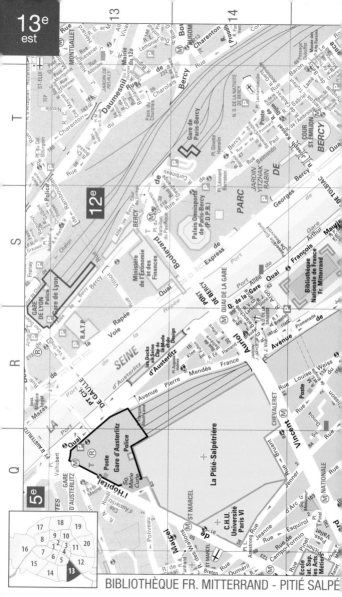

BIBLIOTHÈQUE FR. MITTERRAND - PITIÉ SALPÉ

T

S

R

Q

IVRY-SUR-SEINE

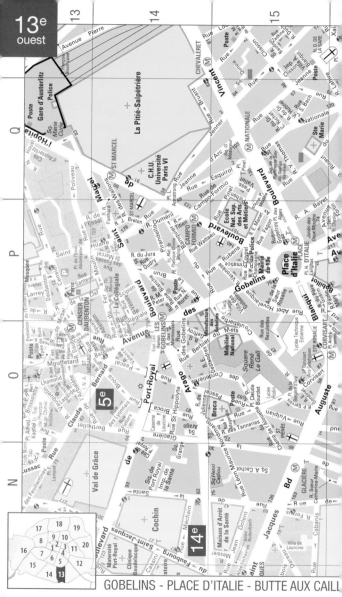

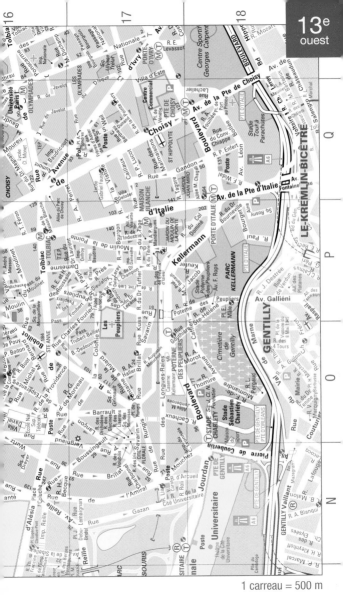

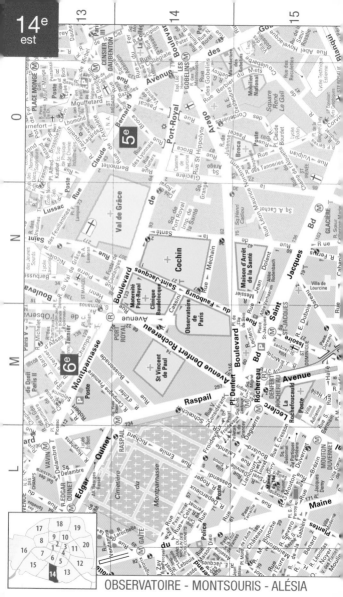

OBSERVATOIRE - MONTSOURIS - ALÉSIA

1 carreau = 500 m

MONTPARNASSE - PLAISANCE - ALÉSIA

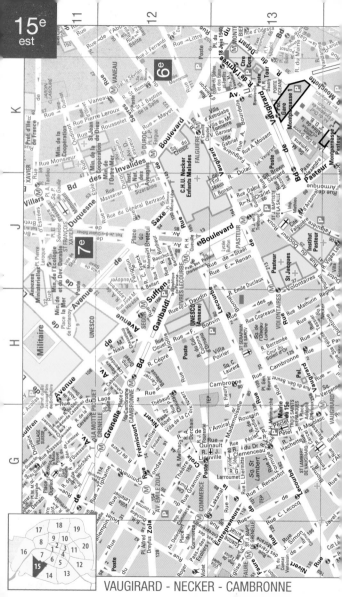

VAUGIRARD - NECKER - CAMBRONNE

1 carreau = 500 m

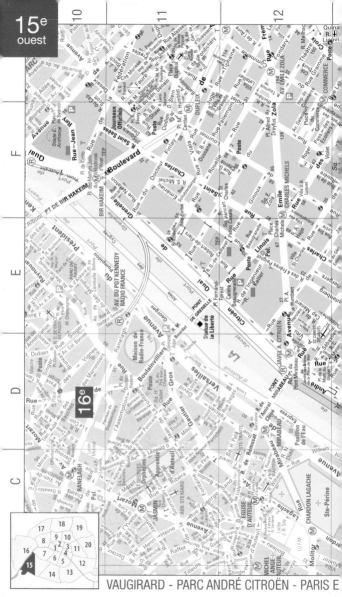

15e
ouest

1 carreau = 500 m

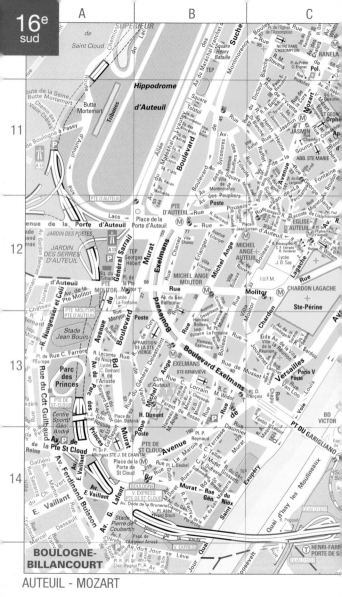

# 16e
sud

AUTEUIL - MOZART

1 carreau = 500 m

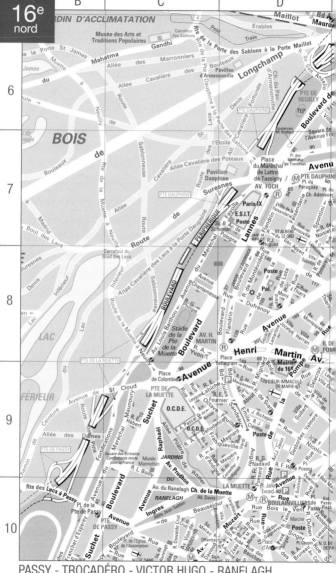

PASSY - TROCADÉRO - VICTOR HUGO - RANELAGH

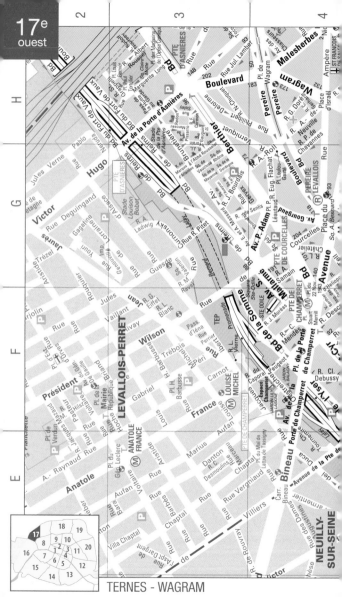

TERNES - WAGRAM

1 carreau = 500 m

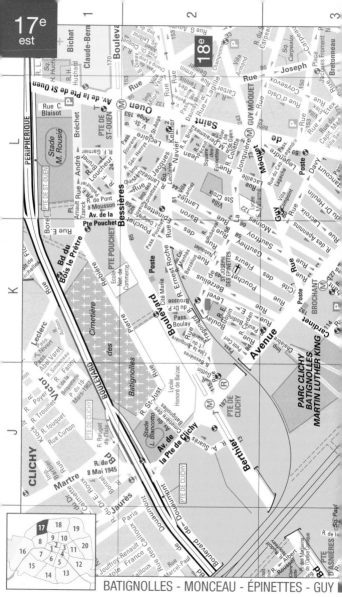

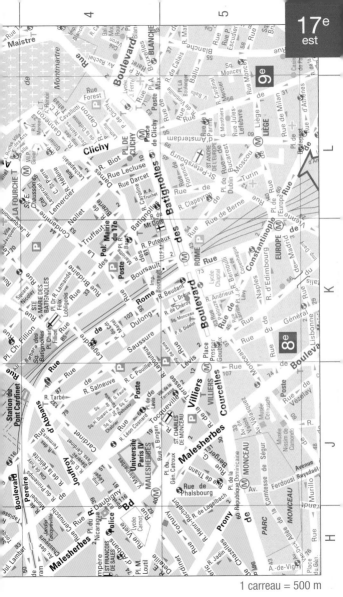

1 carreau = 500 m

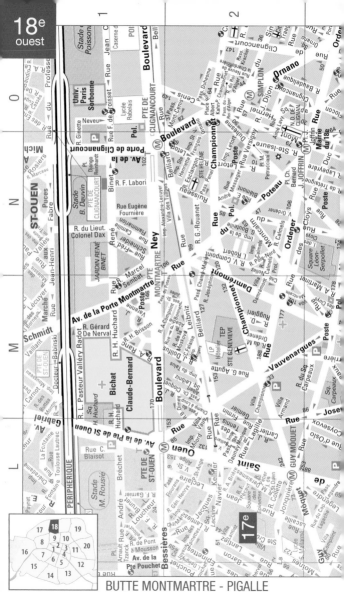

BUTTE MONTMARTRE - PIGALLE

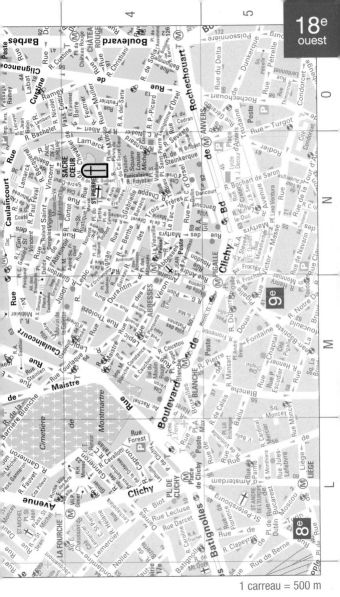

9e

8e

1 carreau = 500 m

GOUTTE D'OR - BARBÈS - LA CHAPELLE

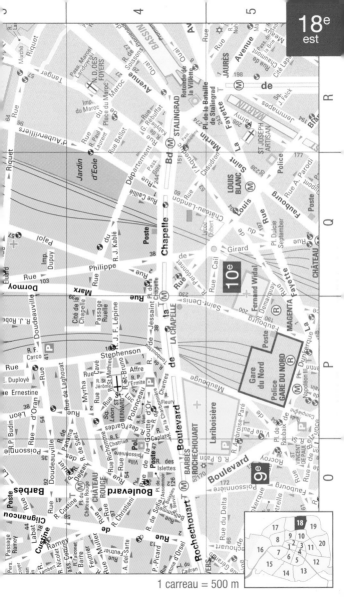

18ᵉ
est

1 carreau = 500 m

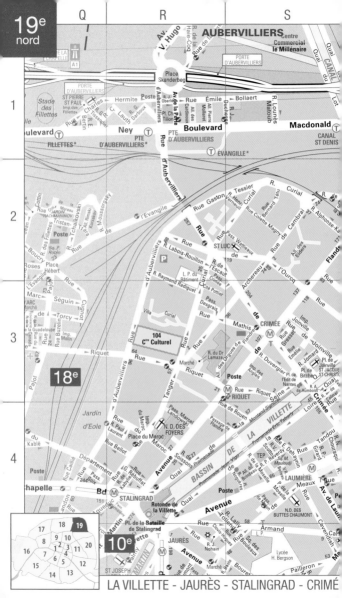

Q   R   S

AUBERVILLIERS

Centre
Commercial
le Millénaire

PORTE
D'AUBERVILLIERS

CANAL

Quai du

Place
Skanderbeg

**1**

Stade
des
Fillettes

ST PIERRE
ST PAUL
Imp. des
Fillettes

PORTE
D'AUBERVILLIERS

Hermite  Poste

Rue  Émile  Bollaert

R. Lounès
Matoub

Charles

Ney

Boulevard

Rue  Rue

R. J.
Oberlé

Pl. Ch.
Tillon

Av. de la Porte

Rue d'Aubervilliers

BOULEVARD

All. Pierre
Mollard

Duchesne

Macdonald

Boulevard

FILLETTES

PTE
D'AUBERVILLIERS

PTE
D'AUBERVILLIERS

CANAL
ST DENIS

ÉVANGILE

**2**

Poste

Sq. P.
Robin

Place
Hébert

Rue  Rachmaninov

Tristan

de  l'Évangile

Rue Tchaikovski

de Moussorgsky

Rue Gaston Tessier

R. Verneuil

Rue Curial

R. Curial

R.

R. Colette Magny

R. Henri  Rue Tessier

Rue de Cambrai

R. Alphonse

Flandre

Rue

ST LUC

de

R. Labois-Rouillon

R. de
l'Escaut

Passage Wattieaux
19

All. des
Eiders

de l'Ourcq

Rue

Séguin

Cugnot

Marc

ARC
marché

de la Guadeloupe

Rue  Buzelin

Rue Molin

Imp.

Torcy

Villa

Curial

L.P. du
Bâtiment

Cité du
Crimée

Cité Pottier

Pass.
Desprais

R. Raymond Radiguet

Rue

Archereau

Rue

de

Rue

Joinville

R. Jomard

R. de

**3**

Riquet

Rue

Rue

Rue

Rue d'Aubervilliers

104
C^te Culturel

Marché

Rue

Tanger

R. du Dr
Lamaze

All. des Orgues de Flandre

Riquet

Mathis

de CRIMÉE

de Flandre

R. Duvergier

Poste

Pl. de
Bitche

Rue

Imp. de
l'est de
Nantes

RIQUET

Rue

Rue Emile

Pl. de
Joinville
ST JACQUE
ST CHRISTO

R.A.
de Humboldt

Seine

Crimée

**18e**

**4**

du
Kâblé

Jardin
d'Eole

Poste

Département

Rue

Pass. Marcel
Landowski

Imp.
du Maroc

R. Paul
Laurent

Rue Bellot

N.D. DES
FOYERS

Place du Maroc

Avenue

Pass.
Claude

Rue

Maroc

R. de 227

Soissons Promenade

Quai

Passage de Rouen

Passage de Flandre

BASSIN  DE  LA  VILLETTE

Promenade Éric Tabarly

Jean Jaurès

TEP

Rue

R.P. Reverdy

Sq. M.
Mouloudji

R. de Joinville

R. A. Tzara

R. Mathis

Rue

LAUMIÈRE

Meaux

Av. de Lau

Cavendish

Chapelle

Bd

STALINGRAD

R. Paul
G. Roubust

Imp. Bouret

R. d'Alger

Poste

Rue

Rue

R. de Thionville

R. de Nantes

N.D. DES
BUTTES CHAUMONT

Rotonde de
la Villette

Pl. de la
Bataille
de Stalingrad

Avenue

Avenue

R. Lally
Tollendal

R. de Soissons

JAURÈS

R.J.
Nohain

Clovis Hugues

R. du Rhin

Rue

R. Sadi

Rue Bouleaux

R. des
Bouleaux

Lycée
H. Bergson

ST JOSEPH

**10e**

JAURÈS

Armand

L.P

Marché Secré

Bouret

Paillerons

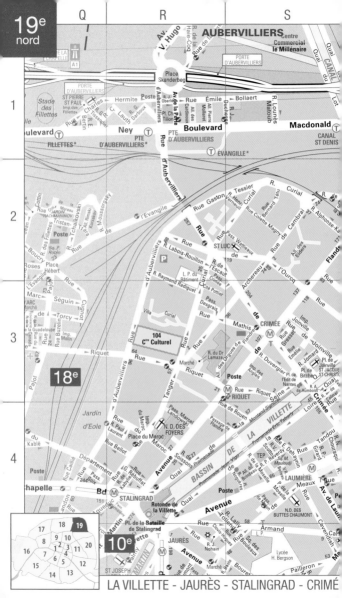
17  18  **19**
9  10
2  11  20
1
16  8  3
7  4
15  5  12
14  6  13

## LA VILLETTE - JAURÈS - STALINGRAD - CRIMÉ

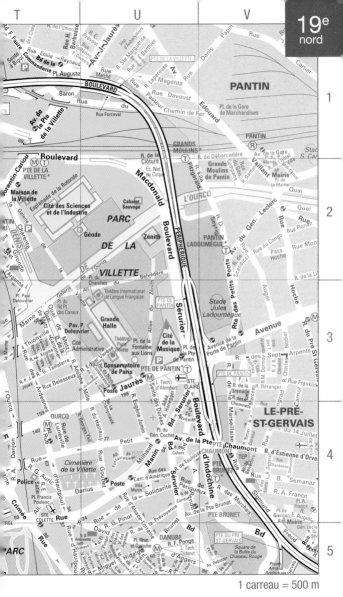

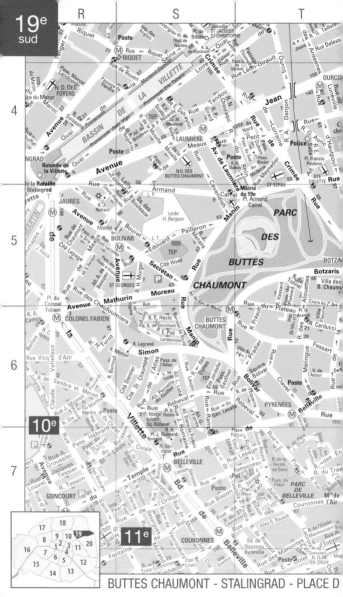

BUTTES CHAUMONT - STALINGRAD - PLACE D

LE-PRÉ-
ST-GERVAIS

20ᵉ

- CRIMÉE

1 carreau = 500 m

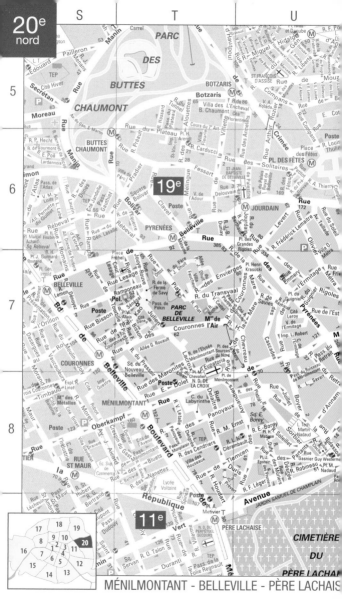

MÉNILMONTANT - BELLEVILLE - PÈRE LACHAISE

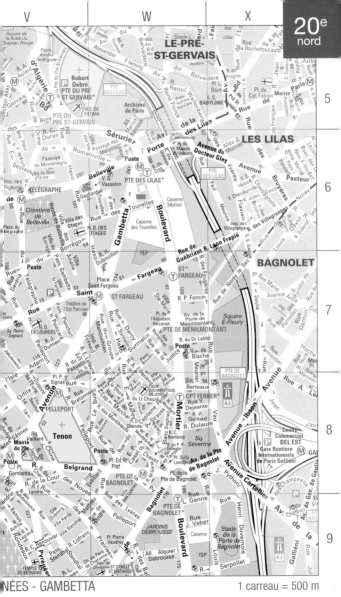

Square de
la Butte du
Chapeau Rouge

Prom. Amélia
Rodrigues

**LE-PRÉ-**
**ST-GERVAIS**

Stade L.

Rue de la Rochefoucauld

Alexander
Fleming

Rue

Villa
Belvédère

Pl. L.
Blum

Rue

Paris

Mairie

de

**5**

Robert
Debré
**PTE DU PRÉ**
**ST GERVAIS***

**PTE**
**DES LILAS**

N.D. DE
FATIMA

Archives
de Paris

Pl. du
Col. Fabien

Babylone

Gervais Rue

Sérurier

Av. de la

Sérurier

**Porte**

Av. du
Maquis du Vercors

Avenue du
Docteur Gley

**LES LILAS**

Avenue

Pasteur

**6**

N.D. DU
BOIS ST-GERVAIS

Passage des
Mauxins

**Belleville**

V.D.
Vasselon

**PTE DES LILAS***

**PTE**
**DES LILAS**

Caserne
Mortier

Imp. des
Villegranges

Noisy

**TÉLÉGRAPHE**

Cimetière
de
Belleville

Villa des
Otages

N.D. DES
OTAGES

**Gambetta**

**Tourelles**

Caserne
des Tourelles

**Boulevard**

Rue de
Guébriant

R. Léon Frapié

**BAGNOLET**

**7**

**Poste**

Hauts de Belleville

Villa de
Borrégo

**Rue**

Haxo

**Fargeau**

**ST-**
**FARGEAU**

R. des
Fougères

Rue de Noisy-le-Sec

Rue Marie

Avenue

Théâtre de
l'Est Parisien

**Saint**
**Fargeau**

**Place**
**Saint Fargeau**

**ST FARGEAU**

Ste-Marie

R. P. Foncin

Pl. de
l'Adjudant
Vincenot

**Square**
**E-Fleury**

**Rue**

Sq. Pierre
Seghers

N.D.
DE LOURDES

Dumien

Av. de la
Porte de
Ménilmontant

**PTE DE MÉNILMONTANT**

R. du Dr Labbé

**Poste**

Rue de
Blache

Rue

**8**

**PELLEPORT**

Pl. P.
Signac

**Avenue**

Orfila

**Tenon**

R. des Montbouts

**CŒUR**
**EUCHARISTIQUE**
**DE JÉSUS**

Mortier

**CPT FERBER**

Dejeante

R. V.

R.C.
Bombois

R. P. Quillard

R. Dulaure

Berteaux

A3

**PTE DE**
**BAGNOLET**

Avenue

Rue A.

**Rue**

**Ibsen**

Jean

Centre
Commercial
BEL EST

**Mairie**
**du 20ᵉ**

Sq.
Vaillant

Chine

**Belgrand**

**Poste**

R. Ed.
Piaf

R. P. P.
Enfantin

R. Sully
Lombard

Pl. de la
Pte de Bagnolet

**PTE DE BAGNOLET**

Av. de la Pte
de Bagnolet

Gare Routière
Internationale
de Paris Galliéni

Avenue

Avenue

**Galliéni**

Cartellier

**Poste**

R. Gambetta

R. de la Cour
des Noues

Pl. E. Piaf
Landrin

**PTE DE**
**BAGNOLET**

Pelleport

Rue des Lyanes

L. Ganne

**PTE DE**
**BAGNOLET**

Rue
J. Veber

Henri

Av.

**9**

Pyrénées

TEMPLE
DE BÉTHANIE

Pl. Pierre
Vaudrey

**Boulevard**

**Bagnolet**

JARDINS
DEBROUSSE

Caserne

All. Alquier
Debrousse

Stade
de la
Porte de
Bagnolet

TEP

Serpollet

A3

ST CYRILLE
ST MÉTHODE

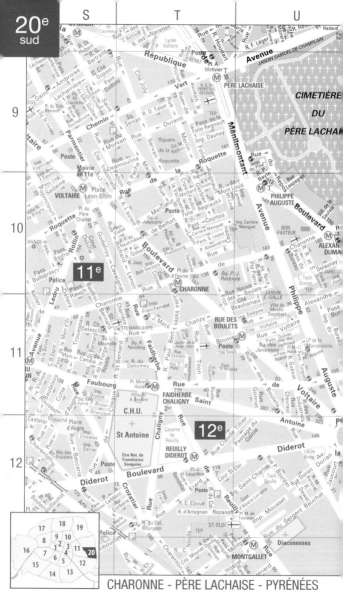

CHARONNE - PÈRE LACHAISE - PYRÉNÉES

1 carreau = 500 m

# Bois de Boulogne

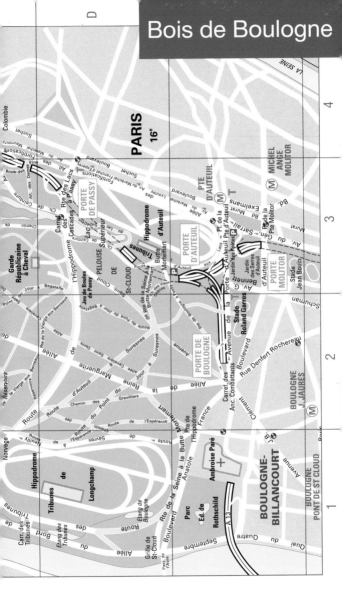

PARIS 16e

LA SEINE

Colombie

D

4

3

2

1

Suchet

Fortifications

Route des

Av. du Maréchal Maunory

Ceinture

Chemin

de

Rte des Lacs

Bvd

Suchet

PORTE DE PASSY

Carref. des Cascades

l'Hippodrome

Lac Supérieur

Route du Point du Jour

Route de la Vierge aux Berceaux

Route de l'Espérance

Garde Républicaine à Cheval

Bagatelle

Jour

Point de

Allée de Bagatelle

Allée de la Reine Marguerite

PELOUSE DE ST-CLOUD

Rte de la Seine à Suresnes

Butte Mortemart

Hippodrome d'Auteuil

Tribunes

Butte Mortemart

Bvd d'Auteuil

Bvd du Lac

Lac Inférieur

Av. du Maréchal Lyautey

Bd Exelmans

PTE D'AUTEUIL

Pl. de la Pte d'Auteuil

PORTE D'AUTEUIL

Av. de la Pte Molitor

Bd Murat

Bd Murat

MICHEL ANGE MOLITOR

(M)

Rte de la Pte Molitor

Jardin des Poètes

Jardin des Serres d'Auteuil

PORTE MOLITOR

Stade Jean Bouin

Av. de la Porte de Boulogne

Stade Roland Garros

Schuman

Carref. des Anc. Combattants

Boulevard

Rue Denfert Rochereau

PORTE DE BOULOGNE

Allée de la Reine Marguerite

Clément

BOULOGNE J. JAURES

(M)

Rte de la Butte Mortemart

Pte de l'Hippodrome

Rte de la Seine à la Butte

Anatole

France

Morteman

Chemin des Gravilliers

Sèvres

Route du Point du Jour

Route de l'Espérance

Allée de Suresnes

Suresnes

Allée de Suresnes

Ambroise Paré

A 13

Quatre

Septembre

Avenue

du

Quai

BOULOGNE PONT DE ST CLOUD

BOULOGNE-BILLANCOURT

Parc Ed. de Rothschild

Etang de Boulogne

Rte de la Seine à la Butte

Boulevard

Route du

Grille de St-Cloud

Allée

Pas de l'Avre

Hippodrome de Longchamp

Tribunes

Carr. des Tribunes

Bord des Tribunes

Etang des Tribunes

Réservoirs

Route

Norvège

Neuilly

Route

# Bois de Boulogne
## · liste alphabétique des rues

**carr.   rue / street**

C 1   Abbaye (chemin de l')
E 2   Anatole-France (boulevard)
E 2   Anciens-Combattants (carrefour des )
E 3   Auteuil (bois d')
E 3   Auteuil (boulevard d')
D 2   Auteuil à Suresnes (route d')
E 3   Auteuil aux Lacs (route d')
B 2   Bagatelle (porte de)
C 1   Bord-de-l'Eau (allée du)
B 3   Boulleaux (allée cavalière des)
E 2   Boulogne (porte de)
E 2   Boulogne à Passy (route de)
C 3   Bout-des-Lacs (carrefour du)
D 3   Butte Mortemart
D 3   Cascades (carrefour des)
D 3   Ceinture du Lac Supérieur (chemin de)
B 2   Champ d'Entraînement (route du)
C 4   Chantemesse (avenue)
C 4   Colombie (place de la)
A 3   Commandant-Charcot (boulevard du )
C 3   Croix-Catelan (carref. de la)
C 3   Dames (allée des)
A 4   Erables (allée des)
D 2   Espérance (route de l')
B 4   Etoile (route de l')
B 4   Fortunée (allée Cavalière)
E 3   Général-Sarrail (avenue du)
C 4   Gérard-Philipe (rue)
E 3   Gordon-Bennett (avenue)
C 2   Grande Cascade (route de la)
D 2   Gravilliers (chemin des)
E 2   Hippodrome (porte de l')
D 3   Hippodrome (route de l')

C 3   Lac inférieur (chemin de ceinture du)
B 4   Lacs à la Porte Dauphine (allée cavalière des)
B 4   Lacs à la Porte des Sablons (route des)
B 3   Lacs à Madrid (routes des)
D 3   Lacs à Passy (route des)
C 4   Lannes (boulevard)
B 3   Longchamp (allée de)
C 2   Longchamp (carrefour de)
B 3   Longchamp au Bout des Lacs (route du)
C 4   Louis-Barthou (avenue)
A 3   Madrid (avenue de)
B 3   Madrid à Neuilly (all. cyclable de)
B 3   Mahatma-Gandhi (avenue du)
A 4   Maillot (boulevard)
B 4   Maréchal-de-Lattre-de-Tassigny (place du)
B 4   Maréchal-Fayolle (avenue du)
D 3   Maréchal-Franchet-d'Esperey (avenue du)
D 3   Maréchal-Lyautey (avenue du)
C 4   Maréchal-Maunoury (avenue du)
B 4   Marronniers (allée des)
A 4   Maurice-Barrès (boulevard)
E 3   Molitor (porte)
C 2   Moulins (route des)
C 3   Muette (porte de la)
B 3   Muette à Neuilly (route de la)
E 3   Murat (boulevard)
C 1   Norvège (carrefour de)
D 3   Passy (porte de)
C 3   Pins (route des)
C 2   Point-du-Jour à Bagatelle (route du)

D 2   Point-du-Jour à Suresnes (route du)
B 4   Pologne (avenue de)
B 4   Porte Dauphine à la Porte des Sablons (route de la)
B 3   Porte de Madrid (carrefour de la)
B 4   Porte des Sablons à la Porte Maillot (route de la)
B 3   Porte Saint-James (route de la)
E 3   Porte-d'Auteuil (avenue de l')
E 3   Porte-d'Auteuil (place de la)
E 3   Porte-Molitor (place de la)
B 4   Poteaux (allée cavalière des)
B 2   Puteaux (pont de)
E 1   Quatre-Septembre (quai du)
D 2   Reine-Marguerite (allée de l')
C 2   Réservoirs (chemin des)
B 3   Richard-Wallace (boulevard)
B 4   Sablonneuse (route)
A 4   Sablons (carrefour des)
C 3   Saint-Denis (allée cavalière)
B 3   Saint-James (porte)
B 2   Seine (borne de)
D 3   Seine à la Butte-Mortemart (route de la)
B 2   Sèvres à Neuilly (route de)
C 4   St-Cloud (avenue de)
C 1   Suresnes (pont de)
C 3   Suresnes (route de )
C 1   Tribunes (carrefour des)
C 1   Tribunes (route des)
C 2   Vierge-aux-Berceaux (route de la)
D 3   Vieux Chênes (chemin des)

## · Principaux sites et édifices

**carr.   sites / main sites**

C 1   Camping Paris Ouest
B 2   Champ d'Entraînement
B 2   Château
C 1   Domaine de Longchamp
D 1   Etang de Boulogne
C 1   Etang de L'Abbaye
C 2   Etang de Longchamp
C 1   Etang de Suresnes
C 2   Etang des Réservoirs
D 1   Etang des Tribunes
C 3   Garde Républicaine à Cheval
C 2   Grande Cascade
D 1   Grille de Saint-Cloud
D 3   Hippodrome d'Auteuil

D 1   Hippodrome de Longchamp
E 1   Hôpital Ambroise-Paré
A 2   Ile de Puteaux
A 3   Jardin d'Acclimatation
E 3   Jardins des Poètes
E 3   Jardins des Serres d'Auteuil
D 3   Jeu de Boules de Passy
B 3   Lac de Patinage
C 3   Lac Inférieur
D 3   Lac Supérieur
B 3   Mare Saint-James
C 1   Moulin
A 3   Musée des Arts et Traditions Populaires

C 2   Orangerie
B 2   Parc de Bagatelle
E 1   Parc Edmond-de-Rothschild
B 4   Pavillon d'Armenonville
B 4   Pavillon Daupnine
C 3   Pelouse de la Muette
D 3   Pelouse de Saint-Cloud
C 1   Polo de Paris
C 3   Pré-Catelan
C 3   Racing Club de France
E 3   Stade Jean-Bouin
E 2   Stade Roland-Garros
B 2   Terrain de Sports
B 2   Trianon

# Bois de Vincennes

## liste alphabétique des rues ·

| rr. | rue / street |
|---|---|
| 3 | Aimable *(route)* |
| 3 | Asile-National *(route de l')* |
| 3 | Bac *(route du)* |
| 3 | Barrières *(route des)* |
| 3 | Batteries *(route des)* |
| 3 | Beauté *(carrefour de)* |
| 3 | Bel-Air *(avenue de)* |
| 2 | Belle-Etoile *(route de la)* |
| 3 | Belle-Gabrielle *(avenue de la)* |
| 3 | Bourbon *(route de)* |
| 3 | Brulée *(route)* |
| 2 | Buttes *(allée des)* |
| 3 | Canadiens *(avenue des)* |
| 2 | Cascade *(route de la )* |
| 2 | Champ-de-Manœuvre *(route du)* |
| 3 | Charenton *(pont de)* |
| 3 | Charenton *(porte de)* |
| 3 | Circulaire *(route)* |
| 2 | Conservation *(carrefour de la)* |
| 3 | Croix Rouge *(route de la)* |
| 2 | Dame-Blanche *(avenue de la)* |
| 2 | Dames *(route des)* |
| 2 | Daumesnil *(avenue)* |
| 3 | Dauphine *(route)* |
| 3 | Demi-Lune *(carrefour de la )* |
| 2 | Demi-Lune *(route de la)* |
| 3 | Dom-Pérignon *(route)* |

| carr. | rue / street |
|---|---|
| A 2 | Dorée *(porte)* |
| D 4 | Ecole-de-Joinville *(route de l')* |
| B 2 | Etang *(chaussée de l')* |
| C 3 | Faluère *(route de la)* |
| E 3 | Ferme *(route de la )* |
| D 4 | Ferme de la Faisanderie *(carr. de la )* |
| D 1 | Foch *(avenue)* |
| E 2 | Fontenay *(avenue de)* |
| B 2 | Général-de-Gaulle *(avenue du)* |
| D 2 | Grand-Maréchal *(route du)* |
| C 4 | Gravelle *(avenue de)* |
| A 3 | Ile *(route des)* |
| E 2 | Jaune *(porte)* |
| E 4 | Jean-Mermoz |
| E 3 | Joinville *(pont de)* |
| E 3 | Joinville *(avenue de)* |
| B 2 | Lac de Saint-Mandé *(route du)* |
| B 3 | Lac-Daumesnil *(route de ceinture du)* |
| A 4 | Liberté *(avenue de la)* |
| B 4 | Maréchal-de-Lattre-de-Tassigny *(avenue du)* |
| C 4 | Maréchal-Leclerc *(du)* |
| C 2 | Maréchaux *(cours des)* |
| E 2 | Ménagerie *(route de la)* |
| E 3 | Merisiers *(route des)* |

| carr. | rue / street |
|---|---|
| D 2 | Minimes *(avenue des)* |
| D 3 | Mortemart *(rond-point)* |
| D 3 | Mortemart *(route)* |
| E 2 | Nogent *(avenue de)* |
| C 4 | Nouvelle *(route)* |
| B 4 | Parc *(route du)* |
| C 1 | Paris *(avenue de)* |
| D 3 | Pesage *(route du)* |
| C 4 | Patte-d'Oie *(carrefour de la)* |
| D 1 | Pépinière *(avenue de la)* |
| B 3 | Plaine *(route de la)* |
| C 2 | Polygone *(avenue du)* |
| C 3 | Pyramide *(carr. de la)* |
| D 3 | Pyramide *(route de la)* |
| C 3 | Quatre-Carrefours *(allée des)* |
| A 3 | Reuilly *(porte de)* |
| C 3 | Royale *(allée)* |
| D 3 | Saint-Hubert *(route)* |
| C 2 | Saint-Louis *(esplanade)* |
| B 3 | Saint-Louis *(route)* |
| A 2 | Saint-Mandé *(porte de)* |
| B 3 | Saint-Maurice *(avenue de)* |
| C 4 | Tourelle *(route de la )* |
| D 3 | Tremblay *(avenue du)* |
| C 3 | Tribunes *(avenue des)* |
| B 4 | Val-d'Osne *(du)* |
| B 2 | Victor-Hugo *(avenue)* |
| A 1 | Vincennes *(porte de)* |

## Principaux sites et édifices ·

| arr. | sites / main sites |
|---|---|
| 4 | Arboretum |
| 2 | Cartoucherie |
| 2 | Caserne Carnot |
| 2 | Centre Equestre |
| 3 | Centre Equestre |
| 2 | Château de Vincennes |
| 4 | Cimetière de Charenton |
| 4 | Ecole d'Horticulture du Breuil |
| 2 | Ecole de Chiens Guides d'Aveugles |
| 5 | Esquirol |
| 2 | Ferme Georges-Ville |
| 2 | Fort de Vincennes |
| 2 | Fort Neuf |
| 3 | Grand Rocher |

| carr. | sites / main sites |
|---|---|
| D-3 | Hippodrome de Vincennes |
| B-2 | Hôpital Bégin |
| B-4 | Hôpital National |
| A-3 | Ile de Bercy |
| D-2 | Ile de la Porte-Jaune |
| B-3 | Ile de Reuilly |
| A 3 | Institut Bouddhique |
| E-2 | Institut National d'Agronomie Tropicale |
| D-3 | Institut National des Sports (INSEP) |
| E-3 | Jardin d'Agronomie Tropicale René Dumont |
| A-3 | Lac Daumesnil |
| D-4 | Lac de Gravelle |
| B-2 | Lac de Saint-Mandé |

| carr. | sites / main sites |
|---|---|
| D-2 | Lac des Minimes |
| C-2 | Parc Floral |
| B-3 | Parc Zoologique |
| C-2 | Paris-Nature |
| A-3 | Pelouse de Reuilly |
| C-3 | Plaine de la Belle-Etoile |
| C-3 | Plaine de la Faluère |
| D-3 | Plaine Mortemart |
| D-3 | Plaine Pershing |
| D-3 | Plaine Saint-Hubert |
| D-4 | Redoute de Gravelle |
| D-4 | Stade J.-P.-Garchery |
| C-2 | Stade Municipal |
| D-3 | Stade Pershing |
| A-3 | Vélodrome Jacques-Anquetil |

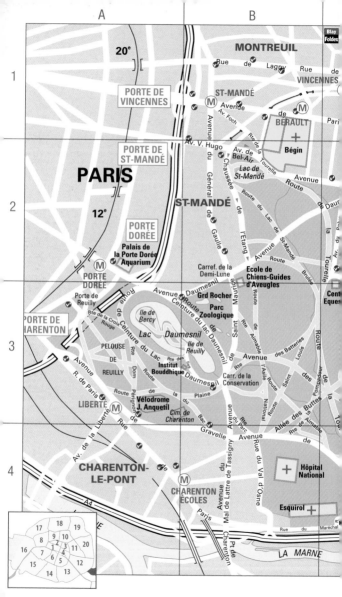

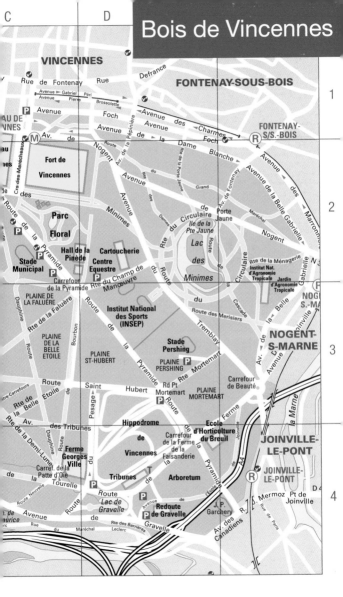

# Bois de Vincennes

C    D

VINCENNES

Rue de Fontenay    Rue
Defrance    FONTENAY-SOUS-BOIS

Avenue    Gabriel    Péri
Avenue    Pierre    Brossolette

Avenue    Avenue    des    Charmes
Foch    Foch
Avenue    Avenue    FONTENAY-
Foch    de    la    Pépinière    S/S.-BOIS

M    Av.    de    Nogent
Fort de    Av. de la Porte Jaune    Route    Dame    Blanche    Avenue de la Belle Gabrielle
Vincennes    Avenue    des
Minimes    Rte de la Porte Jaune    Grand    de Fontenay    Av. Porte    Maréchal    Nogent
Parc    Circulaire    Jaune
Floral    Avenue    Rte    du    Île de la    Nogent
Minimes    Dames    Pte Jaune    Rte de la Ménagerie
Hall de la    Cartoucherie    Lac    Institut Nat.
Pinède    Centre    des    d'Agronomie    Jardin
Stade    Équestre    Route    Minimes    Circulaire    Tropicale    d'Agronomie
Municipal    Carrefour    Rte du Champ de    du    Tropicale    NOGI
de la Pyramide    Rte    Manœuvre    Cascades    Belle    S.-MA
PLAINE    Route    Route des Merisiers
DE LA    Institut National
FALUÈRE    des Sports    de    Tremblay    NOGENT-
Rte de la Faluère    (INSEP)    Stade    S-MARNE
PLAINE    Bourbon    Pyramide    Pershing    Mortemart
DE LA    PLAINE    PLAINE    Carrefour
BELLE    ST-HUBERT    PERSHING    Rte Mortemart    de Beauté
ÉTOILE    de    Rd Pt    PLAINE    la Marne
Route    Saint    Hubert    Mortemart    MORTEMART    Joinville
Rte de la Belle Étoile    Pesage    JOINVILLE-
Av.    des Tribunes    Hippodrome    École    LE-PONT
Ferme    de    d'Horticulture
Georges    Carrefour    du Breuil    JOINVILLE-
Carref. de la    Ville    Vincennes    de la Ferme    R    LE-PONT
Patte d'Oie    de la    Pyramide
Route    Tribunes    Faisanderie    Mermoz    Pt de
Tourelle    de    Arboretum    J.P.    Joinville
Lac de    Route    Garchery    D
Gravelle    Avenue    de    Av. des    Rue de Paris
Redoute    Gravelle    Canadiens
de Gravelle    Rte des Barrières
Maréchal    Leclerc

1
2
3
4

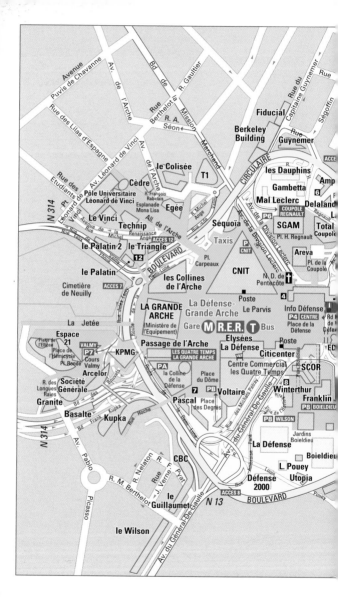

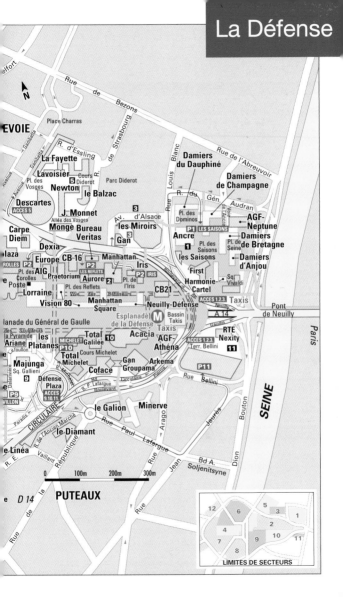

# renseignements pratiques
# adresses utiles

## VILLE DE PARIS

Hôtel de Ville          www.paris.fr
P-10        **4e, 4, place de l'Hôtel de Ville** (M° Hôtel-de-Ville) ℭ 01 42 76 40 40
P-10        **4e, Salon d'accueil :** 29 rue de Rivoli (10h00 à 19h00 sauf dimanches et fêtes)
            **Paris Info Mairie :** (ℭ 39 75 (prix d'un appel local depuis un poste fixe)

Office de Tourisme          www.parisinfo.com
D-4         **1er, 25-27, rue des Pyramides** (M° Pyramides)

Mairies d'Arrondissement :

N-9         **1er, 4, place du Louvre** (M° Louvre-Rivoli) ℭ 01 44 50 75 01
N-8         **2e, 8, rue de la Banque** (M° Bourse) ℭ 01 53 29 75 02
Q-8         **3e, 2, rue Eugène Spuller** (M° Temple) ℭ 01 53 01 75 03
P-10        **4e, 2, place Baudoyer** (M° Hôtel-de-Ville) ℭ 01 44 54 75 80
N-12        **5e, 21, place du Panthéon** (M° Luxembourg) ℭ 01 56 81 75 05
M-11        **6e, 78, rue Bonaparte** (M° Saint-Sulpice) ℭ 01 40 46 75 06
K-10        **7e, 116, rue de Grenelle** (M° Solférino) ℭ 01 53 58 75 07
K-6         **8e, 3, rue de Lisbonne** (M° Europe) ℭ 01 44 90 75 08
N-7         **9e, 6, rue Drouot** (M° Richelieu-Drouot) ℭ 01 71 37 75 09
P-7         **10e, 72, rue du Fg Saint-Martin** (M° Château-d'Eau) ℭ 01 53 72 10 10
S-10        **11e, 9 place Léon Blum** (M° Voltaire) ℭ 01 53 27 11 11
T-13        **12e, 130, avenue Daumesnil** (M° Dugommier) ℭ 01 44 68 12 12
P-15        **13e, 1, place d'Italie** (M° Place-d'Italie) ℭ 01 44 08 13 13
L-15        **14e, 2, place Ferdinand Brunot** (M° Mouton-Duvernet) ℭ 01 53 90 67 14
G-13        **15e, 31, rue Péclet** (M° Vaugirard) ℭ 01 55 76 75 15
D-9         **16e, 71, rue Henri Martin** (M° Rue de la Pompe) ℭ 01 40 72 16 16
K-4         **17e, 16-20, rue des Batignolles** (M° Rome) ℭ 01 44 69 17 17
N-3         **18e, 1, place Jules Joffrin** (M° Jules-Joffrin) ℭ 01 53 41 18 18
T-5         **19e, 5, place Armand Carrel** (M° Bolivar) ℭ 01 44 52 29 19
V-8         **20e, 6, place Gambetta** (M° Gambetta) ℭ 01 43 15 20 20

## SÉCURITÉ PUBLIQUE

Préfecture de Police          www.prefecture-police-paris.interieur.gouv.fr
O-10        **4e, 7, bd du Palais** (M° Cité) ℭ 01 53 71 53 71 ℭ 0891 01 22 22 (0,225 €/mn)

Commissariats d'Arrondissement :

M-8         **1er, place du Marché Saint-Honoré** (M° Pyramides) ℭ 01 47 03 60 00
N-7         **2e, 18, rue Croissant** (M° Sentier) ℭ 01 44 88 18 00
O-9         **3e, 4 bis, rue aux Ours** (M° Etienne Marcel) ℭ 01 42 76 13 00
R-11        **4e, 27, bd Bourdon** (M° Bastille) ℭ 01 40 29 22 00
O-11        **5e, 4, rue Montagne Ste Geneviève** (M° Maubert-Mutualité)
            ℭ 01 44 41 51 00
M-11        **6e, 78, rue Bonaparte** (M° Saint-Sulpice) ℭ 01 40 46 38 30
J-9         **7e, 9, rue Fabert** (RER Invalides) ℭ 01 44 18 69 07

| | | |
|---|---|---|
| -8 | **8e**, 1, avenue du Général Eisenhower (M° Ch.-Élysée-Clemenceau) | |
| | ☎ 01 53 76 60 00 | |
| -6 | **9e**, 14 bis, rue Chauchat (M° Richelieu-Drouot) ☎ 01 44 83 80 80 | |
| -5 | **10e**, 26, rue Louis Blanc (M° Louis-Blanc) ☎ 01 53 19 43 10 | |
| -10 | **11e**, 12, passage Charles Dallery (M° Voltaire) ☎ 01 53 36 25 00 | |
| -12 | **12e**, 80, avenue Daumesnil (M° Gare-de-Lyon) ☎ 01 44 87 50 12 | |
| -15 | **13e**, 144, boulevard de l'Hôpital (M° Place-d'Italie) ☎ 01 40 79 05 05 | |
| -14 | **14e**, 114, avenue du Maine (M° Gaîté) ☎ 01 53 74 14 06 | |
| -13 | **15e**, 250, rue de Vaugirard (M° Vaugirard) ☎ 01 53 68 81 00 | |
| -10 | **16e**, 62, avenue Mozart (M° Ranelagh) ☎ 01 55 74 50 00 | |
| -4 | **17e**, 19, rue Truffaut (M° Rome) ☎ 01 44 90 37 17 | |
| -3 | **18e**, 79-81, rue de Clignancourt (M° Marcadet-Poissonniers) | |
| | ☎ 01 53 41 50 00 | |
| -4 | **19e**, 3, rue Erik Satie, (M° Ourcq) ☎ 01 55 56 58 00 | |
| -8 | **20e**, 3-7 rue des Gâtines (M° Gambetta) ☎ 01 44 62 48 00 | |

**Police : URGENCE faire le 17**

**Fourrière :**

*En fonction du secteur, le véhicule est envoyé en préfourrière à l'adresse suivante :*
**Informations fourrières :** ☎ 08 91 01 22 22 (0,225 €/mn)

| er | N-9 | **Les Halles - Parc St Eustache,** (5e sous-sol) |
|---|---|---|
| | | (M° Les Halles) ☎ 01 40 39 12 20 |
| 2e | U-16 | **Bercy,** avenue du Général de Langle de Cary |
| | | (M° Porte de Charenton) ☎ 01 53 46 69 20 |
| 5e | D-14 | **Balard,** 1, rue Ernest Hemingway (M° Balard) ☎ 01 45 58 70 30 |
| 6e | F-6 | **Foch - Parc Etoile Foch,** (2e sous-sol vis à vis n°8 av. Foch) |
| | | (M° Charles De Gaulle Etoile) ☎ 01 53 64 11 80 |
| 7e | K-1 | **Pouchet,** 8 boulevard du Bois le Prêtre (M° Porte de Saint-Ouen) |
| | | ☎ 01 53 06 67 68 |
| 9e | V-4 | **Pantin,** 15, rue de la Marseillaise (M° Porte de Pantin) ☎ 01 44 52 52 10 |

**Pompiers : URGENCE faire le 18**

| 7e | F-4 | **État-Major,** 1, pl. Jules Renard (M° Pte-de-Champerret) ☎ 01 47 54 68 18 |
|---|---|---|

## ADMINISTRATIONS PUBLIQUES

| e | Q-11 | **Préfecture de Paris,** 17, bd Morland (M° Sully-Morland) |
|---|---|---|
| | | ☎ 01 49 28 40 00    www.ile-de-france.gouv.fr |
| e | H-6 | **Chambre de Commerce et d'Industrie de Paris,** 27, av. Friedland |
| | | (M° Ch.-de-Gaulle-Étoile) ☎ 01 55 65 55 65 |
| 5e | G-15 | **Objets Trouvés,** 36, rue des Morillons (M° Convention) |
| | | ☎ 0 821 00 25 25 (0,12 €/mn) |
| er | N-10 | **Palais de Justice,** 4, bd du Palais (M° Cité) ☎ 01 44 32 50 50 |
| e | P-10 | **Tribunal Administratif,** 7, rue de Jouy (M° Saint-Paul) |
| | | ☎ 01 44 59 44 00 |
| e | O-10 | **Tribunal  de Commerce,** 1, quai de Corse (M° Cité) |
| | | ☎ 0 891 01 75 75 (0,22 €/mn) |
| er | O-10 | **Tribunal de Grande Instance,** 4, bd du Palais (M° Cité) ☎ 01 44 32 51 51 |

## SALLES D'EXPOSITIONS - SALONS - FOIRES

| 12e | U-15 | **Bercy - Expo,** 40, avenue des Terroirs de France (M° Cour-St-Emilion) ℰ 01 44 74 50 00 |
| | | **CNIT - Paris - La Défense,** (M° Grande Arche-La Défense) ℰ 01 72 72 17 00 |
| 17e | F-4 | **Espace Champerret,** place de la Porte Champerret (M° Pte-Champerret) ℰ 01 72 72 17 00 |
| 19e | T-2 | **Centre des Congrès de La Villette,** 30, avenue Corentin Cariou (M° Porte de la Villette) ℰ 01 40 05 81 58 |
| 17e | E-5 | **Palais des Congrès,** 2, pl. Porte Maillot (M° Pte-Maillot) ℰ 01 40 68 22 22 |
| 15e | F-15 | **Paris Expo (Parc des Expositions)** Porte de Versailles, (M° Pte-de-Versailles) ℰ 01 72 72 17 00 |
| Hors-Plan | | **Parc des Expositions de Paris Nord** (Villepinte) Z.A.C. Paris-Nord II (RER B) ℰ 01 48 63 30 30 |

**Salles des Ventes - Antiquités :**

| 9e | N-6 | **Drouot-Richelieu,** 9, rue Drouot (M° Richelieu-Drouot) ℰ 01 48 00 20 20 |
| 8e | H-8 | **Drouot-Montaigne,** 15, avenue Montaigne (M° Alma-Marceau) ℰ 01 48 00 20 80 |
| 1er | M-9 | **Louvre des Antiquaires,** 2, place du Palais-Royal (M° Palais-Royal - Mée du Louvre) ℰ 01 42 97 27 27 |
| 15e | G-11 | **Village Suisse,** 78, avenue de Suffren (M° La Motte-Picquet). |
| 4e | Q-11 | **Village Saint-Paul,** rue Saint-Paul (M° Saint-Paul). |

## MARCHÉS SPÉCIALISÉS

| N-10/O-11 | | **Bouquinistes,** quais rive gauche et rive droite en regard de l'Île de la Cité |
| 18e N-1 | | **Puces de Clignancourt,** porte de Clignancourt (M° Pte-de-Clignancourt), les samedis, dimanches, lundis de 7h à 19h30. |
| 14e H-16 | | **Puces de Vanves,** porte de Vanves (M° Porte-de-Vanves), les samedis, dimanches de 7h à 19h30. |
| 20e X-11 | | **Puces de Montreuil,** porte de Montreuil (M° Porte-de-Montreuil), les samedis, dimanches, lundis de 7h à 19h30. |
| 18e N-1 | | **Marché à la Ferraille,** rue Jean-Henri-Fabre (M° Porte-de-Clignancourt). les samedis, dimanches, lundis de 7h à 19h30. |
| 4e | O-10 | **Marché aux Oiseaux,** place Louis-Lépine, (M° Cité). |
| 8e | J-8 | **Marché aux Timbres,** avenue de Marigny (M° Ch-Élysées-Clemenceau). |
| | | **Marchés aux Fleurs :** |
| 4e | O-10 | place Louis-Lépine, (M° Cité). |
| 8e | L-7 | place de la Madeleine, (M° Madeleine). |
| 17e | G-6 | place des Ternes, (M° Ternes). |
| | | **Marchés Biologique :** |
| 6e | L-12 | bd Raspail, (M° Rennes), dimanche 9h-14h. |
| 8e | L-5 | bd des Batignoles, (M° Rome), samedi 9h-14h. |
| 14e | K-14 | place Brancusi, (M° Gaité), samedi 9h-14h. |
| | | **Marchés de la Création :** |
| 11e | R-10 | Bastille, bd Richard Lenoir, (M° Bastille), samedi 9h-19h30. |
| 14e | L-13 | bd Edgar Quinet, (M° Edgar Quinet), dimanche 9h-19h30. |

**Informations Boursières** (12h à 16h), ☎ 08 92 68 84 84 (0,34 €/mn)
**Informations Parlées,** ☎ 08 92 68 10 33
**Météo - Ile de France,** ☎ 08 92 68 02 75
**Horloge Parlante,** ☎ **36 99**          www.horlogeparlante.com

www.jeunes.paris.fr

| | | |
|---|---|---|
| 5e | F-10 | **Centre d'Information et de Documentation pour la Jeunesse (CIDJ),** 101, quai Branly (RER Bir-Hakeim) ☎ 01 44 49 12 00 |
| 2e | X-13 | **Centre International de Séjour à Paris,** 6, avenue Maurice Ravel (M° Pte-de-Vincennes) ☎ 01 44 75 60 06      www.cisp.fr |
| 4e | N-15 | **Foyer International d'Accueil de Paris,** 30, rue Cabanis (M° Glacière) ☎ 01 43 13 17 00      www.fiap.asso.fr |

Kiosque Paris Jeunes :

| | | |
|---|---|---|
| e | P-10 | **Le Marais,** 14, rue François Miron (M° St-Paul) ☎ 01 42 71 38 76 |
| 5e | F-10 | **Champs-de-Mars,** 101, quai Branly (M° Bir Hakeim) ☎ 01 43 06 15 38 |
| 8e | P-4 | **Goutte d'Or,** 1, rue Fleury (M° Barbès-Rochechouart) ☎ 01 42 62 47 38 |

www.laposte.fr

**es bureaux de Poste sont ouverts au public du lundi au vendredi de 8h à 19h
t le samedi de 8h à 12h, sauf :**

| | | |
|---|---|---|
| er | N-8 | **Paris Louvre** (recette principale)**,** 52, rue du Louvre (ouvert 24h/24h) ☎ 01 40 28 76 00. |
| ler | O-9 | **Paris Forum des Halles,** 1, rue Pierre-Lescot (RER Châtelet-les Halles) ☎ 01 44 76 84 60, du lundi au vendredi de 10h à 18h , le sam. de 9h à 12h. |
| 'e | G-10 | **Paris Tour Eiffel (1er étage),** Champ de Mars (RER Champ-de-Mars) ☎ 01 45 51 05 78 |

Service client la Poste ☎ 36 31

Argent :

| | | |
|---|---|---|
| 5e | H-14 | **CCP,** 16, rue des Favorites (M° Vaugirard) ☎ 01 53 68 33 33 |
| | | **Audioposte** ☎ 08 97 65 50 10 |
| | | **Chéquiers, Cartes Bleues** (perdus, volés) : |
| | | Chéquiers ☎ 08 92 68 32 08 (0,34 €/mn) |
| | | Carte Bleue / Visa ☎ 08 92 705 705 (0,34 €/mn) |
| | | Eurocard / Mastercard ☎ 01 45 67 84 84 |
| | | Diner's Club ☎ 0 810 314 159 (prix d'un appel local) |
| | | American Express ☎ 01 47 77 72 00 |

| | | |
|---|---|---|
| 4e | O-10 | **Hôtel Dieu,** 1, place du Parvis Notre Dame, ☎ 01 42 34 82 34 |
| 5e | P-14 | **La Collégiale,** 33, rue du Fer à Moulin, ☎ 01 45 35 28 35 |
| 5e | P-14 | **Sport (Clinique du),** 36 bis, boulevard Saint Marcel, ☎ 01 40 79 40 00 |

| 5e | N-14 | **Val de Grâce,** 74, boulevard de Port Royal, ✆ 01 40 51 40 00 |
| 10e | Q-5 | **Fernand Widal,** 200, rue du Faubourg St Denis, ✆ 01 40 05 45 45 |
| 10e | P-5 | **Lariboisière,** 2, rue Ambroise Paré, ✆ 01 49 95 65 65 |
| 10e | R-6 | **Saint Louis,** 1 avenue Claude Vellefaux, ✆ 01 42 49 49 49 |
| 12e | W-13 | **Armand Trousseau,** 26, av. du Dr Arnold Netter, ✆ 01 44 73 74 75 |
| 12e | R-11 | **Quinze Vingts,** 28, rue de Charenton, ✆ 01 40 02 15 20 |
| 12e | V-13 | **Rothschild,** 33, boulevard de Picpus, ✆ 01 40 19 30 00 |
| 12e | T-12 | **Saint Antoine,** 184, rue du Faubourg St Antoine, ✆ 01 49 28 20 00 |
| 13e | O-15 | **Broca,** 54/56, rue Pascal, ✆ 01 44 08 30 00 |
| 13e | Q-14 | **Pitié Salpêtrière (La)** 47/83, boulevard de l'Hôpital, ✆ 01 42 16 00 00 |
| 14e | N-14 | **Cochin,** 27, rue du Faubourg St Jacques, ✆ 01 58 41 41 41 |
| 14e | K-16 | **N. D. de Bon Secours,** 66, rue des Plantes, ✆ 01 40 52 40 52 |
| 14e | N-14 | **Port Royal - Baudelocque,** 123, bd de Port Royal, ✆ 01 58 41 19 23 |
| 14e | M-15 | **Rochefoucauld (La),** 15, avenue du Général Leclerc, ✆ 01 44 08 30 00 |
| 14e | J-16 | **Saint Joseph,** 185, rue Raymond Losserand, ✆ 01 44 12 33 33 |
| 14e | M-14 | **Saint Vincent de Paul,** 82, av. Denfert Rochereau, ✆ 01 40 48 81 11 |
| 14e | N-16 | **Sainte Anne (Hôpital spécialisé),** 1, rue Cabanis, ✆ 01 45 65 80 00 |
| 15e | D-14 | **Européen Georges Pompidou,** Rue Leblanc, ✆ 01 56 09 20 00 |
| 15e | J-12 | **Necker - Enfants Malades,** 149/161, rue de Sèvres, ✆ 01 44 49 40 00 |
| 15e | J-13 | **Institut Pasteur,** 211, rue de Vaugirard, ✆ 01 40 61 38 00 |
| 15e | F-15 | **Vaugirard,** 10, rue Vaugelas, ✆ 01 40 45 80 00 |
| 16e | C-12 | **Sainte Périne Rossini - Chardon Lagache,** 11, rue Chardon Lagache, ✆ 01 44 96 31 31 |
| 18e | M-1 | **Bichat - Claude Bernard,** 46, rue Henri Huchard, ✆ 01 40 25 80 80 |
| 18e | M-31 | **Bretonneau,** 23, rue Joseph de Maistre, ✆ 01 53 11 18 00 |
| 19e | S-5 | **Adolphe de Rotschild (Ophtalmologie),** 25, rue Manin, ✆ 01 48 03 65 65 |
| 19e | W-6 | **Maussins,** 67, rue de Romainville, ✆ 01 40 03 12 12 |
| 19e | V-5 | **Robert Debré,** 48, boulevard Sérurier, ✆ 01 40 03 20 00 |
| 20e | V-8 | **Tenon,** 4, rue de la Chine, ✆ 01 56 01 70 00 |

Services Médicaux d'Urgence :

**SAMU** (Service d'Aide Médicale d'Urgence) ✆ **15**
**SOS Médecin,** ✆ 01 47 07 77 77
**Urgences Médicales de Paris,** ✆ 01 53 94 94 94
**Centre de Soins aux Brûlés** (Hôpital Foch, 92150 Suresnes), ✆ 01 46 25 20 00
**Centre Anti-Poison** (Hôpital Fernand Widal - 10e), ✆ 01 40 05 48 48
**Centre Anti-Drogue** (Hôpital Marmottan - 17e), ✆ 01 45 74 00 04
**Recherche d'un Proche Hospitalisé,** tous Commissariats.
**SOS Vétérinaire,** ✆ 08 92 68 99 33

## TRANSPORTS

| R.A.T.P. | | www.ratp.fr |
| 12e | R-13 | (siège), 54, quai de la Rapée (M° Quai-de-la-Rapée) ✆ 01 44 68 20 20 |

**Informations,** ✆ 32 46 (0,34 €/mn) (tarifs, trafic, horaires, itinéraires). Numéro accessible de 7h à 21 h du lundi au vendredi et de 9h à 17h les samedis, dimanches et jours fériés.

**Tarifications** :

**MÉTRO :** **Le tarif est unique et indépendant de la distance.** Un billet est valable pour un quelconque parcours et permet la libre correspondance entre les

lignes y compris les lignes RER incluses dans la section urbaine (Zone 1).

**RER :** **Le tarif est variable selon la ligne et la distance.**

**BUS :** **Dans Paris et en Banlieue** 1 seul ticket quel que soit le parcours sur une même ligne, à l'exception de quelques lignes rapides (Orlybus, Roissybus, 221, 297, 299, 350, 351...) et Balabus.

**TRAMWAY : 1 seul ticket** quel que soit le parcours sur 1 même ligne.

**NOCTILIEN (Bus de nuit) :**  www.noctilien.fr

Un ticket "**t**" pour les deux premières zones tarifaires empruntées, puis un ticket "**t**" par zone supplémentaire. Les abonnements Intégrale, Passe Navigo, Imagine "R" et Mobilis sont valables dans leurs zones.

**Nota :** les tickets Métro et Bus sont identiques et peuvent être achetés dans une station de métro ou dans le bus.

**Astuce :** le **Ticket t+** permet à l'usager de prendre plusieurs bus et tramway en correspondance pendant une durée d'une heure trente.

**D'autres formules sont disponibles aux guichets.**

**Pour bien préparer ses déplacements :** www.transport-idf.com

Transport Ile-de-France vous permet d'effectuer vos recherches d'itinéraires, de consulter les horaires et informations trafic pour l'ensemble des transports en commun, bus, métros, RER, trains et tramways de la région Ile-de-France.

**VOGUEO**  www.vogueo.com

Navette fluviale entre Gare d'Austerlitz et Ecole vétérinaire de Maisons-Alfort. ℂ 0826 880 500 (0,15 €/mn)

**S.N.C.F.**  www.sncf.com

9e  L-6  (siège), ℂ 01 52 25 60 00

**Grandes Lignes :** Information, vente, horaires, trafic ℂ 36 35 (0,34 €/mn)

Prévisions de circulation en cas de travaux programmés, de grèves, d'incidents durables... Numéro vert gratuit : ℂ 0805 30 3635

**Transilien** (Réseau Ile-de-France) : www.transilien.com

Conseillers, informations et horaires, ℂ 36 58 (0,23 €/mn)

**Service Bagages,** ℂ 36 35 dites "bagages" (0,34 €/mn)

**GARES S.N.C.F.**

| | | |
|---|---|---|
| 13e | Q-13 | **Austerlitz :** Métro lignes 5 et 10 - RER C |
| 10e | P-6 | **Est :** Métro lignes 4, 5 et 7 |
| 12e | S-13 | **Lyon :** Métro lignes 1 et 14 - RER A et D |
| 15e | K-13 | **Montparnasse :** Métro lignes 4, 6, 12 et 13 |
| 10e | P-5 | **Nord :** Métro lignes 4 et 5 - RER B, D et E |
| 9e | L-6 | **Saint-Lazare :** Métro lignes 3, 12, 13 et 14 - RER E |

**VÉLIB'**  www.velib.paris.fr

Le système Vélib' met à votre disposition des vélos robustes et conforta bles, 24h/24, 7j/7. Grâce au maillage des stations, vous n'êtes jamais à plus de 300 mètres (environ) d'une station.

**AUTOLIB'**  www.autolib-paris.fr

Le système Autolib' met à votre disposition des véhicules électriques, 24h/24, 7j/7. Les stations sont réparties dans Paris et 46 communes de la petite couronne.

Compagnies de Taxis :

Un numéro unique pour appeler son taxi 🕿 01 45 30 30 30, ou contacter directement les différentes compagnies :

**ALPHA-TAXIS** 🕿 01 45 85 85 85 www.alphataxis.fr

**TAXIS G7** 🕿 36 07 (0,15 €/mn) www.taxisg7.fr

**TAXIS BLEUS** 🕿 08 91 70 10 10 (0,23 €/mn) www.taxis-bleus.com

**Préfecture de Police,** Service des Taxis, 36, rue des Morillons

**informations, réclamations** 🕿 01 55 76 20 11

Aéroports :                www.aeroportsdeparis.fr

**Orlybus, Roissybus,** 🕿 32 46 (0,34 €/mn) www.ratp.fr

**Cars Air France,** 🕿 0892 350 820 (0,34 €/mn) www.lescarsairfrance.com

**Aéroport de Roissy-Charles De Gaulle** 🕿 01 48 62 22 80

**Aéroport d'Orly,** 🕿 01 49 75 15 15

**Aéroport du Bourget,** 🕿 01 48 62 12 12

15e D-15    **Héliport de Paris,** 4, avenue de la Porte de Sèvres 🕿 01 45 54 89 26

**Vols :**    Arrivées - Départs de Paris, 🕿 39 50 (0,34 €/mn)

Informations Routières :   www.sytadin.fr *(Etat du trafic en Ile-de-France)*

**Informations Voirie** (réglementation, stationnement, travaux),
🕿 01 40 28 73 73

**Centre Régional d'Information et de Coordination Routière,**
🕿 0 800 100 200

**Accidents de la Circulation** (Préfecture de Police), 🕿 01 44 08 62 70

**FIP - FM 105.1,** circulation à Paris, 🕿 01 42 20 12 34

**France Bleu - FM 107.1** *la City Radio de Paris*

## PROMENADES

| | | |
|---|---|---|
| 7e | F-9 | **Batobus,** port de la Bourdonnais (Pont-d'Iéna), 🕿 0 825 05 01 01 (0,15 €/mn) |
| 7e | H-8 | **Bateaux-Mouches,** embarcadère Pont de l'Alma (M° Alma-Marceau), 🕿 01 42 25 96 10 |
| 5e | O-11 | **Bateaux Parisiens Notre-Dame,** embarcadère Quai de Montebello (RER Saint-Michel - Notre-Dame), 🕿 01 43 26 92 55 |
| 7e | F-9 | **Bateaux Parisiens Tour Eiffel,** embarcadère port de la Bourdonnais (M° Trocadéro), 🕿 0 825 01 01 01 (0,15 €/mn) |
| 1er | N-10 | **Vedettes du Pont Neuf,** embarcadère square du Vert-Galant (M° Pont-Neuf), 🕿 01 46 33 98 38 |
| 19e | S-4 | **Paris Canal,** 19, quai de la Loire (M° Jaurès), 🕿 01 42 40 96 97 |
| 19e | S-4 | **Canauxrama,** 13, quai de la Loire (M° Jaurès), 🕿 01 42 39 15 00 |

## THÉÂTRES - SALLES DE SPECTACLES - CINÉMAS

**Différentes publications hebdomadaires,** concernant les programmes des specta cles parisiens et de banlieue, sont en vente en librairies et en kiosques.

8e    L-7    **Kiosque Madeleine,** 15, place de la Madeleine (M° Madeleine), pour obtenir des places à moitié prix le jour même de la représentation.

Paris :

| | | |
|---|---|---|
| e | Q-13 | **Ménagerie/Jardin des Plantes,** (RER C, M° Gare-d'Austerlitz) ℭ 01 40 79 30 00 |
| 6e | B-6 | **Jardin d'Acclimatation,** (RER C, M° Porte-Maillot) ℭ 01 40 67 90 82 |
| 9e | U-2 | **Cité des Sciences et de l'Industrie,** (M° Porte-de-la-Villette) ℭ 0892 69 70 72 (0,34 €/mn) |
| 6e | F-9 | **Aquarium du Trocadéro,** (M° Trocadéro) ℭ 01 40 69 23 23 |

e-de-France :

**Disneyland Paris,** (RER A, Chessy-Marne la Vallée) ℭ 01 60 30 10 20
**Parc Astérix,** (RER B, Roissy - Ch.-de-Gaulle puis liaison Bus). ℭ 03 44 62 31 31
**Thoiry (Parc Zoologique),** 78770 Thoiry, ℭ 01 34 87 40 67
**Mer de Sable,** 60950 Ermenonville ℭ 0 825 25 20 60 (0,15 €/mn)
**France Miniature,** 78990 Élancourt ℭ 01 30 16 16 30

Carte **"Paris Museum Pass"** (vente dans les principaux musées, monuments et Office de Tourisme de Paris), cette carte permet un nombre de visites illimité dans les musées et monuments de la région parisienne. Elle est valable 2, 4 ou 6 jours.
www.parismuseumpass.com

| | | |
|---|---|---|
| er | M-9 | **Arts de la Mode et du Textile (des),** 107, rue de Rivoli (M° Palais-Royal - Musée du Louvre) ℭ 01 44 55 57 50 |
| er | M-9 | **Arts Décoratifs (des),** 107, rue de Rivoli (M° Palais-Royal - Musée du Louvre) ℭ 01 44 55 57 50 |
| 3e | Q-10 | **Carnavalet,** 23, rue de Sévigné (M° Saint-Paul) ℭ 01 44 59 58 58 |
| 9e | T-2 - U-3 | **Cité des Sciences et de l'Industrie** - Parc de la Villette (M° Pte de la Villette) ℭ 0892 69 70 72 |
| | | **Cité de la Musique** (M° Pte de Pantin) ℭ 01 44 84 45 00 |
| 5e | N-11 | **Cluny,** 6, rue Paul-Painlevé (M° Cluny-la-Sorbonne) ℭ 01 53 73 78 00 |
| 9e | N-7 | **Grévin,** 10, bd Montmartre (M° Rue Montmartre) ℭ 01 47 70 85 05 |
| 5e | Q-13 | **Museum National d'Histoire Naturelle, Jardin des Plantes,** 57, rue Cuvier (M° Jussieu) ℭ 01 40 79 30 00 - |
| | | **Grande Galerie de l'Évolution,** 36 rue Geoffroy Saint-Hilaire (M° Jussieu) ℭ 01 40 79 54 79 |
| 16e | F-9 | **Homme (de l')** - Palais de Chaillot,17, place du Trocadéro (M° Trocadéro) ℭ 01 44 05 72 72 |
| er | M-9 | **Louvre (du),** 34-36, quai du Louvre (M° Palais Royal-Musée du Louvre) ℭ 01 40 20 51 51 |
| 16e | F-9 | **Marine (de la)** - Palais de Chaillot, 17, place du Trocadéro (M° Trocadéro) ℭ 01 53 65 69 69 |
| 16e | G-8 | **Mode et du Costume (de la)** - Palais Galliéra, 10, avenue Pierre Ier de Serbie (M° Iéna) ℭ 01 56 52 86 00 |
| 5e | M-12 | **Musée du Luxembourg** - 19, rue de Vaugirard (RER Luxembourg, M° Odéon) ℭ 0 892 684 694 |
| 7e | G-9 | **Musée du quai Branly, Arts et Civilisations d'Afrique, d'Asie, d'Océanie et des Amériques** - 37, quai Branly et 218, rue de l'Université (RER Pont de l'Alma) ℭ 01 56 61 70 00 |

| | | |
|---|---|---|
| 4e | O-9 | **National d'Art Moderne** - Centre G.- Pompidou, 19, rue Beaubourg (M° Rambuteau) ℂ 01 44 78 12 33 |
| 1er | K-8 | **Orangerie des Tuileries (de l'),** Place de la Concorde (M° Concorde) ℂ 01 42 97 48 16 |
| 7e | L-9 | **Orsay (d'),** 1, rue Bellechasse (RER Musée d'Orsay) ℂ 01 45 49 11 11 |
| 8e | J-8 | **Palais de la Découverte,** avenue Franklin Roosevelt (M° Franklin-D.- Roosevelt) ℂ 01 56 43 20 21 |
| 8e | J-8 | **Petit-Palais (du),** 1, avenue Dutruit (M° Ch.-Élysées-Clemenceau) ℂ 01 44 51 19 31 |
| 1er | M-9 | **Publicité (de la),** 107, rue de Rivoli (M° Louvre-Rivoli) ℂ 01 44 55 57 50 |

## PARCS ET JARDINS - CIMETIÈRES

**Parcs et Jardins :**

| | | |
|---|---|---|
| 12e | R-11 | **Arsenal** (port de l'), au cœur de Paris, verdure et port de plaisance, (M° Bastille). |
| 15-14e | K13 | **Atlantique** (jardin), 55, Bd de Vaugirard, aménagé sur la dalle recouvrant les voies de la gare, (M° Montparnasse-Bienvenüe). |
| 19e | S-5 | **Buttes-Chaumont** (parc des), le pont dit "des suicidés" mène au lac d'où surgit une masse rocheuse, (M° Buttes-Chaumont). |
| p123 | C-2 | **Floral du Bois de Vincennes** (parc), 30 ha aux espèces florales variées, des pavillons aux multiples expositions ainsi qu'une grande aire de jeux pour les enfants. |
| 15e | G-15 | **Georges-Brassens** (parc), sa vigne, ses ruches et son jardin de plan tes odorantes (conçu pour les aveugles) en font sa particularité, (M° Convention), situé à l'emplacement des anciens abattoirs de Vaugirard. |
| 1er | O-9 | **Halles** (jardin), au cœur de Paris, un mail planté de tilleuls, des voûtes verdoyantes et des jeux pour les enfants (RER, M° Châtelet-les-Halles). |
| 7e | J-9 | **Invalides** (jardin des), un large fossé le délimite, 18 canons sont alignés le long des remparts, (M° Latour-Maubourg). |
| 6e | M-12 | **Luxembourg** (jardin du), très ombragé, c'est le lieu de rencontre des étudiants. Séances de marionnettes, (M° Luxembourg). |
| 8e | J-5 | **Monceau** (parc), belles grilles en fer forgé, nombreuses statues disposées parmi des arbres aux essences variées : érable, sycomore, ginkgo biloba... (M° Monceau). |
| 1er | N-8 | **Palais-Royal** (jardin du), un cadre majestueux et élégant (façade de Victor Louis) et nombreux commerces sous les galeries, (M° Palais- Royal - Musée du Louvre). |
| 13e | Q-12 | **Plantes** (jardin des), quai St-Bernard, (RER, M° Gare d'Austerlitz). |
| 16e | F-9 | **Trocadéro** (jardins du), ils datent de l'exposition de 1937 et sont appréciés pour leur profil accidenté agrémenté du bassin central aux puissants jets d'eau. (M° Trocadéro). |
| 5e | Q-12 | **Tino Rossi** (jardin), emplacement du musée de la Sculpture en plein air, (RER, M° Gare-d'Austerlitz). |
| 1er | L-M-9 | **Tuileries** (jardin du)-**Carrousel** (jardin du), l'un et l'autre en pro- longement, ils promettent une longue promenade parmi des sta- tues de Rodin ou de Maillol en contournant le bassin octogonal (location de petits voiliers) (M° Tuileries). |

**Bois de Boulogne,** 846 hectares agrémentés de 7 lacs, de jardins (serres d'Auteuil), à découvrir en parcourant les sentiers balisés, Hippodromes.

**Bois de Vincennes,** 995 hectares comprenant le Lac Daumesnil, le Parc Floral, le Jardin Tropical, l'Hippodrome, 60 km de sentiers balisés...

**Fédération Française de Randonnée** ☎ 01 44 89 93 90 - www.ffrp.asso.fr

Cimetières :

0e U-9      **Père-Lachaise,** le plus grand et le plus intéressant de la capitale, les nombreux monuments d'hommes célèbres sont une des principales invitations à sa visite, (M° Père Lachaise).

8e M-4      **Montmartre,** quelques noms prestigieux : Sacha Guitry, Hector Berlioz, François Truffaut, Edgar Degas ou encore Dalida...(M° Pl. de Clichy).

4e L-14      **Montparnasse,** Guy de Maupassant, Serge Gainsbourg, Bartholdi ou encore André Citroën reposent dans ce cimetière parmi bien d'autres personnages célèbres, (M° Raspail).

---

Les renseignements contenus dans cet atlas ont été vérifiés avec soin, cependant leur publication n'engage en aucun cas la responsabilité de l'éditeur.

---

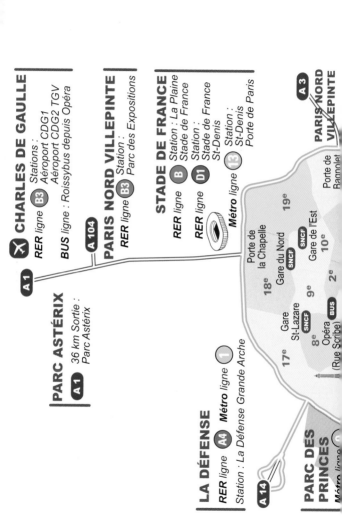

**CHARLES DE GAULLE**

*RER ligne* **B3** *Stations :*
Aéroport CDG1
Aéroport CDG2 TGV
*BUS ligne : Roissybus depuis Opéra*

**A 104**

**PARIS NORD VILLEPINTE**

*RER ligne* **B3** *Station :*
Parc des Expositions

**STADE DE FRANCE**

*RER ligne* **B** *Station : La Plaine*
Stade de France
*RER ligne* **D1** *Station :*
Stade de France
St-Denis
*Métro ligne* **13** *Station :*
St-Denis
Porte de Paris

**A 3**

**PARIS NORD VILLEPINTE**

**A 1**

**PARC ASTÉRIX**

**A 1** *36 km Sortie :*
Parc Astérix

Porte de
Bagnolet

Porte de
la Chapelle

18ᵉ       19ᵉ

Gare du Nord **SNCF**

9ᵉ       Gare de l'Est **SNCF**

Gare       2ᵉ       10ᵉ
St-Lazare **SNCF**

17ᵉ       8ᵉ       Opéra **BUS**
(Rue Scribe)

**LA DÉFENSE**

*RER ligne* **A4** *Métro ligne* **1**
*Station : La Défense Grande Arche*

**A 14**

**PARC DES
PRINCES**

*Métro ligne* **9**

autour de Paris

**PARIS EXPO**

*Métro ligne* **12**

*Tramway lignes* **T2** **T3**

*Station : Porte de Versailles*

## CHÂTEAU DE VERSAILLES

*RER ligne* **C5** *Station : Versailles-RG
Château de Versailles*

*RER ligne* **C7** *Station :
Versailles Chantiers*

*RER ligne* **C8** *Station :
Versailles Chantiers*

**A 13** *15 km Sortie 5 :
Versailles-Château*

## DISNEYLAND PARIS

*RER ligne* **A4** *Station : Chessy -
Marne-la-Vallée*

**A 4** *40 km Sortie : Disneyland Paris*

## ✈ ORLY

*RER ligne* **B3** *Station : Antony
puis ORLYVAL
direction Orly*

*RER ligne* **C2** *Station : Pont de Rungis
puis Navette bus
direction Orly*

*BUS ligne : Orlybus depuis Denfert-Rochereau*

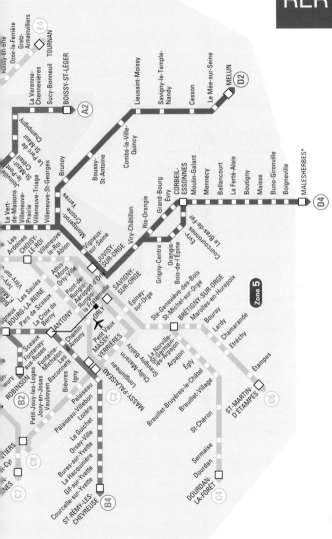

RER

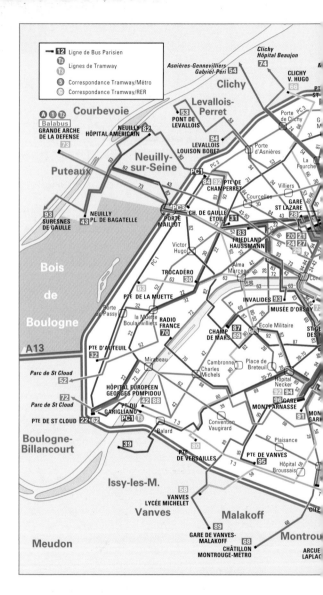

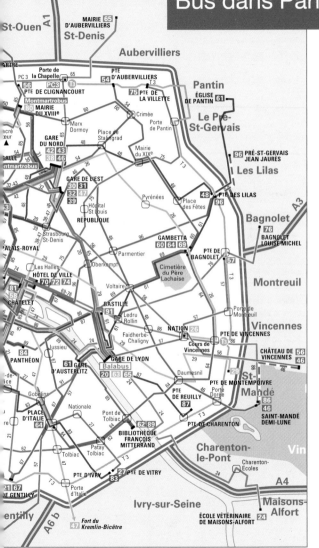

Bus dans Paris

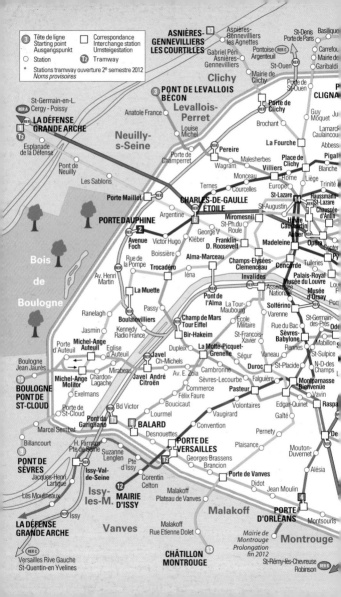